南方軍政関係史料㊹

南洋協会発行雑誌（『会報』・『南洋協会々報』・『南洋協会雑誌』・『南洋』1915〜44年）

解説・総目録・索引〔執筆者・人名・地名・事項〕

早瀬晋三 編

第 1 巻
〔解説・総目録編〕

龍溪書舎

目　次

はじめに …………………………………………………………………早瀬　晋三…1

Ⅰ．解説　南洋協会について………………………………………河原林直人…3

Ⅱ．南洋協会発行雑誌　総目録
　　凡例 ……………………………………………………………………………29
　　『会報』1号（1915年2月）～11号（1915年12月）………………………31
　　『南洋協会々報』第2巻第1号（1916年1月）～第4巻第12号（1918年12月）…37
　　『南洋協会雑誌』第5巻第1号（1919年1月）～第23巻第4号（1937年4月）…55
　　『南洋』第23巻第5号（1937年5月）～第30巻第11号（1944年11月）［？］ ……255

は じ め に

　本書は、南洋協会発行雑誌（『会報』『南洋協会々報』『南洋協会雑誌』『南洋』1915-44年）復刻版の附巻として発行する予定であった。ところが、諸般の事情で、復刻版の出版がとりやめになり、すでに作業をすすめていたこの「解説・総目録・索引（執筆者・人名・地名・事項）」だけが企画として残った。

　復刻版の企画があがったとき、解説者として河原林直人氏が適任だと思い依頼したところ、すぐにご快諾をいただいた。河原林氏は大阪市立大学出身で、同大学図書館（学術情報総合センター）地下の書庫で、南洋協会発行雑誌を閲覧している姿を何度も見かけていた。まもなく解説の原稿が届いた。だが、総目録、索引の作成で手間取り、河原林氏には何年も待ってもらうことになってしまった。まずは、河原林氏に刊行の遅れたことをお詫びしたい。

　本雑誌は、戦前・戦中の30年間の日本と南洋を結ぶ情報の宝庫である。本書の刊行が遅れたことで、研究者だけでなく学生の卒業論文や修士論文、学期末レポートなどに研究工具として利用できなかったことをつぎにお詫びしたい。本書の目的のひとつに、学生などがこの雑誌を使って勉強・研究するきっかけになり、現在に引き続く日本と南洋（今日の東南アジアや太平洋諸島）の関係に興味をもってもらいたいということがあった。とくに、日本が南洋を戦場とし、現地の人びとを巻き込み、多大の人的・物的被害を与えたことにたいして、日本人として考えることがグローバル社会で生きるために必要であると感じている。学生が同世代の者と対話するとき、現在だけでなく過去を共有することで、未来を語ることができる。本書が、その導きのひとつになることを願っている。

　さらにお詫びをしなければならないのは、総目録、索引が充分正確ではないということである。まず、執筆者の名前や記事のタイトルが、各号の目次、本文、巻毎の総目次などで一致しないことがままあったが、どれが正しいのか判断できないものがいくつか残った。また、索引はとくに事項の項目選定が簡単ではなく、重複したものもある。しかし、30年間発行された雑誌の全体像を理解するためには、大まかなものであっても索引が必要であると考え、項目を大目に拾うことにした。雑誌の記事を必要に応じて利用することが一般的であるが、すこしでも全体像を理解したうえで利用すると、資料として恣意的に利用するという弊害を避けることができる。

お詫びばかりであるが、本書が有効に利用され、日本と南洋の関係史の発展に少しでも貢献できれば幸いである。

早瀬　晋三

Ⅰ.［解説］南洋協会について

河原林直人

はじめに

　筆者は、二〇〇九年末、港区南青山のとあるマンションを訪ねた。当時、何の変哲もないマンションの一室に「異文化コミュニケーション財団」の事務局があった[1]。この財団の説明は割愛するが、登記上、財団法人南洋協会（以下、南洋協会と略す）の後身組織である[2]。この事務局には、「（財）南洋協会」と書かれた小さな看板（プレート）が残されていた。ただし、南洋協会の痕跡を確認できるものはこれだけであった。残念ながら、関係資料については既に廃棄されてしまったようである。すなわち、南洋協会を知るための情報や資料が「本家」にすら存在していないのが現実である。

　全てを把握しているわけではないが、近代において日本帝国が展開した「南方関与」[3]に携わった組織の中で、敗戦後に閉鎖機関に指定され、あるいは解散命令が下されたものが少なくない。しかし、南洋協会はその中には含まれておらず、敗戦後も、一定期間は、一九四五年以前と同様に活動していたと思われる[4]。今、筆者の手許には一九五二年度（昭和二七年度）の理事会および評議員会の資料がある[5]。資料の中には、一九五一年度（昭和二六年度）事業活動報告・決算書と一九五二年度の事業計画・予算が収録されており、GHQ占領下の日本において南洋協会が展開した活動内容の一端を垣間見ることができる[6]。その詳細については別の機会に考察するとして、まず押さえておきたいことは、南洋協会という組織が一九一五年に設立されてから、――法人格のみで言えば――、現在に至るまで存続しているという事実である。ただし、今では名称だけではなく、事業内容も大きく様変わりしているために、「中身」の連続性を見出すことは難しいと言わざるを得ない。

　ところで、南洋協会という組織に関心の目を向ける人はどれほどいるのだろうか。遺憾ながら、多くの人はほとんど無関心であろう。そして、この傾向は、市井一般だけではなく、実は歴史研究者にも当てはまってしまうのが現状である。その原因として、近代日本における「南方関与」の諸相、それを積極的に担った各主体の実態や歴史的意義が未だ充分に考察されていないという問題を指摘できる。また、「南方関与」のターゲットである南洋地域（東南アジア）と日本との関係史が「近代日本史」と必ずしもリンクしていない

という点も一因であろう[7]。ただし、これらの問題を克服困難にしている相応の理由もある。それは、日本の「南方関与」を巡る様々な事象が歴史の表舞台に現れる機会そのものの少なさであり、ある種の「ブーム」として唐突に現れ、熱が冷めると急速に関心が失われるようなケースが繰り返されてきたからである。歴史を水の流れに例えるならば、「南方関与」の事象は、時折地表に姿を見せるものの、普段は地下に潜っている「伏流水」のような存在であったと言えよう。

そして、こうした特質を有するに至った背景には、そもそも「南進論」が「傍系思想」[8]であり、正統的なイデオロギーになり得なかったことが指摘されている。すなわち、「南方関与」を巡る議論とは、長らく近代日本史のメインストリートに出てくるものではなかったため、曖昧かつ非連続的な形でしか扱われてこなかったのである。また、近代日本の「南方関与」についての「誤解」も少なくない。「南進」が国家の政策的課題として取り上げられたのは、一九三六年の五相会議以降であり、それ以前には「国策」に位置付けられていなかった。それにもかかわらず、近代における日本の「南方関与」の諸相を全て「国策」として捉える認識も存在している。しかし、明治期から連綿と続いてきた「南進論」は、必ずしも軍事的進出や領土獲得欲を露骨に示すものではなかったのであり、戦時期における「南進」の事象を捉えて、直接的に日本帝国の「伝統的野心」と看做すことは些か違和感を禁じ得ない。確かに、――後述するが――、「国策」に昇格する以前から公的機関の「南方関与」が確認できるため、そうした認識を誘発する要素が皆無であったとは言えないものの、政策レベルの違いを厳密に区別しておかねば事実認識に齟齬を来しかねない。

こうした問題にも絡んでくるが、この課題に着目して取り組んできたのは、日本史研究者と言うよりも、主に東南アジア史研究者の方であったと言える。それは、近代、とりわけ二〇世紀前半における南洋地域を見る場合、やはり日本との関係を無視することができなかったことが大きな理由であろう。そして、南洋各地域側から見た場合、各地域への日本のアプローチの在り方（官民を問わず）そのものが、「南方関与」を具現化したものだったのであり、より鮮明な形で「南方関与」の諸相を見出すことが可能であった。ただし、東南アジア史研究者にとって、近代日本の「南方関与」自体が研究対象というわけではないため、あくまでも各々のテーマに関連する範囲での言及に留まっていた[9]。

それとは対照的に、従来、近代日本史研究者は「国民国家」形成のプロセスやその歴史的展開の解明に主眼を置いたことによって、「一国史」として描写する傾向にあった。そ

れ故、アジアにおける国際関係史が充分に反映されたものとは言えなかった。かつての南方植民地（台湾や南洋群島）ですら近代日本史研究においては、周辺化、もしくは外部化されてマイナーなテーマとして片隅に追いやられていたのである。そうした研究潮流に本格的な変化が見られたのは一九九〇年代以降であり、その後、現在のように、多面的かつ重層的な日本帝国の姿が意識され始めたのはそれほど古い話ではない。

　すなわち、従来追求されてきたことは、近代日本における均質的な「国民」の創出と近代的制度の導入に伴う社会体制の構築過程に他ならず、中央集権国家として統合されていく側面が強く意識されていたのである。しかし、日本帝国の特徴を知るにはそれでは不十分である。なぜならば、日本帝国は静態的存在ではなく、常に膨張を続ける動態的存在だったのであり、中央への凝集性を有すると同時に拡散性をも併せ持っていたからである。つまり、日本帝国の「境界線」――国境線ではない――は、安定的に固定化されていたのではなく、絶えず「外（＝異文化）」との摩擦が生じていた側面も同時に把握しておくべきである。改めて指摘するまでもないが、近代日本の行動は、国内事情はどうあれ、イギリスを始めとして、ロシア、アメリカ等の列強諸国、そして、中国との国際関係によって規定される側面を有していた。一方、南には、イギリス（シンガポール、英領マラヤ）、フランス（フランス領インドシナ）、オランダ（オランダ領東インド）、アメリカ（フィリピン）等の列強植民地、さらにはオーストラリア等の「外南洋」が存在しており、南洋地域は複雑な国際関係の「坩堝」であったと言える。こうした空間に「境界線」を張り巡らせようとしたのが実践面での「南方関与」である。すなわち、日本帝国と異文化世界との接触の在り方の中にこそ帝国の統合の論理と膨張の論理が垣間見えるのであり、それは公私のレベルを問わず、当時の日本帝国の態様を、――部分的にではあるが――、映し出す鏡であったと捉えられる。

1．南洋協会の語られ方

　南洋協会は、一九一五年の設立以来、率先して南洋地域の情報を収集し、国内における当該地域の認知度の向上を図るべく様々な活動を展開してきた。また、南洋地域に進出する邦人へのサポートにも携わっており、近代日本における「南方関与」の促進を企図した団体であった点については、論者を問わず、共通の認識とされている。また、一過性の「南進ブーム」の有無にかかわらず、継続的に活動を展開させたという点では随一の存在であったと言って良い。先に述べたように、南洋協会は、日本帝国の南方「境界線」を常

に注視し続け、その拡大（延長）を望んできたのである。

　さて、伏流水の如き「南方関与」の担い手であった南洋協会は、これまでどのように語られてきたのであろうか。先に述べたような、「南方関与」の諸相が充分に解明されてこなかった理由の他に、純粋に資料的制約も大きいため、思想的側面を除くと、本格的な「南方関与」の実態解明を試みた研究は多くない。さらに、その中でも南洋協会そのものに考察を加えたものは極めて少なく、この協会が一体どのような存在であったかを明らかにするには程遠い状況であった。ただし、南洋協会が発行した刊行物は、現在でも関連研究の資料として用いられており、当時の南洋地域に関する情報記録としての価値はある程度認識されていると言えよう。

　比較的早い時期から南洋協会に言及していたのは矢野暢である。矢野の南洋協会に対する評価は次の二点に集約される。一つは、南洋協会が「なかば公的な南洋関係の機関」[10]として最初に現れた存在であること。いま一つは、「明治期の「南進論」のエトスを昭和時代にまで伝達するだいじな歴史的役割を果たす」[11]ことである。矢野の「南方関与」研究は、その先駆性によって、後進研究に及ぼした影響は小さくない。しかしながら、南洋協会に関して言えば、矢野の研究では何等実証が行われておらず、彼が挙げた評価（特に後者の評価）の根拠が奈辺にあるのか甚だ疑問がある。そして、最も実証的な日本帝国の「南方関与」研究を出している後藤乾一の業績[12]においても、南洋協会については、「南方関与」に関する有力な民間団体との認識が示されているに過ぎず、特に踏み込んだ考察をしていない[13]。一方、大畑篤四郎は、南洋協会の活動内容を概観し、「南洋協会がわが国の南方への関心を高め、実際的な日本と南方諸地域との関係の促進に果たした役割はきわめて大きいものがある」[14]と、前二者よりも積極的な評価を下しているが、活動内容の検証は行っていない。そして、近代日本の対アジア研究を実証的に分析した原覚天に至っては、南洋協会について何等考察の目を向けていない[15]。すなわち、こうした先行研究による南洋（協会）観がその後の通説的理解となり、研究対象として具体的に検証されることのないまま、評価だけが「独り歩き」することとなってしまった[16]。

　この問題についてメスを入れたのが河西晃祐と河原林直人である[17]。両者共に、南洋協会の活動を具体的に分析・考察しているが、スタンスの違いが明確に現れている所がある。それは、南洋協会に準「公的」な色彩を付与した存在である台湾総督府、外務省・農商務省の評価である。ここでは詳細を省くが、南洋協会は単独で様々な活動を展開したのではなく、スポンサー（各官庁）が背後に存在していた。河西は、こうしたスポンサーと

の連携で南洋協会の活動が行われていた事実を解明した点に大きな功績が認められる。しかし、最大のスポンサーであった台湾総督府の考察は少なく、外務省や農商務省との関係についての言及に重きを置く傾向がうかがえる。早くから南洋協会と台湾総督府の関係に言及したのは前出の矢野・後藤と中村孝志である。中村は、南洋協会と台湾総督府の密接な連携に着目し、「台湾発の南方関与」を推進した存在として捉えている[18]。ただし、中村は専ら華南地域（南支）に視線を向けており、南洋地域にまで分析の手を伸ばしていない。後藤は、台湾総督府による「南進」の契機として下村宏（民政長官）の存在を挙げているが、これは南洋協会、すなわち内田嘉吉（下村の前任者かつ南洋協会副会頭）の存在を看過している[19]。

要するに、南洋協会は、こうした様々な参加主体の利害が交錯した場であり、その活動の背景には各種の事業を推進する利害関係者の意思が色濃く反映されていた。それ故、全体像の把握が難しく、断片的な事例を見るだけでは南洋協会の姿が幾つも異なって見えてしまうのである。こうした複雑な利害関係について、河原林は、南洋協会の通史的把握を試み、台湾総督府との関係を明らかにしただけではなく、外務省による南洋協会の財団法人化（一九三九年）以降は協会の性格が大きく変質したことを解明した。そして、政・軍・官・民の入り交じった利害関係が凝縮された空間として「文化団体」を捉えることで、新たな歴史研究の可能性を指摘した。いずれにせよ、南洋協会の実態解明を試みることは、新たな事実発見、もしくは歴史的意義を見出す契機になり得るであろう。言い換えれば、安達が指摘するように、「南進」以前の段階における「南方関与」を浮き彫りにするには官民の「連携」という側面に光を当てねばならず、それを具現化した存在である南洋協会やその他の類似団体に関する研究の必要性が依然として小さくないのである[20]。

話は変わるが、ここで少しだけ南洋協会以外のことについても言及しておきたい。近代日本の「南方関与」を観察する上でも重要なポイントと考えられていることは、内外の情報を受発信する機能である。明治期以来、日本の対外情報の収集は、外務省（在外公館）によって担われてきた。とりわけ情報インフラの整備が整っていなかった時期から既に行われていた「領事報告」による経済情報の提供は、近代日本の経済発展において極めて大きな意味を持ったと言って良い[21]。また、外務省だけではなく、農商務省も早くから海外の通商情報収集に乗り出しており、南洋地域については一九一〇年代から本格的な調査が行われた[22]。清水元は、農商務省の調査資料の中に大正期「南進論」の原型を次のように見出している。

「①対東南アジア貿易の地理的有利性の認識、②資源開発のための資本・技術提供の必要性の指摘、③貿易上の問題点としての粗製濫造問題、④華僑の東南アジア市場支配に対する関心、⑤資源の未開発性の認識、⑥有望産業としての護謨、椰子、米、甘蔗栽培、石油、石炭、鉄鉱石採掘等の指摘、⑦日本人の発展適地としてのボルネオへの関心、等々はいずれも、その後に現れる大正期の「南進論」の東南アジア認識の原型をなすものといって差し支えない」[23]。

すなわち、明治期「南進論」に見られたようなロマンチシズムではなく、実利的な次元における南洋地域の価値を認識した見解が出されており、これが大正期の「南進論」を形作る大きな特徴となっていくのである。無論、それは第一次世界大戦の結果、南洋群島（旧ドイツ領）を日本帝国が委任統治することとなり、より現実的に南洋地域を認識する機会が訪れたことも指摘しておかねばならない。こうした文脈の中に南洋協会の設立という出来事を当てはめてみるならば、南洋協会に求められていた役割を類推することはそれほど難しくないだろう。また、公的機関が積極的に「南方関与」に乗り出す動機も見て取れる。ただし、先に述べたように、これらを「国策」として認識すべきかどうかは未だ定まった評価はない。これらは省庁レベルでの政策であったと思われるが、同時に明示的な「国策」とされていたかどうかは更なる検証が必要である。いずれにせよ、明治維新以降、「脱亜入欧」のスローガンの下で欧米に目を向ける一方、日清日露両戦争を経て朝鮮半島から中国大陸に関心が集まっていた近代日本において、ようやく現実的に南洋地域の存在に意識を向ける気運が生じたことは間違いない。そして、その実状を探るために様々な組織が調査を行い、南洋地域の情報を日本帝国にもたらしたのである[24]。無論、もたらされた情報の質については玉石混淆であるが、現代のように容易に海外情報を得ることができなかった当時において、これらの情報が持つ価値が小さくなかったことは疑いない。

いま一つ触れておかねばならないことがある。それは「アジア主義」と「南方関与」の関係についてである。矢野は、「アジア主義」と「南進論」には隔たりがあると述べたが、果たしてそうであろうか[25]。これまでの「南進論」研究は、基本的に大陸国家を志向する「北進論」に対するアンチテーゼという形で捉えられてきた。それ故、近代日本における「南方関与」についても、同様のスタンスで語られる傾向があったと言える。確かに政策レベルにおいて「北進」か「南進」かの二者択一を迫られる側面があったかもしれないが、思想的には、最終的に「大東亜共栄圏」構想の表出に至る過程で両者が併呑される形で取り込まれたことは明らかである[26]。従って、明治期以来語り継がれた「南進論」が昭和期

に至るまで何等変化しなかったとは言い難い。また、歴史の表舞台にほとんど現れなかった「南方関与」を支える思想としての「南進論」が、大きな潮流であった「アジア主義」と全く無関係に存在していたとも思えない。この点については、南洋協会を巡る議論においても念頭に置く必要——遺憾ながら筆者はまだ十分に考察する準備ができていない——があろう。

　松浦正孝は、「(汎) アジア主義」を「「アジア」への回帰・接続と脱出・閉鎖とが交互に表出する循環の一過程」[27]と捉えている。もしそうであるならば、「南方関与」もこうした現象の中に位置付けることが可能であり、それを促した「南進論」も広い意味での「アジア主義」に含まれることになる。当然ながら、状況や時代によってその中身——論者によって最終的な目的やそのプロセスが一様ではない——に差異があるものの、日本帝国の「外」とのかかわり方の問題であることに違いはない。従って、「南進」の論理そのものを独立した要素としてではなく、「アジア主義」の一つの関数として捉え直すことも今後の研究課題として意識しておく必要がある。

　さて、話を元に戻そう。それでは、南洋協会は有象無象の「南方関与」組織の一つにすぎないのであろうか。それとも、先行研究が示したように、「南方関与」において重要な組織だったのであろうか。この問題については、筆者なりの見解を後に示したい。少なくとも、南洋協会が全く無意味な存在であったという見解は今まで出されていない。しかし、実はどこまで日本帝国の「南方関与」に貢献したのかという点での検証はなされていないのである。南洋協会という存在は、今まで顧みられなかった研究領域を浮き彫りにするだけではなく、研究史的空白を埋める機会をも我々に与えてくれる。官でもなく、民でもない「半官半民」組織——この表現による先入観を持たれることは切実に避けたいが——が持つ特殊性と歴史的意義を明らかにすることは、近代のアジア、あるいは日本帝国を知る新たな手掛かりとなり得るであろう。

2．南洋協会の活動

　ここでは南洋協会の活動について、おおまかに概観しておこう。南洋協会の活動については拙稿[28]で既に触れており、重複する部分もあるが、いかなる活動を展開させていたのかを概観することで、南洋協会という組織の輪郭がある程度描けるからである。

　南洋協会の規約には次のように活動内容が記されている。

（一）　南洋における産業、制度、社会その他各般の事情を調査すること。
（二）　南洋の事情を本邦に紹介すること。
（三）　本邦の事情を南洋に紹介すること。
（四）　南洋事業に必要なる人物を養成すること。
（五）　本邦の医術、技芸その他学術の普及を計ること。
（六）　雑誌其他出版物を発刊すること。
（七）　講演会を開くこと。
（八）　南洋博物館及び同図書館を設けること。
（九）　その他必要の事項[29]。

　詳細については省くが、前述の通り、南洋に関する情報の受発信に重きを置いたスタンスであることがうかがえる。ただし、（八）の南洋博物館については、総目録や索引を見てわかるように、具体的な情報が得られなかったため、実施されていたかどうかは不明である。しかし、大凡規約の通りの活動を展開していたと評しても差し支えないだろう。こうした諸活動は、南洋協会本部だけで行われたのではなく、後に内外各地に設立された支部でも行われた。南洋協会の支部・施設は、次の通りである[30]。

台湾支部（一九一五年八月）
新嘉坡支部（一九一六年二月）[31]
新嘉坡商品陳列館（一九一八年五月）[32]、新嘉坡学生会館（一九一八年六月）
爪哇支部（一九二一年六月）
関西支部（一九二三年二月）[33]、南洋群島支部（一九二三年五月）
スラバヤ商品陳列所（一九二四年一〇月）[34]、マニラ支部（一九二四年一一月）
東海支部（一九二八年六月）
スラバヤ商品陳列所スマトラ出張員事務所、スマトラ支部、ダバオ支部（一九二九年一〇月）
スラバヤ商品陳列所バタビヤ出張員事務所（一九三〇年四月）[35]
盤谷支部（一九三七年）
神戸支部（一九三九年一月）
神奈川支部（一九四一年一二月）[36]
西貢支部（一九四二年一月）、広島支部（一九四二年二月）、山口支部（一九四二年八月）、岡山支部（一九四二年九月）

鹿児島支部(一九四三年七月)

各々の会員数については表一にまとめてみた。

(表一) 南洋協会会員数(1915—1943年) (人)

年	本部	台湾	新嘉坡	爪哇	関西	南洋群島	マニラ	東海	ダバオ	スマトラ	盤谷	神戸	神奈川	広島	岡山	山口	西貢	合計
1915	288	138	—	—	—	—	—	—	—	—	—	—	—	—	—	—	—	426
1916	301	382	40	—	—	—	—	—	—	—	—	—	—	—	—	—	—	723
1917	380	320	50	—	—	—	—	—	—	—	—	—	—	—	—	—	—	750
1918	476	302	97	—	—	—	—	—	—	—	—	—	—	—	—	—	—	875
1919	549	298	98	—	—	—	—	—	—	—	—	—	—	—	—	—	—	945
1920	584	331	133	—	—	—	—	—	—	—	—	—	—	—	—	—	—	1,048
1921	635	416	118	59	—	—	—	—	—	—	—	—	—	—	—	—	—	1,228
1922	586	412	113	90	—	—	—	—	—	—	—	—	—	—	—	—	—	1,201
1923	645	388	74	114	125	—	—	—	—	—	—	—	—	—	—	—	—	1,346
1924	499	377	64	114	120	174	—	—	—	—	—	—	—	—	—	—	—	1,348
1925	498	321	72	142	118	179	90	—	—	—	—	—	—	—	—	—	—	1,420
1926	498	330	119	156	138	172	70	—	—	—	—	—	—	—	—	—	—	1,483
1927	530	296	102	139	136	162	71	—	—	—	—	—	—	—	—	—	—	1,436
1928	488	267	110	154	128	150	75	—	—	—	—	—	—	—	—	—	—	1,372
1929	454	275	118	161	126	135	56	61	—	—	—	—	—	—	—	—	—	1,386
1930	466	222	117	151	147	129	48	58	92	30	—	—	—	—	—	—	—	1,460
1931	473	205	104	131	138	123	76	57	93	49	—	—	—	—	—	—	—	1,449
1932	451	143	105	119	154	98	74	56	94	51	—	—	—	—	—	—	—	1,345
1933	456	116	86	121	196	91	74	43	97	39	—	—	—	—	—	—	—	1,319
1934	450	150	78	100	205	45	65	44	74	43	—	—	—	—	—	—	—	1,254
1935	388	84	79	94	193	149	68	44	72	43	—	—	—	—	—	—	—	1,214
1936	378	90	79	97	174	170	73	44	74	41	—	—	—	—	—	—	—	1,220
1937	412	88	77	100	167	167	70	35	66	36	54	—	—	—	—	—	—	1,272
1938	421	79	84	97	159	149	69	34	64	30	54	—	—	—	—	—	—	1,240
1939	412	88	77	100	167	167	70	35	66	36	54	—	—	—	—	—	—	1,272
1940	450	62	86	133	160	197	75	34	65	53	41	148	—	—	—	—	—	1,504
1941	557	77	91	189	212	187	79	50	70	46	63	156	151	—	—	—	—	1,928
1942	674	68	85	134	228	128	84	75	56	43	47	157	172	104	—	—	—	2,055
1943	822	68	87	127	258	128	91	99	53	42	49	164	178	113	103	169	12	2,565

(出典) 南洋協会『南洋協会二十年史』(1935年) 及び『南洋協会事業報告書』各年度版、『南洋』より筆者作成。
(備考) 当該年12月末現在 (1921年まで)。それ以降は3月末日現在。但し、神奈川支部の1941年の数値は発足時のもの。原資料では1915年の会員数合計が誤っていたため、筆者が修正。

表一に示した通り、会員数の推移を見ると、総数こそそれなりに増大していると言えるかもしれないが、大まかに言えば、南洋協会の設立直後と一九四〇年以降において最も増加率が高く、それ以外の時期では細かな増減を繰り返している。もし、南洋協会への加入を南方に対する関心のバロメーターと看做すことが許されるならば、表一の数値は様々なことを示唆しているであろう。ただし、全会員数の趨勢から見ても、「南進」が「国策」に昇格したことを契機とした劇的な会員数増があったとは言い難い。むしろ、第二次世界大戦勃発後における内地の支部増設と加入者増がある一方、「外地」における会員数の推移は、対照的な動きと言えなくもない。その中で特に際立って異質な趨勢を見せているのが台湾支部である。台湾支部は、規模、活動内容共に本部に次ぐ最大の支部であったにもかかわらず、一九三〇年代中頃以降の会員数の減少は無視し得ない動きを見せている。就中台湾においては、一九三五年に熱帯産業調査会[37]を開催して、より一層の「南方関与」を打ち出したにもかかわらず、会員数は対照的な動きを示していることは何を意味してい

（表二）　南洋協会（本部）の事業内容一覧

運営組織	総会　評議員会　理事会　本部　支部　商品陳列所	
本部事業	［調査］	参考図書新聞雑誌の備付、出張調査 特別情報の発行
	［図書刊行］	月刊南洋協会雑誌の発行 南洋研究叢書其他定期図書の刊行
	［講演会］	講演会、出張講演
	［懇談話会］	懇談話会、懇談話会へ出張
	［建議其他の施設］	建議及建旨、南洋特産物標本の頒布 博覧会、展覧会、視察団、送迎斡旋其他
	［商品陳列所の経営］ （新嘉坡・スラバヤ）	参考図書新聞雑誌の備付、諸調査報告 陳列所報の発行、商品見本の陳列 外国商品見本其他参考品の陳列 品質意匠に関する改善指導、商品の鑑定 商標登録、商品見本及び南洋物産見本の頒布 商取引及び企業の紹介・仲介 法律上の質疑応答並びに取引上の仲裁 翻訳作成、南洋商業実習生の養成、斡旋其他
	［南洋商業実習生の養成］	
	［南洋渡航に関する斡旋］	

（出典）　南洋協会前掲書『南洋協会二十年史』より筆者作成。

るのであろうか。これらの動きについての考察は拙稿[38]を参照していただきたいが、各地域における「南方関与」のスタンスが必ずしも一様ではないことを示唆している点だけ指摘しておきたい。いずれにせよ、これほどの会員を擁する文化団体は決して多くない。東亜同文会や東洋協会ほどの知名度ではないものの、南洋協会が一定の規模を有する存在であったことは、こうした情報からも類推できよう。

さて、南洋協会の主な活動については、南洋協会編『南洋協会二十年史』（一九三五年）から抜粋しておく。以下、南洋協会の活動について、ごく簡単に紹介しておこう。

表二に挙げた活動のうち、主なものは次の通りである（順不同）[39]。

［調査］：南洋における金融・産業・貿易・制度・風俗などの調査を目的としており、一九一七年五月には本部に調査編纂部が設置された。調査編纂部では、内外の新聞・雑誌・図書から南洋地域に関する一般事情を調査研究すると共に、調査通信嘱託を各地に常置して経済事情などの情報を収集した[40]。こうして集められた情報は、会員や関係官庁に発信されたのであり、近代日本において継続的に南洋地域に関する情報が提供される素地を作ったのである。また、調査に際して収集した内外の図書・新聞・雑誌等は本部に設置された図書室に収められた（一九三五年現在で四四一九部所蔵）。さらには南洋原産物の利用研究も各支部や商品陳列所と連携して行われた。これは、工業原料の確保、邦人企業の南洋誘致を目的としており、それらの成果も刊行物として公表されている。

［図書の刊行］：これは、定期刊行物と不定期刊行物に分けられる。定期刊行物は、本部が一九一五年二月から機関誌（月刊）を発行している。当初の名称は『會報』、もしくは『南洋協會々報』である。一九一九年一月からは『南洋協會雑誌』、一九三七年五月からは『南洋』と改題されて一九四四年一一月までの出版が確認されている。その他、英文会報として『Bulletin of the South Sea Association』が一九三九年四月から毎月発行され、一九四二年四月に仏文会報『Bulletin de L'association de Mers dn Sud』へと引き継がれた[41]。

また、新嘉坡商品陳列所[42]は『南洋經濟時報』を一九一九年一月から一九二四年七月まで発行し、同年翌八月から『南洋協會雑誌』に統合された。それとは別に、『所報』も出しており、こちらは一九二四年八月から一九三四年までに一一一七号を発行したとされている[43]。また、爪哇（ジャワ）支部も『蘭領印度時報』を一九二四年一月から一九二八年一一月まで発行し、その後『爪哇支部月報』を一九三九年から発行した。

これら定期刊行物以外にも南洋協会は図書の出版も行っており、少なくとも一九四四年までは出版物が確認できる。専門的研究書として「南洋研究叢書」（全二二冊）や辞書・

年鑑・翻訳書が本部から出されている。筆者が直接確認した限りでは、一九一六年の『南洋の風土』から一九四四年の『スマトラ経済地誌』まで八八タイトル（再版除く）、実数八九冊が確認できる[44]。

そして、新嘉坡支部からも「南洋経済叢書」（全八冊）を始め、一九二〇年から一九三六年まで二四冊の刊行物が確認できる。一方、台湾支部は、一つの支部とは思えないほどの図書を出版していた。「南洋叢書」（全五一冊）、「南支調査資料」（全一二冊）のシリーズの他に、一九一六年の『南洋視察談』から一九四二年の『簡易実用馬来語会話』に至るまで五八タイトルの刊行物があり、出版総数では一〇〇冊以上の成果を出していたのである[45]。

また、南洋群島支部、マニラ支部からも出版物が若干出されていた。その他の支部については充分に情報が得られなかったため後日に期したい。

［講演会・懇談話会］：南洋事情を始めとする情報を一般に宣伝・提供するために日本各地に赴いた。本部講演会は、一九一五年二月一一日に第一回講演会が開催されてから一九三五年三月一八日までに一二三回の開催が確認できる。そして、一九四四年までに一九九回の講演が行われた[46]。また、出張講演も一九一八年五月から開始され、井上雅二（南洋協会専務理事）や飯泉良三（南洋協会主事）等の南洋協会スタッフが中心となって各地を巡回した。その他、座談会・懇談会は本部主催のものと、各地への出張（ゲスト）参加があり、一九一五年九月から一九三四年末までに一六件が記録されている。

また、本部とは別に各支部でも講演会が行われており、特に台湾支部では一九一六年六月から一九三五年二月まで三〇回以上開催された。

［講習会］：これは南洋地域に進出する上で必要な語学を習得するための講習会が主なものである。語学講習としては、オランダ語（一年間修業コース）が一九一七年五月の第一回講習会から一九三〇年一〇月までに一三回開催され、途中で中断を挟み、一九四一年まで継続した。また、マレー語講習会は一九二一年四月に開始されたが、途中で休講となり、一九三〇年に復活、翌三一年まで行われた。いずれも講師は大学教員や官僚であった。その他、南洋事情講習会が東京日日新聞社の後援で一九二九年から一九三一年まで毎年四回開催された。

［商品陳列所］：これは純粋な南洋協会の事業ではない。元は農商務省の計画[47]であり、南洋協会へ管理運営を委託する形で一九一八年五月にシンガポールに新嘉坡商品陳列館（後に陳列所）が設置されたのである。また、設立費用及び運営費については農商務省（後に商工省）から補助金が出されており、南洋協会が当該事業に自らの予算を支出したかど

うかは明らかではない。商品陳列所の業務は、(一) 商品見本及参考品の陳列、(二) 商品の鑑定、紹介及び試売、(三) 商取引及び企業の紹介仲介、(四) 南洋特産物の蒐集、(五) 制度・産業・貿易その他諸般の調査・報告・助言・建議、(六) 南洋諸法規に関する質疑応答、(七) 各種翻訳文案の作成、(八) 内外図書新聞雑誌の備付、(九) 南洋商業実習生の指導監督となっている。新嘉坡商品陳列所は、その後商工省が一九三七年九月に廃止し、その業務を「輸出組合中央会」に引き継がせて貿易斡旋所とした。しかし、南洋協会は外務省の支援を受けて同年一〇月に新たに新嘉坡産業館を設置して業務を継続した[48]。

その他、一九二四年一〇月にスラバヤにも商品陳列所が設置され、同所の管轄としてスマトラ出張員事務所 (一九二九年一〇年)、バタビヤ出張員事務所 (一九三〇年四月) が設けられた。河西によると、これらも新嘉坡と同時期に廃止となったようである。一方、台湾支部も一九三九年度にはマニラ商品陳列所を開設し、フィリピンにおける台湾物産の販路拡大と経済事情調査に乗り出した[49]。

[実習生制度]：南洋協会の人材育成事業である。これについては、前出の河西や横井香織が詳細に考察を加えている。南洋協会の実習制度は大きく二つに分けられる。一つは「商業実習生制度」であり、いま一つは「南洋商業実習生制度」である。いずれも新嘉坡学生会館で行われたプログラムであり、実務と語学の習得により現地で活動することを前提としたカリキュラムが用意された[50]。前者は一九一八年九月から一九二〇年八月まで実施されたが、資金難で中断した。その後、一九二九年から外務省の補助を受けて後者の名称でプログラムを復活させ、一九四四年まで継続した[51]。

ただし、両者の実施内容はともかく、目的については必ずしも同一ではない。前者は「南洋事業に必要なる人物の養成をなし、本邦の技藝其他學術の普及を計る」[52]ことを目的とした南洋協会オリジナルのプログラムであったが、後者は「先づ在南邦商に適當なる店員を與へてより優良なる業績を收めしめ、更に從來屢々繰返されたる邦貨排斥に對する最も適切なる抵制策の一として以て、我が國の海外移植民及輸出貿易の促進に資する」[53]ために外務省が推進したのである。すなわち、前者は南洋で活躍できる「国際人」の育成——それ故「本邦の技藝其他學術の普及を計る」ことが明記されている——を目指しているが、後者は日貨排斥への対抗策の一環であり、「南方関与」の質が異なっている。

[南洋学院]：これも南洋協会独自の事業ではなく、外務省 (文部省と共同) 所管の高等専門学校としてフランス領インドシナのサイゴンに設立 (一九四二年) された学校である。南洋協会は同校の管理運営を行った。南洋学院設立の構想は外務省から出されたものと推

測されるが、大東亜省の関与[54]もあり、その背景や事実関係の解明が難しい事業である[55]。南洋学院は一学年三〇人、修業年限三年であり、第一期生が一九四二年九月に入学した後、第三期生までが就学している(第四期は募集のみ)。当初の目的は、経済・商業における人材育成であり、外務省等の官庁、商社や新聞社の海外特派員等への就職が想定されていたが、現実には日本軍に招集されてフランス語やベトナム語の通訳として従軍した[56]。ただし、南洋学院の設立は、当初から「南方関与」を目的としていた事業であったかどうか議論の余地がある[57]。また、西貢支部には日本語学校も設置された(一九四三年六月)。

[その他]：一九四〇年九月に南洋相談所が開設され、外部からの問い合わせへの応答を本格的に開始した。さらに一九四二年度には、南方生活研究会委員会、南方生活科学講座を開催。また、南方生活研究所[58]を設置して日本人の南洋地域への進出に際しての具体的な対策を検討し始めた。また、一九四三年度からは南方特別留学生招聘事業に携わった。これは大東亜省主管の事業であり、主な業務は国際学友会が担当した。南洋協会はジャワからの留学生の受け入れ担当となり、一九四三年、四四年度で合計四〇人を受け入れ、各留学生の寮生活をサポートした。また、第一六軍がジャカルタに設置した興亜文化会館に併設された興亜日本語学校(開校時期不明)[59]で在留邦人にインドネシア語を教えたようであるが、詳細は不明である。

以上、南洋協会の主な活動を概観したが、長期間にわたって様々な事業を行ったことがうかがえよう。その活動については「東洋協會の如く徒に廣汎且不徹底のものと異り、具体的事業に着手して居る」[60]とも評されていた。しかし、その全貌は明らかになっておらず、先行研究では一部分のみが取り挙げられているに過ぎない。そして、前述の通り、各々の事業の背後に存在する「スポンサー」の存在に鑑みた場合、これらの事業を表面的に捉えるだけでは十分な理解が得られないこともうかがえる。その意味では、ここに挙げた諸活動は近代日本の「南方関与」の縮図と言えるかもしれない。

3．南洋協会の性格

南洋協会が一九一五年の設立から一九四五年に至るまでの間、一貫して南洋地域の情報収集を行い、近代日本における「南方関与」の一翼を担ったことは縷々指摘されてきたが、そもそも南洋協会とはどのような存在であったのであろうか。あらかじめ断っておくが、この問題についての本格的な考察は、本総目録・索引を含む、詳細な資料分析に基づいて行われるべきであり、今ここで結論付けるわけではない。むしろ、本稿の「不備」を修正

するような成果が多く出現することが望まれる。差し当たり、議論の呼び水として拙稿での南洋協会観を挙げておきたい。

「南洋協会は当初経済的進出を目的とした「半官半民」の性格を有していたが、一九三〇年代後半には実質的に「官」の意向を反映させる「国策協力機関」としての性格を付与されたと言える。ただし、この問題は、設立当初から補助金を活動原資としていた南洋協会の財政基盤の弱さが根底にある。言い換えれば、邦人の南洋への経済的進出が南洋協会に対しての経済的還元に結び付かなかったことを裏付けているのである」[61]。

今のところ、筆者が近代日本の「南方関与」に目を向けてきた中で、南洋協会の存在は決して小さくないという印象を抱いている。南洋協会の活動については未だ充分な検証がなされていないために、その影響如何の判断は保留せざるを得ないが、先の引用に示した通り、南洋協会の性質そのものについてはある程度の考察ができる。そのキーワードは「半官半民」である。全体的な流れで言えば、南洋協会は「半官半民」と言いながらも、時代と共に官の色彩が強まっていくため、これが南洋協会の性質であると言い切ることは少々難しい。しかし、他に適切な表現も見当たらないので、ここでは括弧付きで用いる。

南洋協会は、設立当初から台湾総督府の人的・資金的支援を受けていたことが明らかとなっている。南洋協会の設立にあたっては、内田嘉吉（台湾総督府民政長官：当時）の果たした役割が大きく、内田は民政長官の職を辞してまで南洋協会にこだわった。それ以来、台湾総督府は、本部と台湾支部の双方に毎年補助金を支出し、創立から一九二〇年代にかけて南洋協会を支えた最も大きな「スポンサー」であった。こうした台湾総督府の姿勢を反映させたかのように、台湾支部会員数も本部に次ぐ規模となっていたが、先に触れたように、一九三〇年代からは会員数も減少し、同時に台湾総督府の存在感も薄れていくことになる。それに代わって前面に現れるのが外務省であった。南洋協会は、外務省の傘下に入ることで多額の補助金を得たのであるが、これについては単なる資金難だけが原因とは思えない。なぜならば、台湾総督府がさらなる補助金を出せないほど困窮した財政状況であったとは考えられないからである。むしろ、台湾総督府が南洋協会への補助金を増額しなかった、あるいは、できなかった理由が存在するはずである。考えられることは、外務省による「外交一元化」工作による台湾総督府への牽制である。事実、台湾総督府は、一九三〇年の臨時産業調査会、一九三五年の熱帯産業調査会、一九四一年の臨時台湾経済審議会と、独自に一連の「南方関与」政策を打ち出しており、さらに台湾の「南方関与」

を推進する機関として台湾南方協会を設立している（一九三九年設立）。このように、南洋協会と台湾総督府の関係が希薄化していく動きが見出せるのである。なお、これらの問題については、既に拙稿で考察を加えているのでそちらを参照してもらいたい[62]。

　さて、南洋協会の分析においては、——筆者もそうであるが——、資料的制約から見ても、「半官半民」の「官」の部分に焦点を当てる比重が大きいことは否めない。しかし、更なる南洋協会理解のためには、どうしても「民」の部分にも着目する必要がある。そうでなくては、南洋協会が単なる諸官庁の「隠れ蓑」という評価に終始してしまいかねない。言い換えれば、南洋協会の独自性は、「民」の部分から見出す必要があるのかもしれない。では、「民」の部分を担った存在とは何者であろうか。横井は、代表的人物として南洋協会専務理事であった井上雅二を取り挙げている[63]。井上は、いわゆる「南進論者」であり、当時の日本において「屈指の南洋通」と評された人物である。そして、南洋協会設立において、内田嘉吉を官の代表とするならば、井上は民の代表的役割を果たしたのである。井上が一九三六年現在で関与した組織は次の通りである（南洋協会以外）[64]。

　海外興業會社社長、南亞公司取締役、秘露棉花會社社長、スマトラ興業會社監査役、海南産業會社監査役、東洋拓殖會社常務顧問、東亞同文會理事、海外移住組合聯合會理事、日土協會常務理事、日本蘭領印度協會常務理事、日伯中央協會常務理事、海外協會中央會副會長、人口問題研究會常務理事、日墨協會理事、墨西哥産業會社取締役社長、辛未同志會理事、南洋栽培協會監事、日亞協會理事、南米企業組合理事、東京府海外移住組合理事、日本羅甸アメリカ協會評議員、東洋協會評議員、日濠協會評議員、日希協會評議員、同仁會評議員、國際殖民協會委員、日本國際協會評議員及び同經濟委員會委員、暹羅協會評議員、日本貿易協會評議員、海軍協會評議員、比律賓協會評議員、アフガニスタン倶樂部委員、サンパウロ病院建設後援會常務委員、滿洲移住協會評議員、梧堂會々主、海外植民協會顧問、久敬會々長、南星會々長、海外高等實務學校校長、海外植民學校校長、財團法人八紘學院理事、攻玉社評議員[65]。

　これらの肩書きを見るだけで、いかに井上が幅広く活動していたのかがうかがえよう。井上の思想は、いわゆる「大日本主義」をベースとしており、日本人の海外進出への環境作りに傾注し続けた。とりわけ南洋開拓については明治末期より積極的な活動を行い、自らの後に続く後継者の養成に奔走した。南洋協会での井上の活動もその一環として捉えることができる[66]。ただし、井上のように南洋での事業経験を持ち、現地での滞在期間も長い人物は極めて希な存在である。そうした特殊な人間が南洋協会における「民」の側面を

代表し、協会の諸活動を牽引していた事実は、南洋協会が持つ一つの特質を示している。それは、南洋協会を設立した中心人物達が、詳細かつ具体的な南洋認識、豊富な情報量を有していたにもかかわらず、彼らの立案した構想が、——表面上は実践的でありながらも——、実は極めて「理想」的であり、現実の日本帝国における一般大衆の認識とは相当大きな隔たりが存在していたのではないかと思わせることである。このギャップを埋めることこそが南洋協会の本来の目的の一つであるはずであったが、実際には彼らの「理想」が優先された印象を拭えない。

　もう少しくだけた表現を用いることが許されるならば、次のように表すことができよう。南洋協会を設立した初期メンバーの「志」や「意気込み」が非常に強く、目指す目標やそれに至る方法（活動）に的外れなものは無かったものの、いかんせん一般大衆に求めるハードルが高く、それらを十分に理解・会得させるに至らなかった。それは、南洋協会自身に彼らの「理想」を実現できるだけの力（特に経済的基盤）が備わっていなかったことと表裏一体の根本的問題であったと言える。井上は、東亜同文書院の如く、学問的研鑽に比重を置く知識人を養成したかったのではない。彼はあくまでも国際人——南洋地域において即戦力となる実践家たる企業家、もしくは商人——の養成にこだわったからである。この点は、植民地官僚の養成を企図した拓殖大学（東洋協会の運営する学校）とも趣を異にする。先に挙げた引用にある通り、南洋協会がサポートして南洋地域に進出した日本人達が明示的に南洋協会に何らかの還元をなした形跡は、管見の限り認められない。ことさらネガティヴな評価を下すつもりはないが、重要なことは、「半官半民」とは言うものの、「官」と「民」が一致団結して同一歩調で一つの目標に向かって活動を邁進させたかのような認識では南洋協会の実態を解明できないということである。従って、この混沌とした利害関係を解きほぐして整理することが何よりも先ず取り組まねばならない課題といえよう。

　また、さらに強調しておきたいことは、井上が関与した様々な「文化団体」については、未だほとんど解明されていない未知の領域だということである。近代日本において「外」への関与を志向した組織がどれほど存在していたのか、その実態はいかなるものであったのか正確な所は誰も知らないまま今日に至っている。これらの組織は、民間団体——国策会社を除く——であるものの、南洋協会と同様に「半官半民」の組織も少なくない。わずか数十年前のことでありながらも、これほどの「空白」を持つ日本の近代史は何なのであろうか。南洋協会の解明がこれらの空白を埋める契機となることを願って止まない。

さて、話を戻そう。それでは、南洋協会が近代日本においていかなる役割を果たしたのであろうか。前出の通り、矢野は、南洋協会を明治期「南進」論のエトスを大正期、昭和期へと伝達した貴重な存在と評した[67]。しかし、筆者はこの見解に疑問を抱いている。それは、南洋協会の「主体性」をどのように見出すのかという点の解明が先に行われなければ判断できないはずだからである。もし、南洋協会が諸官庁の「隠れ蓑」であったならば、当初から「主体性」を発揮する余地は極めて小さかった可能性がある。それならば、エトスを伝達した存在ではなく、そのために利用された「受け皿」と捉えるべきであろう。他方、確固たる「主体性」を発揮する余地があったのならば、その部分の考察に基づいた判断が下されるべきである。

拙稿で指摘したことは、南洋協会が戦時期も存続できたのは、南洋協会が「官」（外務省）の傘下に入った結果にすぎないことである。すなわち、財団法人化による多額の補助金と引き換えに、「官」主導の「南進」を具現化する媒体と化したのである。ただし、大東亜省や軍部の関与もあったため、外務省による一元的な掌握は最後まで実現し得なかった[68]。従って、南洋協会の性格として言えることは、「南方関与」を巡る各省庁の「省益」争いの場になっていたことであり、井上雅二らが当初希求した「南方関与」（南洋で実践的に活動する国際人の養成と輩出）という路線は変質していくこととなったのである。

さらに、井上らが重視した調査機能という側面から南洋協会を見た場合はどうであろうか。こちらも台湾総督府と相互に協力しながら進められてきた経緯があったものの、最も南洋地域の情報が求められた戦時期において、南洋協会がイニシアチブを発揮する余地はなかった。そして、それは台湾総督府も同様であった。一九三八年九月に東亜研究所が設立されたことに伴い、満鉄東亜経済調査局が「南方調査専管」となったためである[69]。結局、さらなる利害関係者が出現することで、南洋協会の蓄積やノウハウは活用されなかったのである。

むすびにかえて

以上、様々な問題や論点を筆者なりに提示したつもりであるが、南洋協会の存在は様々な示唆を我々に与えてくれる。鍵となるのは、南洋協会という組織が近現代日本の歴史の中に足跡を残しつつ存続していたことと、同時代の認知度が乖離している現象の捉え方である。言い換えれば、南洋協会は、長年にわたって南洋地域に関する情報を国内に提供したが、目論見通りに南洋地域へ進出しようとした日本人がどれほど存在したのか、南洋地

域に対する認識が深まったのかという観点からの考察が重要になってくる。無論、これは南洋協会だけの問題ではなく、近代日本における「南方関与」全体の捉え方と言った方が良いだろう。

しかし、これらの動向について数値データを示して把握することは非常に難しい。こうした考察に求められる方法は、南洋協会が発信する情報の性質の検証である。すなわち、南洋協会がどのような情報を伝えようとしていたのかを検証することによって、日本人の南洋地域に関する認識の度合を類推するのである。試みに、南洋協会の機関誌に掲載された記事の内容からそれを浮き彫りにしてみよう。

既に触れたように、南洋協会の機関誌は何度か改題されながら継続して発刊され、一九四四年までの存在が確認されている。その中で、大きな転機となったのが『南洋協會雜誌』から『南洋』へと改題された一九三七年五月である。飯泉良三（同年七月から常務理事）は、この改題理由を次のように述べた。「今日と雖も先づ以て彼地の認識を廣く我國上下に徹底せしむるの要がある。それが爲めには雑誌により其の實状を紹介することが最も捷徑である。しかも彼地の風土氣候住民の生活などより産業制度一般社會の状態など各般に渉る實状を紹介せねばなら」[70]ない。従って、従来の方針であった南洋において利害関係を持つ者に対する情報提供とは異なり、「其の内容も餘りに専門的に偏するを避け、可成一般的のもの通俗的のものを加へ」[71]る方向へと改められたのである。

この文言を言葉通り受け取るならば、機関誌の当初の役割が南洋（利害）関係者への情報提供に主眼が置かれていたことになる。そのスタンスを改めたのが設立から二〇年以上経過した一九三七年であったことは、おそらく設立当初の――建前ではなく――「理想」を貫徹しようとする意識の反映であったと思われる。しかし、外務省の要求によって改題に踏み切ることとなり、さらにその後に創立当初からの古参メンバーの役員排除が行われた。前出の井上雅二も常務理事から退任させられるのである（一九三八年四月）。

ここから南洋に関する情報を一般大衆に広める役割が前面に出されることになる。外務省が敢えて機関誌の編集方針に介入した背景には、日本人の南洋認識の乏しさがあったと考えられる。言い換えれば、一九三〇年代に入っても尚、日本人の対南洋認識は向上していなかったのである。では、『南洋』と改題されてからの情報提供で何かが変化したのであろうか。飯泉良三は、『南洋』第二八巻第二号（一九四二年）の巻頭言で次のように語っている。

「…併しながら、昨今發表される所謂識者の意見なるものの中には、吾等の到底首肯し得ざるものもあれば、驚くべき出鱈目もある。〈中略〉…斯くの如きは、畢竟、南方實情の誤れる認識に基ける謬見に過ぎない。〈中略〉…南方の認識不足者が、大膽にもその對策を發表すること、最近特に多いやうであるが、實地に適合せざる空論たるを免れないのは當然のことである。そこで、吾等は、<u>先づ此際充分南方の實情を檢討究明して、その實情に適切有効なる對策を樹立するの、極めて緊要なる</u>を痛感せざるを得ない」（下線引用者）。

すなわち、対米戦争が開始された後であっても、「識者」ですら認識不足の発言が珍しくない状況を批判しているのであり、南洋地域の認知度がほとんど高まっていなかった様子がうかがえる。さらに驚くべきことは、下線部にあるように、南洋地域の実状を検討して対策を練ることが必要だと提言している点である。しかし、これこそが南洋協会の本来の役割のはずであり、それが十分なされていなかったことをも示唆している。このように、南洋協会側の発信も十分ではなく、受信する側も現状を認識するに足るだけの情報が得られていなかったのではないかと推測できるのである。

『會報』創刊号（1915年2月）の掲載記事

前田多聞（内閣書記官）講演「南洋占領諸島事情」
山崎直方（理学博士）講演「太平洋に於ける列強勢力の消長」
後藤房治通信「英領北ボルネオに於ける煙草及古々椰子の栽培竝同地への移民」

『南洋』第30巻第11号（1944年11月）の掲載記事

宇野圓空「南方に於ける宗教文化の交替と層位」
木村澄「フィリピン土地制度概説（下）」
長谷川文人「南方諸民族結集の一方策 ―玩具による教育に就いて―」

上に掲げたのは、機関誌の創刊号と、現存する『南洋』の最終号（一九四四年一一月号）に掲載された記事である。かなり乱暴な話であるが、どちらが情報として「有用」と感じるであろうか。これ以上ここで言を費やすことはしないが、南洋協会の「南方関与」における伝道者としての位置付けは、更なる検証を通して考察されるべきであろう。そして、国策「南進」とは何であったのかを考える際に、それを担う存在が持つ複雑な背景（利害関係）を念頭に置かねば、一面的なありふれた「ストーリー」になりかねないことも重ね

て強調しておきたい。

井上雅二は、一九三六年の段階で、南洋協会の行く末について次のように記している。

「南洋協會の強化も必要であり、南洋事業の助成も亦緊切である。その爲には中央に於ける對南國論を一定させ、臺灣と歩調を保ちつつ南洋の事に從はなければならぬ」（下線引用者）[72]。

これまで「屈指の南洋通」と言われた井上が出した展望と現実の動きが全く異なっていたことは非常に興味深い。しかし、こうした南洋協会に関与した人物や組織の在り方や認識がバラバラであったことが南洋協会という存在を理解しにくくしていることも事実である。冒頭で述べたように、近代日本の「南方関与」が「伏流水」に例えられるならば、南洋協会は、その水の流れの如く不定形な様相を呈しているのであり、これらの全貌を明らかにするには、より一層の研究の進展が不可欠なのである。

最後に、解説と言いながらも、南洋協会に対する筆者個人の認識が強く出てしまっていることはお詫びしたい。しかし、本稿の内容は、限られた資料から得られた知見に過ぎないため、これで南洋協会を全て理解したことにはならない。当然のことであるが、不明な点や疑問も少なくないと思われる。しかし、それらは多くの方々の持つ知識や情報と本総目録や索引を駆使した調査・考察によって克服され得ることが望ましく、さらなる新たな展開があることをも期待している。また、それが新たな学問領域の開拓、歴史の空白を埋めることに繋がるものと信じたい。

注記

1 訪問に際して、同財団事務局長の引地達也氏（当時）より御高配を賜った。記して謝意を表したい。
2 現在は、「アジア・南洋協会」に改称されて本部も移転しているようである。
3 「南方関与」と「南進」の用語の違いは、国策としてのアプローチであるか否かである。すなわち、国策「南進」は、近代日本の「南方関与」の中に含まれる。こうした捉え方を整理したのが安達宏昭「日本の東南アジア・南洋進出」（和田春樹他編『岩波講座　東アジア近現代通史4』岩波書店、二〇一一年）である。
4 一九五四年五月二〇日に南洋協会（理事長水野伊太郎）から在外財産問題調査会に送付された文書には次のように記されている。「南洋協会は文化団体として戦前東南アジアの各地に支部を設置し大正四年創立以後終始一貫相互理解と親善関係の増進に専念し彼我の文化的経済的提携と相互の福祉に寄与し来つたことは内外周知の事実に有之戦後独り本協会が追放令の適用を受けず存続し来つたことは右の理由に因るものである」。『第一次在外財産問題審議会提出資

料（二）』アジア歴史資料センターA13111641200
5 これ以外にも、『財団法人南洋協会事業概要及経歴書』（一九五〇年※（筆者は未見））の存在が確認されており、横井香織「井上雅二と南洋協会の南進要員育成事業」（『社会システム研究』第一六号、二〇〇八年）で用いられている。
6 また、昭和二七年度は、サンフランシスコ講和条約が発効した年度でもあり、日本の主権回復後における、東南アジア地域（南洋）へのアプローチについて南洋協会が示した方針をもうかがうことができる。
7 この難しい課題に挑んだのが河西晃佑『帝国日本の拡張と崩壊 「大東亜共栄圏」への歴史的展開』（法政大学出版局、二〇一二年）である。
8 矢野暢『日本の南洋史観』中公新書、一九七九年、五八-五九頁。
9 例えば、Huei-Ying Kuo, *Networks beyond Empires; Chinese Business and Nationalism in the Hong Kong-Singapore Corridor, 1914-1941* BRILL, 2014.
10 矢野暢『「南進」の系譜』中公新書、一九七五年、七七頁。
11 同上。
12 後藤乾一『昭和期日本とインドネシア―1930年代「南進」の論理・「日本観」の系譜―』勁草書房、一九八六年。
13 後藤は、南洋協会理事長であった林久治郎についての論考があるが、南洋協会そのものの考察は行っていない（後藤乾一「戦間期日本のアジア外交と林久治郎―ある〈稲門出身〉外交官の思想と行動―」早稲田大学『アジア太平洋討究』第一号、二〇〇〇年）。ただし、「南進」を巡る台湾の考察は、後藤乾一「台湾と南洋―「南進」問題との関連で―」（大江志乃夫他編『岩波講座　近代日本と植民地２』岩波書店、一九九二年）において行っている。
14 大畑篤四郎「「南進」の思想と政策の系譜」正田健一郎編『近代日本の東南アジア観』アジア経済研究所、一九七八年、一二-一三頁。
15 原覚天『現代アジア研究成立史論』勁草書房、一九八四年。
16 南洋協会の通史的把握は、明石陽至「Nanyo Kyokai, 1915-1945」（『社会科学討究』第四〇巻第二号、一九九四年）が最初の研究と思われる。その他、通史的把握を試みた研究は、次の通り。河原林直人「南洋協会という鏡―近代日本における「南進」を巡る「同床異夢」―」（『人文學報』第九一号、二〇〇四年）、Hyung Gu Lynn. "A Comparative Study of the Toyo Kyokai and the Nanyo Kyokai" (Harald Fuess ed. *The Japanese Empire in East Asia and Its Postwar Legacy*. Iudicium verlag murich, 1998)、明石陽至 "The Nanyo Kyokai and British Malaya and Singapore, 1915-45"（明石陽至他編*New Perspectives on the Japanese Occupation in Malaya and Singapore, 1941-1945*, 2008, NUS Press）、Yong En En, *The Nanyo Kyokai and Southeast Asia: 1915-1945*. (master thesis of the National University of Singapore, 2010)。
17 河西の業績は、注７の第一部の元となった、「南洋協会と大正期「南進」の展開」（『紀尾井史学』第一八号、一九九八年）、「外務省と南洋協会の連携にみる1930年代南方進出政策の一断面―「南洋商業実習制度」の分析を中心として―」（『アジア経済』第四四巻第二号、二〇〇三年）等がある。河原林については巻末解説者略歴を参照のこと。
18 中村孝志「台湾と「南支」・「南洋」」、同編『日本の南方関与と台湾』天理教道友社、一九八八年、一五-一七頁。
19 後藤前掲「台湾と南洋」。
20 安達前掲「日本の東南アジア・南洋進出」参照。また、学術調査に限定しているが、近代日本の調査については、山路勝彦『日本史リブレット64　近代日本の海外学術調査』（山川出版

社、二〇〇六年）等がある。
21 角山栄編著『日本領事報告の研究』同文館、一九八六年。
22 清水元「近代日本の海外通商情報戦略と東南アジア」末廣昭他編『岩波講座 「帝国」日本の学知6 地域研究としてのアジア』岩波書店、二〇〇六年、第六章参照。
23 清水前掲「近代日本の海外通商情報戦略と東南アジア」二一五頁。
24 主に南洋地域に関する情報を収集した組織については、早瀬晋三「調査機関・団体とその資料―東南アジア―」（末廣昭他編前掲書『「帝国」日本の学知6』）に詳しい。
25 明治期に限定しているが、「アジア主義」と「南進論」の関係についての考察として、広瀬玲子「明治中期の南進論とアジア主義―菅沼貞風と福本日南を中心に―」（『北海道情報大学紀要』第八巻第二号、一九九七年）がある。
26 「南進論」の「アジア主義」への包摂のプロセスについては、清水元「アジア主義と南進」（大江志乃夫他編『岩波講座 近代日本と植民地4』岩波書店、一九九三年）に詳しい。
27 松浦正孝『「大東亜戦争」はなぜ起きたのか―汎アジア主義の政治経済史―』（名古屋大学出版会、二〇一〇年）第一部第一章参照。
28 河原林前掲「南洋協会という鏡」
29 規約の各項目は南洋協會編『南洋協會二十年史』一九三五年、六-七頁。
30 一九三五年までの各支部等の設立年月は、南洋協會前掲書『南洋協會二十年史』を参照。
31 一九四二年二月より昭南島支部に改称。
32 一九二七年四月に新嘉坡商品陳列所、一九三七年一〇月に新嘉坡産業館へ改称。さらに、一九四二年二月にシンガポールが昭南特別市となった後に昭南島産業館となる。なお、最近では三宅拓也『近代日本〈陳列所〉研究』（思文閣出版、二〇一五年）にて、僅かながら解説されている。
33 後に神戸支部の設立に伴い大阪支部に改称。
34 スラバヤ商品陳列所は、「スラバヤ日本商品陳列所」と記載されているものが一九二〇年代中頃の機関誌上に若干存在している。また、同時期、新嘉坡商品陳列館にも「日本」の文言が入った表記が存在している。しかし、組織上の名称変更は記録されていないため、その理由は不明である。
35 ここまでは南洋協會前掲書『南洋協會二十年史』参照。一九三五年以降の支部については『南洋』にて確認。
36 横井は横浜支部も設立されたと述べているが、神奈川（県）支部である。横井前掲「井上雅二と南洋協会の南進要員育成事業」。
37 台湾総督府が主催した熱帯産業調査会については、河原林直人「熱帯産業調査会開催過程に観る台湾の南進構想と現実―諸官庁の錯綜する利害と認識―」（『名古屋学院大学論集（社会科学編）』第四七巻第四号、二〇一一年）を参照されたい。
38 河原林前掲「南洋協会という鏡」
39 以下、活動の内容については、特に断りを入れない限り、南洋協会前掲書『南洋協会二十年史』の記述による。
40 なお、南洋協会台湾支部の調査については、横井香織「日本統治期の台湾におけるアジア調査―台湾総督官房調査課『南支那及南洋調査』の分析を中心に―」（『東アジア近代史』第一一号、二〇〇八年）に詳しい。
41 仏文会報は一九四三年八月まで発行されたとの記事が確認できるが、それ以降は不明。また、仏文パンフレット『日本美術』も刊行された。

42 設立時は陳列館であり、後に陳列所に改称されるが、繁雑さを避けるため、本稿では陳列所とする。
43 後に新嘉坡産業館と改称されてからは『館報』を発行。一九四一年三月までに六〇七号が出されている（臨時刊行も含む）。
44 本部出版だけでなく、外部出版社分も含めている。また他の組織や個人との合作も含めている。ただし、明石陽至前掲「Nanyo Kyokai, 1915-1945」によると、一九四四年までに三〇〇以上の出版がなされたとあるため、実際にはこれ以上の出版物が存在していたと思われる。
45 ただし、この数字は正確なものではない。南洋協会台湾支部は台湾総督府と共同で出版したものが幾つか存在しており、それらを全てチェックしたわけではない。また、一九四二年以降についても未確認である。
46 明石陽至前掲「Nanyo Kyokai, 1915-1945」一六頁。
47 商品陳列所の設立主旨は次の通り。（一）我邦の南方諸地方に対する経済政策を講究すること、（二）我邦高級生産品の南方諸地方に対する輸出策を講ずること、（三）我邦の対南方輸出品の改良並に取引方法の改善を図ること、（四）南洋諸地方に於ける資源の開発利用を講ずること。南洋協會前掲書『南洋協會二十年史』二四六頁。
48 これらの経緯については河西前掲「外務省と南洋協会の連携にみる1930年代南方進出政策の一断面」に詳しい。
49 同陳列所の調査報告に基づいて編纂されたのが『比律賓情報』である。
50 必修科目は、英語、経済学、商業学、衛生学、南洋事情。選択科目として馬来語、蘭語、支那語が置かれた。その他、農工商業に関する特別科目（実習）も行われた。
51 横井前掲「井上雅二と南洋協会の南進要員育成事業」によると、一九四四年までに派遣された実習生の総数は一三五六人である。しかし、明石前掲「Nanyo Kyokai, 1915-1945」では一九四三年までに七九八人が卒業し、その内六六九人が南洋地域に留まったとしている。この数値の違いについては検証が必要であろう。
52 南洋協會前掲書『南洋協會二十年史』二八九-二九三頁。
53 同上、三二一-三二二頁。
54 南洋学院関係の助成金は、大東亜省から交付されていたようである。白石昌也「「満鉄東亜経済調査局附属研究所（大川塾）」とサイゴン「南洋学院」」『C．日本の南方関与；満鉄東亜経済調査局・南洋学院』（特定研究「文化摩擦」インタヴュー記録C-6）、東京大学教養学部国際関係論教室、一九八一年、一二一-一二二頁。
55 外務省が南洋協会を傘下に置いて最も力を入れた事業は「文化事業」である。その詳細については不明な点が多いが、南洋協会が一九三九年に開催した南洋経済懇談会（実質的な主催者は外務省）に出された参考資料では、南洋各地域での外国人による学校経営に着目していることがうかがえる。あくまでも推測でしかないが、外務省が「文化事業」として「外地」での学校経営に関心を有していた可能性がある。南洋協會『南洋經濟懇談會参考資料（第六）文化事業關係調査』一九三九年。
56 白石前掲「「満鉄東亜経済調査局附属研究所（大川塾）」とサイゴン「南洋学院」」。
57 その経緯については、安藤寅之丞氏（元南洋学院助教授）の証言に詳しい。同上一二一-一二二頁。または河原林前掲「南洋協会という鏡」を参照されたい。
58 南方生活研究所の目的の中に月刊誌『南方生活』の刊行とあるが、詳細は不明。『南洋』第二八巻第一二号（一九四二年）、一四〇頁。
59 一九四二年度の事業報告には、一九四二年六月に日本語講習所をジャカルタに設置したとの

記述があるが、これと同一の施設かどうか確認できていない。
60　「行詰れる南洋協會」『臺灣・南支・南洋パンフレット（４）』拓殖通信社、一九二六年、一頁。
61　河原林前掲「南洋協会という鏡」
62　臨時産業調査会については、拙稿「植民地台湾における産業政策の転換期」（『名古屋学院大学論集（社会科学編）』第五一巻第一号、二〇一四年）、臨時台湾経済審議会については、拙稿「植民地官僚の台湾振興構想」（やまだあつし・松田利彦編『日本の朝鮮・台湾支配と植民地官僚』思文閣出版、二〇〇九年）を参照されたい。
63　横井前掲「井上雅二と南洋協会の南進要員育成事業」。
64　井上雅二のおおまかな経歴は次の通り。［一八七六年〜一九四七年］兵庫県出身。一八九二年、海軍兵学校入学（保証人は田健治郎）、翌九三年海軍機関学校へ転学（翌九四年退学）、一八九五年荒尾精に師事の後、陸軍通訳として台湾へ渡る。一八九六年東京専門学校入学（九九年卒業）、一八九七年東亞同文會幹事、一九〇一年ウィーン大学入学、翌〇二年ベルリン大学へ転学。一九〇五年韓国政府財政顧問附財務官、一九〇七年韓国宮内府一等書記官。一九一一年南亞公司設立。一九二四年衆議院議員に当選。井上の履歴については、井上雅二『山荘獨語』（一九三六年、私家版）を参照。
65　同上参照。なお、南亞公司（現昭和ゴム株式会社）については原不二夫が『南国新聞』の連載コラム「マレーシアと三〇年」で触れている。原不二夫「第二二回　地名に残る「日本」」(http://www.ic.nanzan-u.ac.jp/GAIKOKUGO/Asia/kyouin-no-kao/colum.hara1/hara1-22.html)
66　これらの経緯については、横井前掲「井上雅二と南洋協会の南進要員育成事業」に詳しい。
67　矢野前掲書『日本の南洋史観』一〇六−一〇七頁参照。
68　財団法人化以降の南洋協会の主務官庁は、外務省と拓務省であったが、寄付行為の変更については、外務・拓務両省だけでなく、大東亜省の認可も必要であった。『財團法人南洋協會事業及會計報告書』一九四二年度、一一−一二頁。
69　原覚天前掲書『現代アジア研究成立史論』二一頁。
70　飯泉良三「本會機能の變革と機關雑誌の改題」『南洋』第二三巻第五号、一九三七年、二頁。
71　同上、三頁。
72　井上雅二前掲書『山荘獨語』一三頁。

Ⅱ. 南洋協会発行雑誌　総目録

凡　　例

・旧字は基本的に新字に改めた。
・記事のタイトルは記事本文に従い、誤植等が明らかなものについては、各号の目次や各巻の総目録
　などを参考にした。
・掲載順は、目次にしたがった。
・目次にないコラムなどは省いた。
・『南洋』の「近事一束」「各地時報」「支那事変と南洋」「世界情勢と南洋華僑」内の細項目は省略した。
　フィリピンにかんしては、完全版が拙編『フィリピン関係文献目録―戦前・戦中、「戦記もの」―』
　（龍溪書舎、2009年）に含まれている。

・本誌タイトルは継続刊行中3度変更された。
　　『会報』1～11号（1915年2月～1915年12月）
　　『南洋協会々報』第2巻第1号～第4巻第12号（1916年1月～1918年12月）
　　『南洋協会雑誌』第5巻第1号～第23巻第4号（1919年1月～1937年4月）
　　『南洋』第23巻第5号～第30巻第11号（1937年5月～1944年11月）

『会報』 1号（1915年2月）～11号（1915年12月）

◆『会報』一号（大正四年二月二十五日発行）
　南洋協会趣旨………二
　南洋協会規約………三
　南洋占領諸島事情………内務書記官　前田多門講演………一
　太平洋に於ける列強勢力の消長………東京帝国大学理科大学教授　理学博士　山崎直方講演………九
雑録
　英領北ボルネオに於ける煙草及古々椰子の栽培並同地への移民………英領北ボルネオ政庁森林官林
　　学士　後藤房治通信………二三
会報
　南洋協会発起人創立総会議事録………三三
　南洋協会創立過程概況………三六
　本会報告………三九
禀告………四〇

◆『会報』第二号（大正四年三月二十五日発行）
○南洋協会趣旨及規約………1
論説
○比律賓群島貿易状況及本邦人の事業………農商務技師工学博士　三山喜三郎………5（二三）
○爪哇島スマラン博覧会と貿易状況………農商務技師　野間誉雄………15（三三）
雑録
○馬来半島に於ける日本人護謨栽培近況並日本人護謨栽培協会………21（一一）
○比律賓独立法案の経過………23（一三）
○比律賓群島砂糖商況………31（二一）
○マニラ輸出品輸送計画………32（二二）
○欧州戦時中の南洋に於ける各国施設手段………32（二二）
○馬来半島英人経営栽培地の収支概算（最近標準）………34（二四）
○本会報告………35（三）
○南洋協会々員名簿（大正四年三月二十日現在）………37（五）
禀告………（四〇）

Ⅱ. 南洋協会発行雑誌　総目録

◆『会報』第三号（大正四年四月二十五日発行）
○南洋協会趣旨及規約………1
論説
○民族発展と熱帯医学　付熱帯生活上の注意………医学博士　宮島幹之助………5（三九）
○南洋諸島の樹木………東京農科大学助教授　堀田正逸………19（五三）
雑録
○馬来半島護謨園之土壌………大学院学生林学士　三浦伊八郎………27（二五）
○コプラの需要………31（二九）
○比律賓外国貿易近況………34（三二）
○日比貿易概況『千九百十四年度』………38（三六）
○比島に於ける林檎輸入状況………40（三八）
○大正四年度栽培護謨産額予想　約八万頓と見ば可ならん………41（三九）
○新嘉坡商業会議所内護謨競売高………42（四〇）
○本会報告………43（五）
　　　南洋協会支部通則………43（五）
　　　南洋協会々員名簿（大正四年四月二十日現在）………45（一）
稟告………48

◆『会報』第四号（大正四年五月二十五日発行）
　　　南洋協会趣旨及規約………1
論説
　　　南洋新占領地の経営に就て………文学士　内田寛一………5（六一）
　　　南洋諸島の人種に就て………東京帝国大学理科大学講師　鳥居龍蔵………23（七九）
雑録
○蘭領東印度の石油業………39（四一）
○セレベス島マカツサ港商況及有望商品………43（四五）
○セレベス島に於ける外人の努力………46（四八）
○蘭領印度商況………47（四九）
○馬来聯邦州改定税率………47（四九）
本会報告………49（一）
　　　南洋協会々員名簿（大正四年五月二十五日現在）………50（二）
稟告………54

◆『会報』第五号（大正四年六月二十五日発行）
　　　南洋協会趣旨及規約………1

論説
  南洋占領諸嶋の経済的価値………農商務書記官　成瀬　達………5（九五）
  本邦及蘭領印度間に於ける航路並貿易関係………逓信技師　山本幸男………22（一一二）
雑録
○比律賓群島の現勢並米国の対比島政策………41（五一）
○柔仏州農業労働者使用取締に関する法令………45（五五）
○東亜に於ける野生護謨の運命………50（六〇）
本会報告………53（一）
  南洋協会々員名簿（大正四年六月二十日現在）………54（二）
稟告………57

◆『会報』第六号（大正四年七月二十五日発行）
  南洋協会趣旨及規約………1
論説
  南洋新占領諸嶋………理学博士　三宅驥一………5（一三一）
  南洋（蘭、英、米領）諸島近況………法学士　鈴木誠作………16（一四二）
雑録
○蘭領ボル子オに於ける邦人迫害事件顚末要領………29（六三）
○南洋に於ける支那人の勢力………34（六八）
本会報告………39（一）
  南洋協会々員名簿（大正四年七月二十五日現在）………41（一）
稟告………44

◆『会報』第七号（大正四年八月二十五日発行）
  南洋協会趣旨及規約………1
論説
  サラワッ国Sarawak………台湾総督府嘱託　松岡正男………5（一五五）
雑録
○椰子栽培………在彼南　松本良介………25（七三）
○比律賓に於けるアバカ（マニラ、ヘンプ）の栽培………28（七六）
○蘭領印度外領地永借地規則………32（八〇）
本会報告………37（一）
  南洋協会々員名簿（大正四年八月二十五日現在）………38（二）
稟告………41

34　Ⅱ．南洋協会発行雑誌　総目録

◆『会報』第八号（大正四年九月三十日発行）
　　南洋協会趣旨及規約………1
論説
　　蘭領東印度………農商務書記官　長満欽司………5（一七五）
　　有望なる比律賓………太田恭三郎………19（一八九）
雑録
　　○新嘉坡を中心とせる南洋海上交通………27（八五）
本会報告………33（一）
◎台湾勧業共進会に就て………36（四）
　　南洋協会々員名簿（大正四年九月三十日現在）………38（一）
稟告………41

◆『会報』第九号（大正四年十月三十日発行）
　　南洋協会趣旨及規約………1
論説
　　南洋と熱帯農業………那須　皓………5（一九七）
　　南洋の水産………越田徳次郎………17（二〇九）
雑録
◎蘭領印度小農借地規則要領………25（九一）
◎海峡殖民地輸出入業者に対する注意………27（九三）
◎蘭領東印度のテンカワン果実産出状況………28（九四）
◎蘭領東印度に於ける阿片に付て………31（九七）
本会報告………33（一）
　　南洋協会々員名簿（大正四年十月三十日現在）………36（一）
稟告………41

◆『会報』第十号（大正四年十一月三十日発行）
　　南洋協会趣旨及規約………1
論説
　　比律賓農業銀行………5（二一七）
雑録
○非律賓に於ける古々椰子栽培収支予算………23（九九）
○英領北ボルネオに於ける古々椰子栽培予算………34（一一〇）
○馬来半島護謨年報（自一九一四年四月　至一九一五年三月）………38（一一四）
本会報告………43（一）

南洋協会々員名簿（大正四年十一月三十日現在）………45（一）
稟告………50
◆『会報』第十一号（大正四年十二月二十五日発行）
　　南洋協会趣旨及規約………1
論説
　　南洋の首都は何処が適当なりや………海軍少将　東郷吉太郎………7（二三五）
〇最近爪哇貿易概況（千九百十四年度）………爪哇スラバヤ　三吉朋十………16（二四四）
本会報告………19（一）
　　会員名簿（大正四年十二月二十五日現在）………30（一）
　　編輯室より一筆申上候………38
稟告………39

■ 『南洋協会々報』第2巻第1号（1916年1月）～第4巻第12号（1918年12月）

◆『南洋協会々報』第二巻第一号（大正五年一月三十一日発行）
　南洋協会趣旨及規約
　故南洋協会副会頭男爵吉川重吉氏
論説
　南洋占領諸島と我国との交通………台湾会員　金平亮三………1（一）
雑録
　蘭領東印度研究資料（一）………9（一）
　馬来聯邦州の農業（馬来聯邦州農務局長報告）………30（二二）
　新南洋航路船客並貨物運賃表………36（二八）
本会報告………37（一）
　会員名簿（大正五年一月二十五日現在）………45（一）
　会員諸君に告ぐ………63
稟告………66

◆『南洋協会々報』第二巻第二号（大正五年二月二十九日発行）
　南洋協会趣旨及規約………1
論説
　南洋発展と蘭領東印度………領事　浮田郷次………1（九）
　英領海峡殖民地の近況………鈴木重道………18（二六）
雑録
　蘭領東印度研究資料（二）………27（二三）
　南洋航路爪哇線船客運賃表………50（四六）
本会報告………51（一）
　会員名簿（大正五年二月二十五日現在）………53（一）
稟告………72

◆『南洋協会々報』第二巻第三号（大正五年三月二十五日発行）
　南洋協会趣旨及規約
論説
　英領北ボルネオ事情一班………三穂五郎………1（三五）
　本会報告………49（一）

会員名簿（大正五年三月二十五日現在）………51（一）
　謹告………69
　稟告………70

◆『南洋協会々報』第二巻第四号（大正五年四月二十五日発行）
　南洋協会趣旨及規約
論説
　　トラック諸島風俗習慣取調概略………トラック軍政庁………1（八三）
雑録
　　蘭領東印度研究資料（三）………31（四七）
　　最近蘭領東印度貿易事情……スラバヤ　三吉朋十………53（六九）
謹告………58
本会報告………59（一）
　　会員名簿（大正五年四月二十五日現在）………67（一）
稟告………87

◆『南洋協会々報』第二巻第五号（大正五年六月二十五日発行）
　南洋協会趣旨及規約
論説
　　比律賓並カンボチヤ事情………鉄道院参事　鶴見祐輔………5（一）
　　爪哇の金融事情………水野泰四郎………29（二五）
資料
　　英領北ボルネオ事情（一）………45（一）
時報
■台湾南洋間航路並貿易趨勢………57（一）
■台湾産糖予想………58（二）
■南洋の土地所有法………58（二）
■南洋の錫業………61（五）
■馬来聯邦郵税改定………63（七）
■南洋郵船改善………63（七）
■南洋観光団消息………63（七）
■爪哇と観光団………64（八）
■南洋に関する邦文図書………64（八）
○新刊紹介………65（九）
本会報告………67（一）

稟告………74

◆『南洋協会々報』第二巻第六号（大正五年七月二十五日発行）
　南洋協会趣旨、規約並役員
論説
　南洋ボルネオに就て………農商務省嘱託　松尾音次郎………5（四一）
資料
　英領北ボルネオ事情（二）………21（一三）
　□南洋の感じ□………久留島武彦………38
時報………39（一一）
■南洋諸島近情………蘭国医学博士談………39（一一）
■南洋発展の好機………新渡戸稲造氏談………40（一二）
■最近の比律賓………太田興業会社　井上直太郎氏談………42（一四）
■南洋市場の窮乏………43（一五）
■南洋の支那商………45（一七）
■比島に於ける太田興業会社事業概況………48（二〇）
■馬来聯邦と邦医………50（二二）
■南洋占領地電報………50（二二）
■爪哇線運賃引上………50（二二）
■比律賓貿易賑盛………51（二三）
■台湾鉄道成績………51（二三）
■台湾全島の人口………52（二四）
■台湾律令発布期………52（二四）
■台湾茶業者迷惑………52（二四）
■南洋の護謨界………53（二五）
■比島石灰需要状況………マニラ帝国領事　杉村恒造………59（三一）
■蘭領東印度陶磁器需要状況………在バタビヤ帝国領事　松本幹之亮………60（三二）
■蘭領東印度酢酸需要状況………在バタビヤ帝国領事　松本幹之亮………63（三五）
本会報告………65（一）
　講演会―台湾支部報告―新入会員

◆『南洋協会々報』第二巻第七号（大正五年九月十五日発行）
　南洋協会趣旨、規約並役員
論説
　英領北ボルネオ事情（三）………5（一六八）

資料
  蘭領印度拓殖銀行………29（三〇）

時報………41

■最近の比律賓………理学博士　近藤直澄談………41（三七）

■比島対日本………ツリビユーン紙所掲………45（四〇）

■南洋に於ける日本品………48（四四）

■南洋護謨近況………新嘉坡通信………55（五一）

■南洋航路奨励………大連通信………56（五二）

■正金新嘉坡出張所………56（五二）

■南洋薬草調査………57（五三）

■南洋諸島に送金………57（五三）

■英領北ボルネオ入国規則………57（五三）

本会報告………59（一）

  南洋島民観光団歓迎―新入会者―会員転居

◆『南洋協会々報』第二巻第八号（大正五年十月十五日発行）

  南洋協会趣旨、規約並役員

論説

  ボルネオの産業（一）………元ボルネオ政府嘱託林学士　後藤房治………5（一九二）

資料

  一千九百十五年に於ける比島コプラ業………台湾総督府技師　芳賀鍬五郎………60（四二）

  英領北ボルネオ事情（四）………62（四四）

  日本南洋渡航信書（一）（二）………南洋防備隊農事拓殖嘱託　大橋賢之甫………83（六五）

時報………87

■比島独立と日本………神戸高商教授　石橋五郎談………87（五四）

■濠州の排日論………88（五五）

■邦人護謨業の将来………89（五六）

■商船新航計画………大阪特信………94（六一）

■南洋新領土航路………94（六一）

■蘭印共進会………95（六二）

■第二回観光団計画………96（六三）

本会報告………97（一）

  東郷司令官招待会―台湾支部報告―新入会者―会員転居

◆『南洋協会々報』第二巻第九号第十号（大正五年十一月三十日発行）
　南洋協会趣旨、規約並役員
論説
　蘭領東印度事情………5（二四七）
　最も有望なる南洋の発展地………領事　浮田郷次………36（二七八）
資料
　英領北ボルネオ事情（五）………50（二九二）
時報
■海峡殖民地貿易近況………63（六四）
■比島重要農産物概況（千九百十五年）………65（六六）
■スマトラ護謨及煙草投資額………72（七三）
■比島開発策………72（七三）
■台銀の新事業………77（七八）
■台銀出張所………78（七九）
蘭領東印度勧業博覧会………79（一）
本会報告………81（一）
　ロヒンク氏招待会―本会総会―同晩餐会―新入会者

◆『南洋協会々報』第三巻第一号（大正六年一月三十一日）
　南洋協会趣旨、規約並役員………1
論説
　◎南洋の風土………5（一）
資料
　◎南洋「マリアナ」群島略史………「サイパン」島政庁にて　大橋賢之輔………53（一）
　◎フィリピン通信………59（七）
　◎蘭領印度近況………農商務省佐々木書記官報告………64（一二）
本会報告………73（一）
　◎本会の移転▲新入会員
台湾支部報告………75（三）
　◎第一回馬来語講習会終業式▲第二回馬来語講習会規程

◆『南洋協会々報』第三巻第二号（大正六年二月二十八日）
　南洋協会趣旨、規約並役員………1
論説
　◎南洋諸島の真価に就て………東京府青山師範学校教諭　飯山七三郎………5（四九）

◎南洋の回教に就て………33（七七）

　　◎比律賓の麻栽培に就て………高木幸次郎………46（九〇）

資料

　　◎比律賓特報………61（一三）

　　　■農民の豊年■レコード豊作■比島各港に於ける関税■新所得税法■馬尼刺に於ける出産及死亡数

　　◎ポナペ島に行はるゝ去勢の風習に就て………松村　瞭………72（二四）

本会報告………80（一）

　　◎本会講演会▲新入会員

◆『南洋協会々報』第三巻第三号（大正六年三月三十一日）

　　南洋協会趣旨、規約並役員………1

論説

　　◎蘭領東印度貿易の現在及将来………農商務書記官　佐々木茂枝………5（一〇五）

資料

　　◎五千ヘクター（一万二千英町）の農場に於けるコプラ工場建設費説明書………農学士　芳賀鍬五郎………27（三三）

時報………49（一）

　　◎和蘭殖民問題

比律賓特報………51（三）

　　◎タガル真田工業◎種米改良◎本年の砂糖作損害◎農業時報◎馬尼刺煙草大輸出◎関税大減収◎昨年十二月に於ける貿易莫大にして殆ど四、〇〇〇、〇〇〇ペソの増額を示す◎錫蘭、比島間貿易予想◎貿易増加二千四百万ペソ◎内国収入総額二六、〇〇〇、〇〇〇ペソ

本会報告………73（一）

◆『南洋協会々報』第三巻第四号（大正六年四月三十日）

　　南洋協会趣旨、規約並役員………1

　　南洋協会台湾支部馬来語講習会第二回卒業記念写真

論説

　　南洋の風土（第三巻第一号の続き）………5（一二七）

資料

　　馬来半島土地制限問題の真相と日本人栽培協会の執りたる処置………57（五五）

比律賓特報………67（一）

　　◎比島貿易増加◎比律賓は十年を出でずして護謨生産者たらん◎比島に於ける舗道煉瓦工業に於て◎本年三月の徴税増収◎善良麻糸の生産◎イロコス州の綿作多大ならん

本会報告………77（一）

◆『南洋協会々報』第三巻第五号（大正六年五月三十一日）

論説
　蘭領東部ボルネオ事情………神保文治氏講演………1（一七九）
　南洋に於ける本邦人の企業………井上雅二………16（一九四）
　南洋の風土（承前）………24（二〇二）

資料
　馬来半島及新嘉坡の経済的地位………39（六五）
　海峡殖民地に於ける対独商業政策………43（六九）
　蘭領東印度の港湾………47（七三）
　蘭領東印度の商標及特許条例………52（七八）
　蘭領東印度産のカポツク………58（八四）
　桑港対爪哇、マニラ間開航計画………62（八七）
　英帝国の戦後植民地経営政策………63（八八）

比律賓特報………69（一）
　◎比島護謨栽培の発達◎スール地方の農業繁栄◎比島の護謨栽培に就て◎麻農園の成功◎植物生産扶助◎関税月報◎関税減退◎国税収入報告◎移民増加◎比島商船第六位に列す）

本会報告………85（一）

◆『南洋協会々報』第三巻第六号（大正六年六月三十日）

論説
　護謨栽培の将来………台湾拓殖株式会社取締役　小此木為二………1（二一七）
　馬来半島の土地制限問題………南洋協会理事　井上雅二………7（二二三）
　馬来人に就て………新嘉坡　瀬川飛三四………13（二二九）

資料
　『南洋渡航案内』稿案………29（九五）
　馬来聯邦商業会議所と戦後の貿易………68（一三四）
　馬来半島の護謨生産高………70（一三六）
　蘭領東印度錫鉱業………71（一三七）
　ラドウ氏の南洋視察談………73（一三九）

本会報告………75（一）

◆『南洋協会々報』第三巻第七号（大正六年七月三十一日）
　蘭領東印度貿易概況………爪哇スラバヤ　三吉朋十………二
　電気業者の見たる印度及南洋………逓信技師　大屋　敦………五

資料

爪哇の産業（其一）………一五
　　暹羅南部鉄道の価値………二七
雑録………三九
　サラワツク国王の訃—比島の輸入米過多—ヘンプの品等下落—比島に於ける護謨栽培—比島貿易と海運の大障碍—比島捕獲船の処分—比島鳳梨の病害—比島関税月報—ジヨホール州経済界の好景況—南洋和蘭汽船会社の増資………五七
本会報告………五九
自第一巻第一号　至第三巻第六号　南洋協会々報総目次………六三

◆『南洋協会々報』第三巻第八号（大正六年八月三十一日）
　南洋協会趣旨及目的
論説
　　独領ニユーギニヤ視察談………廣瀬　清………一
　　南洋と回教………文学士　大川周明………二一
資料
　　爪哇の産業（其二）………三一
　　本年度第一期海峡殖民地貿易状況………三八
　　馬来半島に於ける綿布貿易………四一
　　馬来聯邦州の錫輸出高………四六
　　護謨業の将来………四七
　　海峡植民地食料品問題………五六
　　南洋の経済的価値（其一）………農法学博士　新渡戸稲造………五八
雑録
　　馬来土地制限令に対する世論………六七
本会報告………七一

◆『南洋協会々報』第三巻第九号（大正六年九月三十日）
　南洋協会趣旨及目的
論説
　　馬来半島と我半生………遠藤隆夫………一
資料
　　新嘉坡港近況………新嘉坡本会通信員　瀬川　亀………二九
　　南洋の経済的価値（其二）………農法学博士　新渡戸稲造………三〇
　　ボルネオの鉱物資源………四〇
　　爪哇の産業（其三）………五二

ブルネイ英国理事官の年度報告………五五
　　比律賓の製糖業………五八
　　サンダカン近況………六〇
雑録………六五
　　馬来聯邦州一九一七年法律第一号
　　護謨園売買制限令
　　馬来半島に於ける護謨植民地払下及び売買制限
本会報告………七九
写真
　　蘭領東印度バリ島に於ける仏教建築物
　　ボルネオ島バンジヤルマシンの河畔

◆『南洋協会々報』第三巻第十号（大正六年十月三十一日）
　　南洋協会趣旨及目的
論説
　　回教の根本儀礼に就て………文学士　大川周明………一
資料
　　蘭領印度一九一七年度予算………台湾支部幹事　菊池武芳………一五
　　南洋所産のタンニン原料………新嘉坡通信員　瀬川　亀………一九
　　馬来半島に於ける支那移民の出入………新嘉坡通信員　瀬川　亀………二二
　　馬来半島に於ける印度移民の出入………新嘉坡通信員　瀬川　亀………二三
　　南洋の経済的価値（其三）………農法学博士　新渡戸稲造………二五
　　馬来半島に於ける貿易及食料品問題………三五
　　比島外国貿易概況『一九一六年』………三九
　　蘭領東印度に於けるカポツクに付て………四九
　　護謨園二千英反栽培収支計算（英人経営）………六三
雑録………七四
　　独乙の護謨欠乏―西貢米輸入杜絶説―新刊紹介
本会報告………七七
写真
　　アラビヤ新王国の首都にして回教の中心地たるメツカ市の瞰見―シリヤ人回教徒が年貢を奉じてメ
　　　ツカ市に至るの光景

◆『南洋協会々報』第三巻第十一号（大正六年十一月三十日）
　　南洋協会趣旨及目的

紹介の辞………井上雅二………一
論説
　　英領ボルネオ事情………林謙吉郎………二
資料
　　蘭領東印度の貿易………新嘉坡通信員　瀬川　亀………一五
　　海峡殖民地本年度第二期貿易状況………新嘉坡通信員　瀬川　亀………二五
　　殖民政策より観たる回教徒（其一）………文学士　大川周明………二六
　　熱帯地の衛生（其一）………陸軍々医学校長　下瀬謙太郎………三七
　　ボルネオの鉱物資源（其二）………四七
　　英領北ボルネオ会社事業報告………五四
雑録………六一
　　蘭領印度統治法改正―爪哇の研究
本会報告………七〇
写真
　　煙草樹の実採収―ドソン土人の小児―北ボルネオゼセルトン全景

◆『南洋協会々報』第三巻第十二号（大正六年十二月三十一日）
　　南洋協会趣旨及目的
論説
　　南洋に於ける錫鉱業………一
　　錫価益々昂騰………一六
資料
　　蘭領東印度に於ける諸産業の概況（其一）………スラバヤ通信員　三吉朋十………一七
　　殖民政策より観たる回教徒（其二）………文学士　大川周明………二六
　　新嘉坡商業会議所半期総会………三二
雑録………三九
　　南洋貿易発展策………福岡市立福岡商業学校教諭　菊池武幹………三九
　　南洋視察所感………沖縄県国頭郡名護尋常高等小学校長　八巻太一………四一
　　蘭領東印度に於ける本邦人経営事情………四四
本会報告………五〇
　　第五回定期総会
写真
　　爪哇土人の洗濯―ボルネオ・バンヂヤルマシンの市庁―爪哇バタビヤ新港タンジヨンプリオクの埠頭

◆『南洋協会々報』第四巻第一号（大正七年一月三十一日）

論説

　南洋視察談………大谷光瑞………一

　南洋の海運に就て………遞信書記官　波多野保二………二八

資料

　蘭領東印度に於ける諸産業の概況（其二）………スラバヤ通信員　三吉朋十………五九

　ボルネオの鉱物資源（其三）………六五

本会報告………七九

　本会調査報告書―『回教』の出版―『南洋渡航案内』出版―南洋移民並渡航調査―新入会者―会員転居

写真

　スマトラのバタク人村落

　爪哇婦人の風俗

自第三巻第七号　至第三巻第十二号　南洋協会々報総目次

◆『南洋協会々報』第四巻第二号（大正七年二月二十八日）

論説

　比律賓視察談………神谷忠雄………一

　南洋電気事業視察談………遞信書記官　吉野圭三………一五

資料

　南洋と華僑………台湾支部　藤田捨次郎………三三

　比律賓群島の人口………板倉恪郎………三九

　印度支那の経済的発展………四八

　ボルネオに於ける石油………六五

雑録………六七

　蘭人の観た日人―比島輸入米減退

時事………七二

　来る可き講和の一問題

本会報告………八一

写真

　タピオカ園の軽便鉄道

　爪哇スマラン港及灯明台

　サロン用金巾に蠟を以て絵を画く

◆『南洋協会々報』第四巻第三号（大正七年三月三十一日）

論説

　馬来群島………台湾総督府参事官………法学士　片山秀太郎………一

資料

　米国の馬尼刺麻価格協定と其影響………比律賓　板倉恪郎………三三

　仏領印度支那に於ける支那人の地位………三八

　暹羅に於ける有望投資事業………松尾音治郎………四六

雑録

　一九一六年度英領北ボルネオ財政報告………六三

　日本と南洋………六五

時事

　スマトラ東海岸州より………本会理事　井上雅二………七〇

　華僑銀行設立議………七四

本会報告

　新嘉坡商品陳列館設置―新嘉坡学生会館―和蘭語講習会終了

写真

　口絵　スマトラ・ベリ州に於ける土侯の宮殿―北部スマトラサバン港―東部スマトラに於ける製茶工場

　挿画　マライ人の舟揖―ブルナイの水屋―比律賓土人の魚売―仏領印度に於ける象の労役―北ボルネオゼセルトン市街―スマトラ・メダン市理事庁

◆『南洋協会々報』第四巻第四号（大正七年四月三十日）

論説

　南洋に於ける栽培事業………農商務省山林技師　藤岡光長………一

資料

　医学の進歩と殖民発展（其一）………農、法学博士　新渡戸稲造………二五

　古代の南洋華僑………台湾　藤田捨次郎編訳………三六

　印度支那に於ける支那人に対する収税増進………四〇

雑録

　爪哇に於ける食料品の需要………四七

　馬来聯邦州鉱業会議所報………五一

時事

　スマトラ島より（第二信）………本会理事　井上雅二………五三

　肥料南洋輸出好況―南洋新輸入品―護謨相場幾分好況―南洋運賃引上―華僑銀行経過―南洋漁業の

有望―錫は益々強調―馬来聯合国の貿易―爪哇運賃引上―馬来縦貫鉄道―南洋為替変動―蘭領禁輸理由

本会報告………六七

　　談話会―講演会―蘭語講習会―本会々報贈呈―台湾支部役員委嘱―新入会者―会員転居

写真

　　口絵　新嘉坡川の川口―新嘉坡カベナー橋より政庁を望む―爪哇バタビヤの教会堂―モロ族の王―モロ土人の風俗

　　挿画　爪哇バイテンゾルフ植物園―タナム―爪哇バタビヤに於けるバスター所―英領北ボルネオ、ゼセルトンホテル―爪哇バリ島人結婚儀礼―スマトラメダン市に於ける支那街

◆『南洋協会々報』第四巻第五号（大正七年五月三十一日）

論説

　　豪州及南洋旅行談（其一）………農商務省臨時産業調査局事務官　　高橋武美………一

　　蘭領ニユウギニア及モロツカス群島事情………前日本恒信社々員　　玉置　実………二一

資料

　　産業の比律賓（一）………帰去来子………四一

　　蘭領東印度に於ける護謨栽培業に関する統計………新嘉坡通信員　　瀬川　亀………六二

時事

　　スマトラ便り………メダン通信員　　槇田益雄………六五

　　蘭領東印度対米国貿易………六七

　　独人蘭領印度に活動………六九

本会報告

　　第二回和蘭語講習会―『回教』出版―スマトラ通信員―講演会―欧文本会趣旨並規約書―新入会員―会員転居

写真

　　口絵　ニユウギニアパプア土人中マネキオン種族と称する猛悪なる人種にして俗に謂ふ食人種―ニユウギニアパプア土人の美人―海岸のパプア土人が武器を持ちて居るもの槍の柄は黒檀にして刃先は鉄、楯は鉄木にて造る―ニユウギニア・ハルモヘーラ土人がダマル採某に赴く時の風

　　挿画　比律賓図七葉―マネキオン種族が海岸土人に帰化したる者にて向て右は女他は男也女の鉢巻は夜光貝にて製し腕輪は人魚の骨を飾りとせしもの―ニユウギニアタルナテ港税関を桟橋より望む正面の山は活火山也町は之より向て右方に在り―ニユウギニア沿岸貿易に用ゆる商人のドレヘ船―ニユウギニアパプア土人が沿岸貿易に用ゆる帆船

◆『南洋協会々報』第四巻第六号（大正七年六月三十日）

論説

ボルネオ土人の宗教思想（其一）………台湾総督府嘱託　小森徳治………一
　　蘭領東印度及比律賓視察談（其二）………農商務省臨時産業調査局事務官　高橋武美………七
資料
　　比律賓群島に於ける日本人の製炭業………比律賓通信員　板倉恪郎………一九
　　医学の進歩と殖民発展（其二）………農、法学博士　新渡戸稲造………二五
　　比律賓の産業（二）………帰去来子………三四
雑録
　　戦時に於ける護謨の需要と米国………四九
　　南洋企業熱の勃興………五一
時事
　　再輸出禁止に就て………スラバヤ　三吉朋十………五五
　　南洋より………新嘉坡　河野公平………五六
本会
　　第六回定期総会―晩餐会―商品陳列館並学生会館位置決定―新嘉坡商品陳列館長並学生会館監督決定―講演会―陳列館長兼学生会館監督出張―新入会者―新嘉坡支部新入会者―会員転居
写真
　　口絵　「爪哇」「サラチガ」の辻公園―「爪哇」バイテンゾルフよりサラク山を望む―爪哇土人の「やたいみせ」
　　挿画　南洋団十葉―ボルネオ土人の漁業―ボルネオ、バンヂヤルマシン港―北ボルネオ、タワオ地方の開墾―ボルネオ、ブルネイ国ブルナイ港―馬来土人街―馬来土人の演奏―スマトラ島メダン停車場―スマトラ島パダン停車場―爪哇土人の籠売―爪哇土人の「おやつ」

◆『南洋協会々報』第四巻第七号（大正七年七月三十一日）
論説
　　南洋視察談………本会理事　井上雅二………一
　　ボルネオ土人の宗教思想（其二）………台湾総督府嘱託　小森徳治………一三
　　蘭領東印度及比律賓視察談（其三）　臨時産業調査局事務官　高橋武美………二三
資料
　　馬尼刺麻に就て………本会調査部調査………三九
　　産業の比律賓（三）………帰去来子………四八
雑録
　　馬来護謨栽培業近況………六一
　　馬来護謨生産制限問題………六二
　　南方発展の賊………縄田宗三郎氏談………六五

本会報告
　商品陳列館事務開始―商品陳列館出品勧誘―新嘉坡学生館―オネス氏招待―農商務省及び台湾総督府関係者招待会―臨時総会―新入会員会―会員転居
写真
　口絵　爪哇婦人の風俗―爪哇バイテンゾルグ植物園羊歯園―爪哇バイテンゾルグ植物園の竹林
　挿画　スマトラ珈琲実精選工場―北ボルネオ、タワオ地方の開墾―爪哇土人の刀製造―バタビヤの新式住宅―爪哇ウエルテフレーデンの郵便電信局

◆『南洋協会々報』第四巻第八号（大正七年八月三十一日）
論説
　南洋の覇者………台湾総督府民政部警察本署警務課長　梅谷光貞………一
　南洋の海運………山下汽船会社新嘉坡支店長　白城定一………一七
資料
　スマトラ東海岸州の護謨栽培業………新嘉坡支部　瀬川　亀………三三
　産業の比律賓（四）………帰去来子………四〇
　馬尼剌麻禁輸問題の経過………五四
雑録
　英国戦後の貿易政策………五九
　爪哇の鉄道………六〇
　南洋の諸鉄道………六五
　爪哇島の唯一の英文月刊経済雑誌"The Dutch East Indian Archipelago"の発行………六七
本会報告………七〇
　商品陳列館記事―陳列品第一回輸送―木村商品陳列館長赴任―新嘉坡学生会館記事―学生召集―内田副会頭訓示―学生出発―「南洋渡航案内」発刊
写真
　口絵　爪哇ウエルテフレーデンの旧教会堂―スマトラ島マンタビ族の奥様方
　挿画　バイテンゾルグ植物園の総督官邸―爪哇の小川―麻栽培の光景（其一）―（同其二）―爪哇パタング鉄道沿線の風景

◆『南洋協会々報』第四巻第九号（大正七年九月三十日）
論説
　南洋に於ける日本人発展の現状………台湾総督府事務官法学士　阿部　滂………一
　キヤデットシツプ………法学士　加福豊次………一五
資料
　鉱業より見たる仏領印度支那………本会調査部調査………二三

スマトラ東海岸州土地制度………新嘉坡支部　瀬川　亀………四四

産業の比律賓（五）………帰去来子………五一

新嘉坡地方澱粉需給状況………新嘉坡領事館報告………六四

雑録

爪哇内地旅行記………爪哇通信員　三吉朋十………六七

本会報告………七三

「爪哇の金融及日爪貿易」刊行―新刊予告―「南洋の海運」寄贈―会報表紙図案―新嘉坡商品陳列館記事―陳列館設備―木村商品陳列館長兼学生会館長着任―開館―学生会館記事―台湾支部評議員幹事委嘱―新入会員―会員転居

写真

口絵　爪哇バタビヤの国立測候所―爪哇刀

挿画　爪哇バイテンゾルグ植物園―爪哇火山頂の『緑の湖』―爪哇プロモ火山噴火口―東部爪哇のトサリに於ける保養所―バタビヤの風景―バタビヤ市中の巨樹

◆『**南洋協会々報**』**第四巻第十号**（大正七年十月三十一日）

論説

南洋拓殖事業と衛生（一）………医学博士　堀内次雄………一

南洋各植民地に於ける司法制度に就て………法学士　伊藤兼吉………一七

資料

スマトラ東海岸州に於ける労力需給状況………新嘉坡支部　瀬川　亀………二七

産業の比律賓（六）………帰去来子………三二

比島に於ける『カポック』工業に就て（一）………図南子………四五

雑録

マニラ旅行の栞―占領南洋諸島を改称すべし―南洋と太平洋………五七

本会報告

□評議員の死去―□新嘉坡商品陳列館記事―□嘱託員派遣―□新嘉坡学生会館記事―□学生会館学課制定―□学生会館学生引率者よりの消息―□新嘉坡支部秋季総会―□新嘉坡支部役員―□新嘉坡学生会館職員任命―□新嘉坡商品陳列館調査員並通信員嘱託―新入会員―会員転居

付録

ラヂヤ、ブルーク伝（一）………内田嘉吉訳………一

◆『**南洋協会々報**』**第四巻第十一号**（大正七年十一月三十日）

論説

南洋拓殖事業と衛生（二）………医学博士　堀内次雄………一

北ボルネオ会社………台湾総督府秘書官　鎌田正威………一六

資料

　スマトラ島の交通事情………新嘉坡支部　瀬川　亀………二九

　比島に於ける『カポツク』工業に就て（二）………図南子………三七

　独逸巡回販売制度（一）………日露協会調査部………四八

　産業の比律賓（七）………帰去来子………五五

　蘭領東印度に於ける邦商の発展策………六九

雑録

　馬拉加海峡より―南洋奇聞―比島輸出手続規定修正―比律賓群島に於ける椰子製油業の発達とコプラの輸出禁止………七五

本会報告………九〇

　副会頭及理事旅行―講演会開催―事務員異動―調査部の利用―図書寄贈歓迎―「蘭領スマトラ島の護謨園」出版―爪哇発行英文雑誌の寄贈―参考品の貸与―新嘉坡商品陳列館出品物の状況―商品陳列館調査員嘱託―新嘉坡学生会館記事―名誉講師嘱託―新嘉坡学生会館学生補欠並選科生―学生会館規則追加―学生会館寄宿寮規程―学生会館学生死去―新入会員

付録

　ラヂヤ、ブルーク伝（二）………内田嘉吉訳………一七

◆『南洋協会々報』第四巻第十二号（大正七年十二月三十一日）

論説

　最近蘭領東印度事情（一）………バタビヤ駐在領事　松本幹之亮………一

　南洋視察談（一）………代議士　山本悌二郎………九

　蘭領印度視察談………法学士　猪木土彦………一九

資料

　スマトラ東海岸州に於ける椰子及油椰子栽培業………新嘉坡支部　瀬川　亀………三五

　比島椰子油製造業の勃興………四一

　比島に於ける『カポツク』工業に就て（三）………図南子………四九

　比島労働者問題と支那移民移入………五八

　爪哇対日貿易の現状に就て………六一

　セレベス島米田経営に就て………六八

　護謨市場救済問題に就て………新嘉坡商品陳列館調査………七〇

　仏領印度支那貿易………七七

　『タピオカ』栽培に就て………豊原太郎………八一

　独逸巡回販売制度（二）………日露協会調査部………八六

雑録………九六

海峡殖民地の貿易―蘭領諸島各種営業案内―南洋奇聞（二）―近着図書
寄書
　　南洋占領諸島は我が領有に帰すべきや………一会員………一〇八
本会報告………一一三
　　領事館設置の建議―理事来往―案内記寄贈―新入会員―実業関係会員諸君に告ぐ―爪哇発行英文雑誌に就て―新嘉坡商品陳列館開館―商品陳列館職員―商品陳列館観覧者並に閲覧心得制定―特別陳列費―学生会館学友会設立―新嘉坡学生会館学友会役員―新嘉坡学生会館講演会―学生実務練習―名誉講師嘱託―英語教師嘱託―学生補欠入学許可―時間割変更並に語学補習科設置―選科生入学許可―死亡学生遺骨到着―評議員退任
付録
　　ラヂヤ、ブルーク伝（三）………内田嘉吉訳………三三

『南洋協会雑誌』第5巻第1号（1919年1月）～第23巻第4号（1937年4月）

◆『南洋協会雑誌』第五巻第一号（［大正八年］一月三十一日発行）

年頭之辞………（一）

時事小観

=角を矯めて牛を殺す=華南銀行漸く成る=労力問題と吾が移民法=粗製濫造の時代愈々去る=見本館たらしむる勿れ=蘭領法制の一部訳成る………（二）

論説

開放せられたる蘭領東印度………南亜公司常務取締役　井上雅二………（五）

南洋発展の意義………マスター　オブ、アーツ　松岡正男………（一〇）

説苑

最近蘭領東印度事情（二）………バタビア駐在領事　松本幹之亮………（一四）

南洋視察談（二）………衆議院議員　山本悌二郎………（二〇）

暹羅事情………三井物産会社盤谷詰社員　吉岡幸造………（二六）

ニウギニア島に於ける三国統治と動植物………久原商事会社々員　権藤林蔵………（三四）

資料

比島に於ける『カポツク』工業（四）………図南子………（三九）

爪哇茶に就て………新嘉坡商品陳列館調査………（四三）

スマトラ島東海岸の茶栽培業………本会調査部………（五〇）

比律賓群島に於ける主要農産物栽培面積………比律賓通信員　板倉恪郎………（五四）

独逸巡回販売制度（三）………日露協会調査部………（五五）

雑録

欧羅巴人の比律賓群島発見と征服………台湾総督府嘱託　小森徳治………（五九）

南洋奇聞　馬来の羊に関する伝説………（六七）

新嘉坡実業協会生る………（六九）

蘭領私有地購買に就て………本会調査部………（七一）

本会報告

本部だより=調査編輯部だより=新嘉坡商品陳列館だより=新嘉坡学生会館だより=台湾支部だより………（七四―一〇四）

付録

ラヂヤ、ブルーク伝（四）………内田嘉吉訳………四一

口絵

第七回南洋協会総会＝南洋協会晩餐会（其一）＝同上（其二）＝南洋方面諸人種＝パラオ島に於ける児童の舞踏＝トラック島の女漁夫

◆『南洋協会雑誌』第五巻第二号（［大正八年］二月二十八日発行）

悲観を要せず………（一）

時事小観

　＝濠洲首相の独領処分論＝我言論界漸く激昂す＝豪紙亦首相に賛せず＝結局は国際連盟管理か＝牧野講和特使の声明＝仏また国際管理に反対＝南洋艦隊の設置は如何＝愚なる哉我炭坑業者＝商務官は新人に求めよ………（四）

論説

　熱帯植物を研究せよ………林学博士ドクトル　本多静六………（九）

　植民地の将来………拓殖大学教授ドクトル　泉　哲………（一四）

説苑

　南洋視察談（三）………衆議院議員　山本悌二郎………（一九）

　最近比律賓事情………比律賓通信員　板倉恪郎………（二四）

資料

　スマトラ東海岸の煙草栽培………新嘉坡支部　瀬川　亀………（二八）

　比島に於ける『カポツク』工業（五）………図南子………（三二）

　比律賓の森林（一）………本会調査部………（三八）

　植物性油製造業………バチエラー　オブ、アーツ　金澤忠教………（四三）

　スマトラ東海岸の茶栽培業（二）………本会調査部………（五〇）

　独逸巡回販売制度（四）………日露協会調査部………（五五）

雑録

　比律賓の発見と征服（二）………台湾総督府嘱託　小森徳治………（六二）

　比律賓の独立運動………在ダバオ　天涯茫々生………（六六）

　南洋奇聞＝南洋新占領地の巻………豊原太郎………（六八）

　護謨事業の将来………南溟学人………（七三）

　日本海外発展博覧会………（七五）

　近着図書＝自大正七年十二月十日至同八年二月十五日………（七七）

本会報告

　本部だより＝調査編纂部だより＝新嘉坡商品陳列館だより＝新嘉坡学生会館だより＝新嘉坡支部だより＝台湾支部だより………（七九）

付録

　ラヂヤ、ブルーク伝（五）………内田嘉吉訳………五七

口絵

　新嘉坡商品陳列館陳列室の光景（其一）＝同上（其二）同上（其三）＝スマトラ島ミナンカバウの婦人風俗＝バリクパパン石油工場＝マカツサー港桟橋

◆『南洋協会雑誌』第五巻第三号（〔大正八年〕三月三十一日発行）

　合同………（一）

　時事小観＝マクマホン氏の群島観＝民族自決と比島独立＝比島独立容易ならず＝一九一八年の日比貿易＝一九一八年の日暹貿易＝糖価倍々昂騰せん＝粗製濫造の矯正方法＝南溟の熱海遺利多し………（三）

論説

　仏領印度支那論………久原鉱業会社嘱託　横山正脩………（八）

　植民地の将来（二）………拓殖大学教授ドクトル　泉　哲………（一六）

説苑

　最近の南洋（一）………農商務省書記官　斎藤亀三郎………（二〇）

　南洋の宗教………大文洋行参事　三吉朋十………（二六）

資料

　熱帯木講話―紫檀扁………林学博士ドクトル　本多静六………（四〇）

　馬尼刺麻の研究（一）………板倉恪郎………（四四）

　比律賓の森林（二）………本会調査部………（五一）

　スマトラ島東海岸州の珈琲栽培業………新嘉坡支部　瀬川　亀………（五五）

　王立和蘭汽船会社………バチエラー、オブ、アーツ　金澤忠教………（五七）

雑録

　比律賓の発見と征服（三）………台湾総督府嘱託　小森徳治………（六七）

　南洋奇聞＝南洋新占領地の巻………豊原太郎………（七一）

　日仏通商条約に就て＝対仏領印度支那貿易の将来………神山陽太郎………（七九）

　セレベスの鉄及ニツケル………水郷生………（八一）

南洋時事

　バタビアの護謨輸出高＝印度支那より西伯利漁業者へ＝コプラ及ココナツト、オイルの輸入＝暹羅米輸出減退＝英領ボルネオ近況＝南洋運賃協定＝日本移民拒み難し＝南洋廻船交渉＝英領より蘭領＝南洋は日本へ＝南洋統治決定す………（八三）

本会報告

　本部だより＝調査編纂部だより＝新嘉坡商品陳列館だより＝同学生会館だより＝台湾支部だより………（八六）

付録

ラヂヤ、ブルーク伝（六）………内田嘉吉訳………（七三）

口絵

　　　新嘉坡商品陳列館陳列室の光景（其一）＝同（其二）＝同（其三）＝同開館式当日の宴会場＝爪哇ジヨクジヤカルタの上流婦人＝新嘉坡魚菜市場＝サラマン市の風景

◆『南洋協会雑誌』第五巻第四号（[大正八年] 四月三十日発行）

　　　輸入すべし………（一）

　　　時事小観＝占領島の統治承認か＝ロ市商業会議所の活動＝南洋倉庫会社の新設＝蘭領東印度と鉄道計画＝食糧自給と蘭領南洋＝南洋貿易の中心地は＝台湾総督府と南洋航路＝醜業婦の数漸く減ず＝眼光豆よりも小なり………（三）

論説

　　　戦後の南洋貿易………新嘉坡商品陳列館長　木村増太郎………（八）

　　　ニユーギニアの将来………海外興業会社常務取締役　龍江義信………（一四）

　　　南洋発展と我プロパガンダ………マスター、オブ、アーツ　松岡正男………（二二）

説苑

　　　最近の南洋（二）………農商務省書記官　斎藤亀三郎………（二六）

　　　南洋の宗教（二）………大文洋行参事　三吉朋十………（三四）

資料

　　　通俗熱帯木講話―紫檀扁（下）………林学博士ドクトル　本多静六………（五〇）

　　　新嘉坡に輸入さる、主なる日本商品………新嘉坡商品陳列館調査………（五五）

　　　タピオカ栽培事業（一）………日蘭通交調査会嘱託　江川俊治………（六〇）

　　　馬尼刺麻の等級別産額表………在比律賓　板倉恪郎………（六二）

　　　豪洲の真珠貝………豊原太郎………（六五）

雑録

　　　海峡殖民地の貿易増進………（六九）

　　　爪哇と食料………（七一）

　　　南太平洋諸島事情………（七三）

寄書

　　　新嘉坡護謨栽培業者に与るの書………日蘭通交調査会理事　松岡静雄………（八五）

南洋時事

　　　熱帯農学校＝セレベスの紅土鉄鉱＝海峡殖民地の海運＝和蘭殖民地貿易＝為替取組収善………（八七）

本会報告

　　　本部だより＝調査編纂部だより＝新嘉坡商品陳列館だより＝新嘉坡学生会館だより＝新嘉坡支部だより＝台湾支部だより………（八九）

付録
　　ラヂヤ、ブルーク伝（七）………内田嘉吉訳………八九
口絵
　　ボルネオ島バンジヤマシンに於ける河岸の風景＝スマトラ島メダン理事庁＝ボルネオ島バリクパパン石油タンク＝馬来土人の娘＝スマトラ島エンマーハーベン港の全景

◆『南洋協会雑誌』第五巻第五号（［大正八年］五月三十一日発行）
　　競争………（一）
　　時事小観＝新付民族愛撫の一証＝注目すべき慈善博覧会＝蘭領企業漸く増加す＝先づ航路を統一すべし＝尋常成金者流に非ず＝濠洲政府茶を解禁す＝英雄僧の真骨頂は是れ＝輸出綿織物検査協議＝熱帯漁場更に拡張す＝蘭領石炭産額一百万噸＝クロエト峯の爆発………（三）
論説
　　南洋企業と資金運用　久原鉱業タワオ事務所長　林謙吉郎………（八）
　　南洋発展と回教………香取商会主　香取修平………（一三）
説苑
　　我観南洋………明治製糖会社取締役　千葉平次郎………（二二）
　　南洋発展策に就て………新嘉坡商品陳列館長　木村増太郎………（三二）
　　南洋貿易と華僑………華南銀行顧問　郭春秧………（四一）
資料
　　通俗熱帯木講話─黒檀篇（上）………林学博士ドクトル　本多静六………（四五）
　　最近緬甸経済事情（一）………南満洲鉄道会社　石井成一………（五〇）
　　タピオカ栽培事業（二）………日蘭通交調査会嘱託　江川俊治………（五四）
　　スマトラ島東海岸州の港湾及市邑………新嘉坡支部………瀬川　亀………（五八）
雑録
　　セレベス旅行記（一）………新嘉坡学生会館名誉講師　エフ・エー・ガトキン………（六三）
　　暹羅婦人の風俗………南　鴎………（六六）
　　南太平洋諸島事情（二）………（六八）
南洋時事
　　日本バタビア間の運賃＝蘭領政府の米作＝バンカの錫産出＝爪哇の護謨輸出高＝爪哇の海運とスマトラ茶＝爪哇の対日輸出＝南ニユーギニアの商況………（七二）
本会報告
　　本部だより＝調査編纂部だより＝新嘉坡商品陳列館だより＝新嘉坡学生会館だより………（七四）
　　南洋協会諸則………（一─二）
付録

Ⅱ. 南洋協会発行雑誌　総目録

　　ラヂヤ、ブルーク伝（八）………内田嘉吉訳………九七
口絵
　　ミユーヂアム、デー出品者紀念撮影＝ミユヂアム、デー出品陳列室の光景（其・一）＝同上（其二）＝馬来半島彼南埠頭＝爪哇チラチヤツプの市場＝マニラの魚菜市場

◆『南洋協会雑誌』第五巻第六号（［大正八年］六月三十日発行）
　　国民の覚悟如何………（一）
　　時事小観＝貿易資金案の解決如何＝邦医開業と蘭領東印度＝英領緬甸も亦た然り＝単に一片風説たらん＝議員南洋視察談出発す＝氏に期待する所大なり………（三）
論説
　　無準備の海外発展………衆議院議員　中村啓次郎………（六）
　　爪哇とデンデレス政策………西村文則………（一一）
諸家の南洋協会観
　　陳列館の目的………前農商務大臣　中小路廉………（一五）
　　南洋と余の所感………犬塚勝太郎………（一八）
　　陳列館の活躍を衷心より希望す………横浜正金銀行頭取　梶原仲治………（二一）
　　空論の時代に非ず………拓殖局長官法学博士　古賀廉造………（二二）
　　先づ協力一致………前台湾銀行頭取　柳生一義………（二三）
　　実績を挙ぐるに在り………衆議院議員　小川平吉………（二四）
　　三つの註文………東洋拓殖会社総裁　石塚英蔵………（二四）
　　調査が重要也………台湾総督府財務局長　末松偕一郎………（二七）
　　強いて希望を云へば………農商務省商務局長　岡本英太郎………（二八）
　　対南洋策………横浜市長　久保田政周………（三一）
説苑
　　我観南洋（二）………明治製糖会社取締役　千葉平次郎………（三五）
　　印度旅行談（一）………台湾総督府翻訳官　小川尚義………（四六）
資料
　　通俗熱帯木講話―黒檀扁（下）………林学博士ドクトル　本多静六………（五三）
　　最近緬甸経済事情（二）………南満洲鉄道会社　石井成一………（五七）
　　タピオカ栽培事業（三）………日蘭通交調査会嘱託　江川俊治………（六五）
　　馬尼刺麻の研究（二）………板倉恪郎………（六七）
　　蘭領東印度豪洲間の貿易（一）………（七七）
　　暹羅の化学並医療薬貿易………（八一）
雑録

セレベス旅行記（二）………新嘉坡学生会館名誉講師　エフ・エー・ガトキン………（八四）

ミンダナオの神話………マスター、オブ、アーツ　松岡正男………（八九）

外国貿易と金融………（九四）

南太平洋諸島事情（三）………（九八）

南洋時事

　蘭領東印度に於ける米国靴＝馬来半島の燐寸商況＝交趾支那は凶作＝暹羅の輸出護謨＝馬来半島の輸出護謨＝馬来半島の護謨輸出額及輸出先＝爪哇の輸出護謨＝爪哇の輸出貿易＝米国の対東南洋輸出鉛筆及鉛筆用黒鉛＝落花生油需要増加………（一〇三）

南洋協会の事業

　南洋協会の現在と其の将来………南洋協会理事貴族院議員男爵　東郷　安………（一〇五）

　南洋協会の沿革………（一一二）

　南洋協会の事業 ｜講演会―出版物―調査報告書―斡旋事項―和蘭語講習会―新嘉坡商品陳列館の沿革及概況―新嘉坡学生会館概況―台湾支部沿革並概況―新嘉坡支部概況………（一一六）

本会報告

　本部だより＝新嘉坡商品陳列館だより＝新嘉坡学生会館だより＝台湾支部だより………（一三六）

付録

　ラヂヤ、ブルーク伝（九）………内田嘉吉訳………（一〇五）

口絵

　第八回南洋協会定期総会＝南洋協会晩餐会＝新嘉坡商品陳列館全景＝新嘉坡学生会館開館記念＝新嘉坡学生会館水泳大会（其一）＝同上（其二）＝同上（其三）

◆『南洋協会雑誌』第五巻第七号（［大正八年］七月三十一日発行）

　合同と金融………（一）

　時事小観………｜南洋庁新設せられん＝和蘭と茶業国際会議＝南洋貿易研究団組織＝南洋に於ける排日熄む………（三）

論説

　対南貿易業者に望む………南洋協会副会頭貴族院議員　内田嘉吉………（五）

説苑

　印度旅行談（二）………台湾総督府翻訳官　小川尚義………（九）

　印度支那の現在及将来（一）………横山正脩………（一六）

資料

　通俗熱帯木講話―鉄木扁（上）―………林学博士ドクトル　本多静六………（二二）

　最近緬甸経済事情（三）………南満洲鉄道会社　石井成一………（二五）

　スマトラ島東海岸州の石油抗業………新嘉坡支部　瀬川　亀………（三一）

馬尼刺麻の研究（三）………板倉恪郎………（三三）

雑録

　最近のニユーギニア（一）………久原商事会社爪哇出張員　権藤林蔵………（四一）

　暹羅事情（一）………豊原太郎………（四五）

　六十年前の和蘭（一）―赤松男爵の追憶―………（五一）

南洋時事

　問題のクロエツト峯＝海峡殖民地の護謨輸出＝銀行為替相場＝馬来聯邦州の輸出護謨＝爪哇の貿易月報………（五八）

本会報告

　本部だより＝調査編纂部だより＝新嘉坡学生会館だより………（六〇）

付録

　ラヂヤ・ブルーク伝（一〇）………内田嘉吉訳………（一一三）

口絵

　爪哇テガル港全景＝スマラン鉄道本部＝バンドン政庁

◆『南洋協会雑誌』第五巻第八号〔［大正八年］八月三十一日〕

　合同と研究………（一）

　時事小観………　南洋各地の食糧問題＝補給地米価亦た高し＝寒心すべき日本燐寸＝裏南洋島民観光団来る

論説

　南洋貿易と資金問題………森永製菓会社常務取締役　松崎半三郎………（四）

説苑

　印度支那の現在及将来（二）………横山正脩………（七）

資料

　通俗熱帯木講話―鉄木篇（中）………林学博士ドクトル　本多静六………（一四）

　最近緬甸経済事情（四）………南満洲鉄道会社　石井成一………（一七）

　比律賓と椰子油………吉川正毅………（二三）

　スマトラ島東海岸州の貿易及び金融………新嘉坡支部　瀬川　亀………（二六）

　馬尼刺麻の研究（四）………板倉恪郎………（三四）

雑録

　最近のニユーギニア（二）………久原商事会社爪哇出張員　権藤林蔵………（四二）

　比律賓近況………在比律賓　板倉恪郎………（四五）

　パパヤンに就て………日蘭通交調査会嘱託　江川俊治………（四九）

　六十年前の和蘭（二）―赤松男爵の追憶―………（五一）

南洋時事

　マドラスの貿易＝海峡殖民地護謨輸出高………爪哇、スマトラの護謨輸出高（政府の）………本年度の南洋護謨生産高………一九一九年五月爪哇糖の輸出………錫蘭島の生護謨輸出入………千九百十八年度爪哇茶の輸出………爪哇栽培護謨輸出………最近の爪哇糖……　新嘉坡と死亡者………六〇

本会報告

　本部だより＝調査編纂部だより＝新嘉坡学生会館だより………（六四）

付録

　ラヂヤ・ブルーク伝（十一）………内田嘉吉訳………（一二一）

口絵

　ジヨホール州に於ける護謨液採取の実景＝暹羅中北部原野粗チーク林＝暹羅に於ける稲の運搬

◆『南洋協会雑誌』第五巻第九号〔［大正八年］九月三十日〕

　淘汰………（一）

　時事小観………｜輸出万能論に囚はる＝半島土地制限令撤廃
　　　　　　　　｜爪哇排日未だ熄まず＝比島名士一行来る………（二）

論説

　資本万能の時代去る………仲小路廉………（四）

説苑

　香料群島に就て（一）………日蘭通交調査会嘱託　江川俊治………（七）

資料

　通俗熱帯木講話―鉄木扁（下）―………林学博士ドクトル　本多静六………（一九）

　最近緬甸経済事情（五）………南満洲鉄道会社　石井成一………（二一）

　比律賓と椰子油（二）………吉川正毅………（二五）

　馬尼剌麻の研究（五）………板倉恪郎………（三〇）

　暹羅の時計貿易………（三六）

雑録

　新嘉坡に於ける排日暴動事件の真相………新嘉坡商品陳列館報告………（三九）

　暹羅事情（二）………豊原太郎………（四九）

　南洋母国観光団と同伴帝劇見物記………一記者………（五二）

南洋時事

　過渡期の金融＝爪哇の砂糖輸出＝爪哇の護謨輸出＝スマトラ東海岸ベラワンの護謨輸出＝パダン（スマトラ）の輸出＝海峡殖民地護謨輸出＝爪哇の栽培護謨輸出＝緬甸の海外貿易＝印度と日本製菓＝馬来半島の商況………（五六）

本会報告

 本部だより＝調査編纂部だより＝新嘉坡学生会館だより＝新嘉坡商品陳列館だより＝台湾支部だより………（六〇）

付録

 ラヂヤ・ブルーク伝（十二）………内田嘉吉訳………（一二九）

口絵

 本年度新嘉坡学生会館学生並商品陳列館商業実習生出発紀念＝スマトラ東海岸州に於ける煙草苗圃

◆『南洋協会雑誌』第五巻第十号（[大正八年] 十月三十一日）

 文化に貢献せよ………（一）

 時事小観………｜鉱業を閑却する勿れ＝何ぞ逡巡するの甚しき＝麦酒の需要増々激増＝府当局の考慮を望む………（二）

論説

 南洋排貨運動の教訓………法学博士　政尾藤吉………（四）

説苑

 最近の南洋………南亜公司常務取締役　井上雅二………（九）

 蘭領ボルネオ事情………生源司寛吾………（一六）

 香料群島に就て（二）………日蘭通交調査会嘱託　江川俊治………（二七）

資料

 通俗熱帯木講話―薔薇木扁（一）―………林学博士ドクトル　本多静六………（三七）

 最近緬甸経済事情（六）………南満洲鉄道会社　石井成一………（四〇）

 馬尼剌麻の研究（六）………板倉恪郎………（四四）

 タピオカに就て………新嘉坡商品陳列館調査………（五一）

 ケノポデイウムの栽培………（六〇）

 護謨種子の価値………新嘉坡商品陳列館調査………（六二）

雑録

 南洋排貨事件の経過………（七〇）

 蘭領東印度の産炭………（七六）

 太平洋諸島………（七八）

 南太平洋諸島事情（四）………（八〇）

 南洋群島民案内記………（八五）

南洋時事

 比島貿易入超＝敵人入国制限（英領海峡殖民地）＝暹羅貨幣改定＝南洋倉庫成立＝南洋島勢調査＝米国より爪哇へ………（八八）

本会報告
　本部だより＝調査編纂部だより＝新嘉坡学生会館だより＝新嘉坡商品陳列館だより＝台湾支部だより＝新嘉坡支部だより………（九〇）
付録
　ラヂヤ・ブルーク伝（十三）………内田嘉吉訳………（一三七）
口絵
　新嘉坡に於ける牧野全権委員一行＝デリーに於けるマハラジヤ＝爪哇更紗の図案＝スラバヤ市の女学校＝セレベス、マカッサーに於けるラジヤ邸宅

◆『南洋協会雑誌』第五巻第十一号〔大正八年〕十一月三十日
　蘭語………（一）
　時事小観………｜南洋海運界前途又多事＝沿岸禁止は時日の問題＝強制労働法の復活か＝粗製濫造展覧会を開け………（二）
論説
　南洋の実際を知れ………衆議院書記官　原田幾造　　　（四）
説苑
　南洋の人………新嘉坡支部　瀬川　亀………（八）
　蘭領ボルネオ事情（下）………生源司寛吾………（一七）
　最近の南洋（二）………南亜公司常務取締役　井上雅二………（二六）
資料
　通俗熱帯木講話―薔薇木扁―（二）………林学博士ドクトル　本多静六………（三四）
　サゴ椰子澱粉に就て………日蘭通交調査会嘱託　江川俊治………（三七）
　馬尼剌麻の研究（七）………板倉恪郎………（四五）
　比律賓の土地処分法と新土地法（一）………吉川正毅………（五五）
　護謨種子の価値………（六一）
雑録
　海峡植民地の事情………（六七）
　吾人と日本との関係………（七三）
　米人の蘭領南洋発展策（一）………（七六）
　爪哇砂糖貿易の商況………（八〇）
　暹羅に於ける錫と石炭………（八五）
　印度支那と蘭領東印度………（八九）
　南洋百果譜（一）………（八九）
南洋時事

Ⅱ. 南洋協会発行雑誌　総目録

　　蘭領に於ける蘭女王訪問請願＝比島の穀類強徴＝爪哇の機械輸入＝暹羅稲作面積＝爪哇の栽培護謨輸出＝比島米作豊況………（九二）

本会報告

　　本部だより＝調査編纂部だより＝新嘉坡学生会館だより＝新嘉坡商品陳列館だより………（九六）

付録

　　ラヂヤ・ブルーク伝（十四）………内田嘉吉訳………（一四五）

口絵

　　爪哇仏教美術遺品ボルブドール仏蹟廊下階段入口＝同仏蹟の釈迦像＝ドリアン＝マンゴステン＝爪哇婦人の竹帽子編み＝爪哇土人の竹製品

◆『南洋協会雑誌』第五巻第拾二号（［大正八年］十二月三十一日）

　　銭歳………（一）

　　時事小観………｜馬来半島の敵人待遇法＝北ボルネオと米作＝依然関税政策が障壁＝熱帯に代用食物多し………（二）

論説

　　回教を中心に………南亜公司常務　井上雅二………（四）

説苑

　　南洋の人（下）………新嘉坡支部　瀬川　亀………（一一）

資料

　　通俗熱帯木講話―癒瘡木扁―………林学博士ドクトル　本多静六………（二二）

　　馬尼剌麻の研究（八）………板倉恪郎………（二五）

　　比律賓の土地処分法と新土地法（下）………吉川正毅………（三三）

　　米国に於ける六年間のゴムタイヤ製造高………（四〇）

　　極東に於ける競技用具の市場………（四四）

雑録

　　米人の蘭領南洋発展策（二）………（五〇）

　　蘭領印度の石油………（五三）

　　蘭領東印度とチーク材………（五五）

　　独逸の太平洋復帰………（五七）

　　有加利樹皮の繊維………（五九）

　　南洋百果譜………（六〇）

南洋時事

　　和蘭汽船会社の利益＝蘭領東印度の水力使用料金＝蘭領東印度の景気＝蘭領東印度に於ける金鉱………（六二）

本会報告

　本部だより＝調査編纂部だより＝新嘉坡学生会館だより＝新嘉坡商品陳列館だより＝調査編纂部だより………（六四）

付録

　ラヂヤ・ブルーク伝（十五）………内田嘉吉訳………（一五三）

口絵

　中部爪哇セウ霊廟廃墟の仁王尊＝爪哇ジヨクジヤカルタ水城の廃墟＝ダイヤ族の剣舞＝ダイヤ族の戦闘法演習＝ブワラムシ＝ブランダ、ドリアン

◆『南洋協会雑誌』第六巻第一号（［大正九年］一月三十一日）

　改造より解放へ………（一）

　時事小観………｜米国の勢力漸く浸潤＝南洋油田の争奪戦開始＝南洋亦た投機熱熾ん也＝邦医開業問題の再燃………（二）

論説

　仏領印度支那銀行の特権問題………南満鉄道会社　藤沢親雄………（四）

説苑

　南洋の美術工芸に就て………新嘉坡支部　瀬川　亀………（一二）

資料

　通俗熱帯木講話―繻珍木扁………林学博士ドクトル　本多静六………（二五）

　東部爪哇貿易事情（一）………大文洋行参事　三吉朋十………（二八）

　サラワクに於ける物価と金融………在クチン市　石井健三郎………（三四）

　千九百十八年度に於ける馬来半島の貿易………（三八）

　比律賓の近況………在比島　板倉格郎………（四一）

雑録

　米人の蘭領南洋発展策（三）………（四四）

　極楽鳥に就て………瀬川　亀………（五〇）

　新嘉坡の缶詰類………新嘉坡商品陳列館調査………（五六）

　輸出椎茸に就て………新嘉坡商品陳列館調査………（六一）

　南洋百果譜（三）………（六三）

　咬𠺕吧文と紅毛文（上）―ジヤガタラ文―………（六五）

南洋時事

　蘭領東印度貿易の前途＝蘭領鉄道収入比較＝印度と暹羅の鉄道聯絡＝蘭貢米相場＝新嘉坡柔仏間の架橋＝暹羅の一部米不作………（七二）

本会報告

本部だより＝新嘉坡商品陳列館だより＝台湾支部だより＝調査編輯部だより………（七五）
付録
　　ラヂヤ・ブルーク伝(十六)………英国スペンサー・セント・ジヨン著　内田嘉吉訳………（一六一）
口絵
　　第九回定期総会晩餐会席上早川副会頭挨拶＝爪哇バテ更紗型置蠟の製造＝爪哇バテ更紗の仕上染＝ブレッド、フルーツ＝大極楽鳥

◆『南洋協会雑誌』第六巻第二号（[大正九年] 二月廿九日）
　　磅崩落と南洋………（一）
　　時事小観………比島土地法案承認さる＝南洋醜業婦駆逐問題（一）＝南洋醜業婦駆逐問題（二）＝羨望す可き爪哇の開明………（二）
論説
　　蘭領東印度と英米………井上雅二………（四）
説苑
　　印度南洋視察談………三井物産会社台湾支店長代理　三島増一………（一一）
　　南洋と日本船舶………平賀亨三………（二六）
資料
　　通俗熱帯木講話―蘇方木扁………林学博士ドクトル　本多静六………（三八）
　　東部爪哇貿易事情（二）………大文洋行参事　三吉朋十………（四二）
　　蘭領東印度の産業………（四七）
　　馬来半島と燐寸事業………（四九）
　　爪哇の製帽業………三吉香馬………（五二）
　　馬尼刺麻の研究（九）………在比島　板倉格郎………（五六）
雑録
　　近事一束………（六〇）
　　サラツワクの中心地………在クチン市　石井健三郎………（六六）
　　極楽鳥に就て（下）………新嘉坡支部　瀬川　亀………（六九）
　　南洋百果譜（四）ナンカとチムペター………（七四）
　　独逸の合成護謨………（七五）
　　咬𠺕吧文と紅毛文―オランダ文―………（八一）
南洋時事
　　緬甸と護謨＝米国と椰子油＝米国製の新紙幣＝智利に新航路＝独逸商会の水管契約＝カラチと対米輸出＝暹羅米の輸出禁止＝馬来半島と耕作機＝錫蘭と自動車商況＝世界の護謨生産及分領＝比律賓の主要輸入国＝スラバヤ共進会解散＝新嘉坡陶磁器販売組合設立＝東京製品バザー成績＝酒税

率の改訂………（八八）

本会報告

　本部だより＝新嘉坡商品陳列館だより＝新嘉坡学生会館だより＝調査編輯部だより………（九三）

口絵

　サー・スタン・フオド・フラルス氏肖像＝ダイヤ族の吹矢＝ダイヤ族の若武者＝ダイヤ族戦士の盛装＝チンカ＝チムペタ

◆『南洋協会雑誌』第六巻第三号（[大正九年] 三月卅一日）

　独逸の広告宣伝………（一）

　時事小観………｜印度支那鉄道の新拡張＝南洋邦人送金七百万＝スマトラの時代来る＝日本人局新設を歓迎す………（二）

論説

　支那及び南洋貿易維持発展策………善生永助………（四）

説苑

　豪州視察談………台湾銀行助役　安西千賀夫………（一〇）

　南洋に於ける日本の地位………東京府技師　佐々木綱雄………（二九）

資料

　通俗熱帯木講話―チーク扁………林学博士ドクトル　本多静六………（四〇）

　東部爪哇貿易事情（三）………大文洋行参事　三吉朋十………（四三）

　新嘉坡に於ける本邦製鉛筆………新嘉坡商品陳列館調査………（五一）

　蘭領東印度の信用取引………（五六）

　スマトラ島東海岸州の産業及貿易………（六二）

雑録

　近事一束

　　貿易上の根拠地としての馬尼刺＝ニユージーランド産大麻の輸出＝タスマニアの獣肉輸出開始＝暹羅に於ける糖菓市場の範囲＝緬甸の外国貿易＝太平洋諸島に於ける石油＝台湾に於けるス氏の演説………（七四）

　サラワツクの雨量及気温………在クチン市　石井健三郎………（八五）

　馬来半島貿易に対する独逸の勢力回復………（八六）

　倫敦豪州間の鉄道………三吉香馬………（八七）

　寿三郎手簡………（九〇）

南洋時事

　独逸の通商宣伝＝比律賓の主要生産＝比律賓群島の耕地配分表＝比島に於ける米の代用品＝馬尼刺市と自働電話＝海峡殖民地の輸出入＝印度帝国銀行設立提議＝スマトラ煙草の大船積＝爪哇、盤

　　　　谷間増船計画＝領事分館開設＝豪州炭の産出並に船積＝豪州生活費調査＝ブロークンヒル所有会
　　　　社の利潤（豪州）＝豪州通商の変遷＝豪州に於ける甘菜糖並に乾燥果実＝外国為替情況＝英国皇
　　　　太子渡豪＝蘭領東印度のハム市場＝緬甸産タングステン………（九九）

本会報告
　　本部だより＝新嘉坡商品陳列館だより＝新嘉坡学生会館だより＝調査編纂部だより………（一〇三）

付録
　　ラヂヤ・ブルーク伝（十七）………英国スペンサー・セント・ジヨン著　内田嘉吉訳………（一七七）

口絵
　　トレガンヌ王国の一部＝トレガンヌ王国の一部＝セレベスの北海岸＝ロブスタ珈琲園＝椰子猿＝台
　　湾のチーク造林

◆『南洋協会雑誌』第六巻第四号（[大正九年] 四月卅日）

裏南洋開拓………（一）

時事小観………南洋貿易平調に復す＝東南洋航路と英米独＝馬尼剌は愈よ自由港か＝世界糖価の
　　　　将来は如何………（二）

論説
　　公娼廃止に就て………ドクトル　フアン、ワルセム………（四）

説苑
　　セレベス島視察談………柱本瑞俊………（九）
　　南洋に於ける日本の地位（下）………東京府技師　佐々木綱雄………（二〇）

資料
　　通俗熱帯木講話―チーク扁（二）………林学博士ドクトル　本多静六………（三六）
　　南洋及印度に於ける波西人の勢力………大文洋行参事　三吉朋十………（三九）
　　シンド地方の果樹栽培………田中秀雄………（四九）
　　二月の新嘉坡貿易商況………新嘉坡商品陳列館調査………（五六）
　　昨年度比島経済事情………新嘉坡商品陳列館調査………（六〇）

雑録
　　近事一束＝セレベス島並に其島嶼＝在馬尼剌米人の減少＝比島新土地法＝蘭領ニユウ、ギニアのス
　　ノウ、マウンテン＝豪州並に海峡殖民地に於ける織物＝豪州の金産額＝豪州に於ける煙草の発育
　　＝豪州貿易状態の改善＝新西蘭に於ける商工業状態の改善＝新西蘭に於ける挽材木………（六五）
　　新嘉坡に於ける鞄類………新嘉坡商品陳列館調査………（七五）
　　新西蘭の電力使用………（八〇）
　　蘭領東印度の鉄鉱………（八二）
　　評註　南海紀聞………青木定遠原著　小原敏丸校訂………（八四）

南洋時事

　　＝我が最近三ケ年間のコプラ輸入表＝蘭領東印度のタピオカ輸出無制限並に護謨錫の商況＝英国の対外貿易差額＝我が最近三ケ年のタピオカ及マニオカ輸入表＝比島の耕作機＝蘭領東印度と商業会議所＝対日本ゴム輸入表＝地方材料に依りて造られたる印度蒲団－暹羅に於ける自動車＝暹羅に於ける波止場の建設＝豪州のクリーム掬取器＝太平洋汽船の新船＝加奈陀豪州間の新航路………（九六）

本会報告

　　本部だより＝新嘉坡商品陳列館だより＝調査編纂部だより………（一〇〇）

口絵

　　波西人と三吉氏＝バンドンの一部＝ダイヤ族の美人＝ダイヤ族の花嫁＝ロブスタ珈琲の開花＝ロブスタ珈琲の結実

◆『南洋協会雑誌』第六巻第五号（［大正九年］五月卅一日）

　　為替資金………（一）

　　時事小観………　印棉課税問題の進捗＝印度及南洋の労働問題－和蘭汽船合併と東南洋＝樟脳独占時代去らん………（二）

論説

　　旧独領南太平洋諸島問題………マスター、オブ、アーツ　松岡正男………（四）

説苑

　　欧米視察談（上）………南洋協会副会頭　内田嘉吉………（八）

　　セレベス島視察談（二）………柱本瑞俊………（一九）

資料

　　通俗熱帯木講話―チーク扁（三）………林学博士ドクトル　本多静六………（三一）

　　南洋及印度に於ける波西人の勢力（二）………三吉香馬………（三五）

　　中部セレベスの製鉄業問題………（四五）

　　南洋に於ける栽培護謨の世界的地位………極東護謨会社代表社員　三吉朋十………（五一）

　　自動車市場としての英領馬来半島………（五四）

雑録

　　近事一束………　蘭領東印度の通貨＝昨年度の爪哇糖＝スマトラ東海岸のセメント貿易＝メダンに於けるコンデンスミルクの輸入＝印度に於ける英米の競争＝千九百十八年南洋各地国別貿易調＝豪州に於ける糖菓業の発達＝新西蘭の製酪業………（六二）

　　南海趣………若林　欽………（六八）

　　ハルマヘラ嶋生活（一）………日蘭通交調査会嘱託　江川俊治………（七四）

　　評註　南海紀聞………青木定遠原著　小原敏丸校訂………（八一）

南洋時事
　　印度支那、巴里間直通無線電信＝スラバヤの自働車数＝玩具市場としての緬甸＝大汽船会社設立＝極楽鳥の市価＝南洋倉庫支店開設＝護謨会社創立＝綿業保護策＝暹羅王殿下と北京＝蘭貢米輸出余力＝印度汽船設立計画＝豪州政府刷毛類輸入禁止＝比律賓東洋博覧会開催計画………（九四）

本会報告
　　本部だより＝台湾支部だより＝調査編纂部だより………（九六）

口絵
　　フアン・デ・スタット氏と其筆蹟＝ミルフオード海峡＝ホバート港全景＝ザンボアンガ城塞＝砂糖製造所

◆『南洋協会雑誌』第六巻第六号（[大正九年] 六月三十日）
　　海運業と輸出………（一）
　　時事小観………│伊国亦東南洋に活躍＝仏領印度支那の排日＝燃料飢饉に遭遇せん＝護謨の需要益々増加す………（二）

論説
　　南洋貿易助長策………新嘉坡商品陳列館長　木村増太郎………（四）

説苑
　　欧米視察談（下）………南洋協会副会頭　内田嘉吉………（一〇）

資料
　　通俗熱帯木講話―チーク扁（四）………林学博士ドクトル　本多静六………（二一）
　　南洋及印度に於ける坡西人の勢力（三）………三吉香馬………（二五）
　　昨年度の比島貿易………在比島　板倉格郎………（三六）
　　西部ボルネオ地方に於ける護謨栽培………極東護謨商事合資会社　三吉朋十………（四二）
　　豪州に於ける鉛顔料………（四四）
　　最近新嘉坡市況………新嘉坡商品陳列館調査………（四六）

雑録
　　近事一束………│マニラ市場報告＝比律賓のカポツク＝千八百九十九年――一九一七年間、比島コプラ輸出表＝同砂糖輸出表＝同マニラ麻輸出表＝同煙草輸出表＝対南洋貿易＝大戦以来異常の発展をなしたる比島貿易＝南洋と静岡県生産品＝南洋方面に於ける貝釦＝蘭領東印度輸入本邦製刷毛＝馬来聯邦州貿易＝爪哇スラバヤ市昨年度上半季物産商況＝スマトラ輸入紙類並に骨牌＝本国のスマトラ東海岸通商＝郭春秧氏と大道会＝豪州関税改正法案＝豪州の三通商局の設立………（五〇）
　　南海趣………若林　欽………（六九）
　　ハルマヘラ島生活（二）………日蘭通交調査会嘱託　江川俊治………（七五）
　　評註　南海紀聞………青木定遠原著　小原敏丸校訂………（八三）

南洋時事
　スマトラ東海岸州の労働者＝熱帯医学会議開催計画＝海峡殖民地の支那人＝日本巡洋艦の爪哇訪問＝蘭領東印度に於ける米国製機械製造＝バンドンの日本規那塩工場＝バンドン市人口＝華南銀行支店増設＝三月豪州石炭産出高＝ニューカッスル鋼鉄生産………（九六）

本会報告
　本部だより＝新嘉坡商品陳列館だより＝新嘉坡学生会館だより＝調査編纂部だより………（九八）

口絵
　クチン市ラヂヤ王宮＝クチン城砦＝クチン市博物館＝馬来半島錫鉱露天掘＝同上洗浄所＝馬来半島の鍾乳洞＝同上石筍

◆『南洋協会雑誌』第六巻第七号（[大正九年]七月三十一日）
　再び独逸の国旗翻る………（一）
　時事小観………│失業救済と南洋渡航＝何故の生産手控へぞ＝加奈陀亦た南洋航路を＝英遂に世界の空中王か………（二）

論説
　対南貿易と商権独立………在蘭領ボルネオ　吉田梧郎………（四）

説苑
　南洋の近況と商品陳列館………新嘉坡商品陳列館長　木村増太郎………（七）

資料
　通俗熱帯木講話―チーク類似木扁（一）………林学博士ドクトル　本多静六………（一四）
　南洋及印度に於ける坡西人の勢力（四）………三吉香馬………（一七）
　爪哇カポック栽培及貿易概況（上）………新嘉坡商品陳列館調査………（二二）
　スーラバヤに就て（上）………（二九）
　新嘉坡市場と硝子壜………新嘉坡商品陳列館調査………（三五）

雑録
　近事一束………│蘭領東印度の帽子貿易＝蘭領東印度対仏領印度支那関係＝グリーン、スター汽船会社の蘭領東印度航路＝昨年度蘭領印度茶況＝馬尼刺重要商品商況＝新嘉坡商況＝北ボルネオ・タワオ方面の漁業＝緬甸のパラフィン蠟輸出＝緬甸の輸入化学薬品＝印度緬甸間連結鉄道線………（四〇）
　南海趣………若林　欽………（五四）
　ハルマヘラ島新生活（三）………日蘭通交調査会嘱託　江川俊治………（五九）
　評註　南海紀聞………青木定遠原著　小原敏丸校訂………（六四）

南洋時事
　比島総督巡遊＝馬尼刺便覧の発行＝蘭領印度に於ける労銀＝独逸商会の蘭領東印度コプラ市場に於

ける活動＝蘭領東印度の椰子産出の現在並に将来＝蘭領東印度に於けるタイプライター並に事務用機械の商況＝スマトラの紙巻煙草市場＝スマトラの電話制度＝和蘭人来訪＝千九百十九―二十年度印度小麦産額予想＝豪州のコプラ輸出入制限解禁＝豪州炭の産出と船積＝マドラ鉄鉱発見＝和蘭汽船合同………（六八）

本会報告

　本部だより＝新嘉坡商品陳列館だより＝新嘉坡学生会館だより＝台湾支部だより＝調査編纂部だより………（七〇）

付録

　ボルネオ土民の伝説（一～八）

口絵

　第拾回定期総会晩餐会席上田会頭挨拶＝爪哇婦人風俗＝爪哇婦人＝ニュー・サウス・ウエールスの牧羊場＝サモア島＝邦人鰐狩（英領ボルネオ）＝サンダカン港

◆『南洋協会雑誌』第六巻第八号（[大正九年]八月三十一日）

　美術工芸品の輸出………（一）

　時事小観………│米国新船舶法と比律賓＝パレンバン油坑問題＝豪州干魃の影響来らん＝蘭領東印度と煙草………（二）

論説

　植民地の教育方針（上）………明治大学教授ドクトル　泉　哲………（四）

説苑

　南洋の近況と商品陳列館（下）………新嘉坡商品陳列館長　木村増太郎………（八）

資料

　通俗熱帯木講話―チーク類似木篇（二）………林学博士ドクトル　本多静六………（一八）

　南洋及印度に於ける坡西人の勢力（五）………三吉香馬………（二〇）

　爪哇カポック綿の栽培及貿易（中）………新嘉坡商品陳列館調査………（二三）

　スーラバヤに就て（中）………（二六）

　海峡殖民地と保険事業………新嘉坡商品陳列館調査………（三一）

　新嘉坡商況………新嘉坡商品陳列館調査………（三四）

雑録

　近事一束………│蘭領印度輸出貿易発展＝海峡殖民地の輸出入＝日本製鬚剃用ブラシの輸入禁止＝マニラ重要商品商況＝暹羅に於ける磁器貿易＝暹羅の生漆に就て＝印度貨留比為替法定価の改訂＝日印通商貿易………（三六）

　コンパンヤ往来（一）………新嘉坡学生会館講師　瀬川　亀………（四六）

　ハルマヘラ島生活（四）………日蘭通交調査会嘱託　江川俊治………（四九）

評註　南海紀聞………青木定遠著　小原敏丸校訂………（五五）

南洋時事

　　英領馬来に於ける自動自転車の需要＝バンドンに於ける自動車展覧会開催計画＝蘭領印度に於ける油締機械＝蘭領東印度に対する英国商業会議所＝パプア島に於けるシサル麻栽培＝新西蘭に於けるカウリ樹脂産業＝タスマニアに於ける電力亜鉛工業＝豪州ビクトリア州小麦産額＝蘭領東印度関税改正計画………（五八）

本会報告

　　本部だより＝新嘉坡商品陳列館だより＝調査編纂部だより………（六〇）

付録

　　ボルネオ土民の伝説（二）………（九〜一六）

口絵

　　ツユヂパナスに於ける総督官庁の庭園＝爪哇珈琲栽培園＝爪哇に於ける新設公園＝クツク山の氷河＝サマライの巴豆の並木＝新西蘭・北島の間歇温泉＝ボルネオ火山口

◆『南洋協会雑誌』第六巻第九号（［大正九年］九月三十日）

　　嘉賓を迎ふ………（一）

　　時事小観………｜可憂対南貿易の前途＝比律賓の通行税廃止＝南洋物産の展覧会開催＝旧友遠方より来る………（二）

論説

　　殖民地の教育方針（下）………明大教授ドクトル　泉　哲………（四）

説苑

　　南洋の産業に就て（一）………新嘉坡商品陳列館長　木村増太郎………（八）

資料

　　通俗熱帯木講話―マハゴニー扁………林学博士ドクトル　本多静六………（一四）

　　爪哇カポツクの栽培及貿易概況（下）………新嘉坡商品陳列館調査………（一七）

　　スーラバヤに就て（下）………（二〇）

　　スクラツプ、ブツクより………極東護謨商事会社　三吉朋十………（二四）

雑録

　　近事一束………｜対豪州通商競争激甚＝スーラバヤ土人労働組合賃銀値上要求＝爪哇泗水物産相場表＝比律賓群島主要農産物………（二七）

　　コンパンヤ往来（二）………新嘉坡学生会館講師　瀬川　亀………（三二）

　　蘭領西ボルネオより………東京帝国大学調査嘱託　吉田梧郎………（三五）

　　ハルマヘラ島生活（五）………日蘭通交調査会嘱託　江川俊治………（三八）

　　評註　南海紀聞………青木定遠原著　小原敏丸校訂………（四一）

南洋時事
　比島会議所組織＝比島砂糖栽培面積二割増加＝マニラに於ける帽子莫大小及雑貨取扱商＝マニラ物産相場表＝マニラ麻最近相場表＝新嘉坡物産相場表＝海峡殖民地の飾光用瓦斯使用＝ジョホール州の道路線路の新設＝蘭領諸島間飛行郵便拡張＝バンドンに技術大学設立＝爪哇和蘭間飛行計画＝スマトラ島東海岸州の苦力数………（四五）

本会報告
　本部だより＝台湾支部だより＝新嘉坡商品陳列館だより＝学生会館だより＝調査編纂部だより………（四八）

付録
　蘭領東印度の経済状態………（一〜一五）

口絵
　爪哇銀行＝於新嘉坡帝国領事館林駐英大使一行＝本年度新嘉坡商品陳列館商業実習生出発紀念＝タンヂヨン、プリオクの港外＝中央爪哇河景

◆『南洋協会雑誌』第六巻第拾号（［大正九年］十月三十一日）
　物産展覧会の教訓………（一）
　時事小観………　印度幣制改革成る＝糖業界の暗黒時代＝三度南洋油坑に就て＝運賃協定も一種の自衛………（二）

論説
　海外発展に対する公共機関………マスター、オブ、アーツ　松岡正男………（四）

説苑
　ニューギニア事情………南洋産業会社取締役　日下部半太郎………（七）
　南洋の産業に就て（二）………新嘉坡商品陳列館長　木村増太郎………（一一）

資料
　通俗熱帯木講話―マハゴニー扁（二）………林学博士ドクトル　本多静六………（二一）
　南洋及印度に於ける有要植物（一）………極東護謨商事会社代表社員　三吉朋十………（二四）
　カカオの栽培及製造………台湾総督府嘱託　藤村誠太郎………（二八）
　暹羅産塩に就て………新嘉坡商品陳列館調査………（三三）

雑録
　近事一束………爪哇の栽培園組織＝爪哇の瑞西商工業組合陳列館＝蘭領東印度の珈琲＝新西蘭の産業概覧＝新西蘭の煙草………（三七）
　コンパンヤ往来（三）………新嘉坡学生会館講師　瀬川　亀………（四五）
　蘭領西ボルネオより（二）………東京帝国大学調査嘱託　吉田梧郎………（四八）
　爪哇旅行を終へ帰星の船中より………本協会理事　井上雅二………（五〇）

ハルマヘラ島生活（六）………日蘭通交調査会嘱託　江川俊治………（五五）

評註　南海紀聞………青木定遠原著　小原敏丸校訂………（五八）

南洋時事

　蘭領東印度英国商業会議所設立＝蘭領東印度に於ける新鉄道線＝蘭領東印度総督更迭の風評－蘭領東印度のカポツク輸出＝比島マニラ麻総額＝海峡殖民地の護謨輸出＝馬来聯邦州護謨＝豪州輸出解禁………（六三）

本会報告

　本部だより＝新嘉坡商品陳列館だより＝台湾支部だより＝調査編纂部だより………（六五）

付録

　ボルネオ土民伝説（三）………（一七～二四）

口絵

　南洋協会物産展覧会場に於ける和蘭公使一行＝南洋協会物産展覧会の光景其の一＝同上其の二＝同上其の三＝同上其の四＝ミンダナオ・バシラン島・アトンアトンのバシラン興業会社椰子園（比律賓群島）

◆『南洋協会雑誌』第六巻第十一号（［大正九年］十一月三十日）

　護謨暴落………（一）

　時事小観………　印度の英貨排斥漸熾烈＝加州移民の南洋転航は＝南洋に対する仏教宣伝＝西貢米解禁は虚報也………（二）

論説

　比律賓の米作に就て………台湾総督府殖産局嘱託　小森徳治………（四）

説苑

　日本対南洋の経済関係（上）………新嘉坡商品陳列館長　木村増太郎………（九）

　ニューギニア事情（中）………南洋産業会社取締役　日下部半太郎………（二一）

資料

　通俗熱帯木講話―マハゴニー類似木篇………林学博士ドクトル　本多静六………（二五）

　南洋及印度に於ける有要植物（二）………極東護謨商事会社代表社員　三吉朋十………（二八）

　カカオの栽培及製造（二）………台湾総督府嘱託　藤村誠太郎………（三二）

　蘭領東印度の胡椒（一）………（三七）

　緬甸貿易概況（上）………（四〇）

　暹羅産塩に就て（二）………新嘉坡商品陳列館調査………（四六）

雑録

　近事一束………　南洋と糸と需要＝蘭領東印度の規尼涅並に規那皮＝蘭領東印度の植物性油並に同原料品貿易＝スマトラ東海岸州の輸入貿易＝仏領印度支那貿易………（五〇）

コンパンヤ往来（四）………新嘉坡支部幹事　瀬川　亀………（六二）

　ハルマヘラ島生活（七）………日蘭通交調査会嘱託　江川俊治………（六六）

　安南国漂流物語………（七一）

南洋時事

　本年度上半季世界護謨船積表＝スマトラの古新聞紙貿易＝南スマトラ新政庁＝爪哇の自動車輸入貿易＝蘭領東印度の洗濯石鹸＝ニユウギニア輸入貿易＝ニユウ、ギニアの国境に就て＝本年度暹羅米産額＝暹羅のワイヤ、ロープ市場＝スマトラ最初の砂糖園………（七八）

本会報告

　本部だより＝新嘉坡支部だより＝台湾支部だより＝調査編纂部だより………（八一）

付録

　ボルネオ土民の伝説（四）………（二五～三二）

口絵

　南洋物産展覧会々場に於ける和蘭公使一行＝サルウイン河の瀑布（緬甸）＝マンダレーの郊外（緬甸）＝サバン港の石炭貯蔵所（スマトラ）＝パダンの主要街路（スマトラ）＝カカオの果実＝カカオの縦断面

◆『南洋協会雑誌』第六巻第十二号（[大正九年] 十二月三十一日）

　送歳………（一）

　時事小観………｜印度財界の不安時代＝印度総督遂に更迭す＝クエーゾン氏の演説＝歳将に暮れんとす………（二）

論説

　護謨の将来と需給関係………（四）

　比律賓の米作に就て（二）………台湾総督府殖産局嘱託　小森徳治………（八）

説苑

　欧米の実況と南洋経営………南洋協会副会頭　内田嘉吉………（一三）

　日本対南洋の経済関係………新嘉坡商品陳列館長　木村増太郎………（二三）

　ニユーギニア事情（下）………南洋産業会社取締役　日下部半太郎………（三二）

資料

　南洋及印度に於ける有要植物（三）………極東護謨商事会社代表社員　三吉朋十………（三八）

　カカオの栽培及製造（三）………台湾総督府嘱託　藤村誠太郎………（四二）

　蘭領東印度の胡椒（下）………（四七）

　緬甸貿易概況（下）………（四九）

雑録

　近事一束………｜蘭領東印度の化粧石鹸貿易＝蘭領東印度の新鉄道計画＝印度の黄麻繊維＝印度茶

の生産制限＝南太平洋各群島と新西蘭の貿易………（五八）

　スクラップ、ブツクより………極東護謨商事会社代表社員　三吉香馬………（六四）

　ハルマヘラ島生活（八）………日蘭通交調査会嘱託　江川俊治………（六八）

　安南国漂流物語（下）………（七四）

南洋時事

　蘭領東印度茶園に於ける製茶機＝彼南に於ける印刷用インキ並に顔料＝蘭領東印度に於ける機械・機具商況―比島、和蘭間新航路＝馬尼剌麻産額減少＝暹羅の財政＝ボルネオの我海軍用重油積載＝シドニーの兎皮革製造＝豪州運賃値上＝新西蘭の家畜並羊の減少………（八〇）

本会報告

　本部だより＝台湾支部だより＝調査編纂部だより………（八二）

付録

　ボルネオ土民伝説（五）………（三三〜四〇）

口絵

　暹羅盤谷水上家屋街＝暹羅象の旅行隊＝メダン市広場の紀念塔＝チリウオン川＝カカオの開花及其効果＝カカオ樹の根系

◆『南洋協会雑誌』第七巻第一号（［大正十年］一月卅一日）

　悲観楽観………（一）

　時事小観………　柔仏州の土地払下禁止＝旗を捲ける日本石油＝台湾海防間の新航路＝好望なるボルネオ漁業………（二）

論説

　日蘭親善の根幹………台湾総督本協会会頭男爵　田健治郎………（四）

　領内南洋論………予備役海軍中将　東郷吉太郎………（七）

説苑

　日蘭の経済的握手（上）………本協会専務理事　井上雅二………（一〇）

　南洋の風俗及人情（一）………台湾総督府技師　芳賀鍬五郎………（一七）

　欧米の実況と南洋の経営（下）………本協会副会頭　内田嘉吉………（二八）

資料

　仏領印度支那の土民（一）………（三九）

　南洋及印度に於ける有要植物（四）………極東護謨商事会社代表社員　三吉朋十………（四八）

　比律賓と古々椰子………田中秀雄………（五一）

　カカオの栽培及製造（四）………台湾総督府嘱託　藤村誠太郎………（五四）

雑録

　ハルマヘラ島生活（九）………日蘭通交調査会嘱託　江川俊治………（六〇）

80　Ⅱ．南洋協会発行雑誌　総目録

　　スーラバヤよりシドニーへ………（六四）
　　奥人安南国漂流記………（六六）
　　近事一束………（六九）
本会報告
　　本部だより＝台湾支部だより＝新嘉坡商品陳列館だより＝調査編纂部だより………（八〇）
付録
　　ボルネオ土民伝説（六）………（四一〜五九）
　　第六巻総目次
口絵
　　第十一回定期総会晩餐会席上田会頭挨拶＝モイ族の新郎、新婚＝モイ族の若き男女＝モイ族酋長の妻＝馬尼刺麻の仕分け＝同積出し

◆『南洋協会雑誌』第七巻第二号（［大正十年］二月廿八日）
　　武陵桃源………（一）
　　時事小観………津愛倫坡氏の日本観＝蘭領東印度の工事勃興＝比律賓油田の調査成る＝南洋悉く蛮境に非ず………（二）
論説
　　南洋南支台湾（上）………台湾総督本会々頭男爵　田健治郎………（四）
　　蘭領東印度の経済的地位………スーラバヤ日本人会長　阿部重兵衛………（七）
説苑
　　日蘭の経済的握手（下）………本協会専務理事　井上雅二………（一一）
　　南洋の風俗及人情（二）………台湾総督府技師　芳賀鍬五郎………（一七）
資料
　　仏領印度支那の土民（二）………（二八）
　　比律賓の古々椰子（三）………田中秀雄………（三三）
　　カカオの栽培及製造（五）………台湾総督府嘱託　藤村誠太郎………（三七）
　　爪哇一般商況………新嘉坡商品陳列館調査………（四二）
　　蘭領東印度貿易概況………（四六）
雑録
　　スクラップ・ブックより………極東護謨商事合資会社　三吉朋十………（四九）
　　ハルマヘラ島生活（一〇）………日蘭通交調査会嘱託　江川俊治………（五三）
　　白象王国暹羅………（六〇）
　　吹流安南物語………（六三）
　　近事一束………（六七）

本会報告

　本部だより＝新嘉坡支部だより＝新嘉坡商品陳列館だより＝台湾支部だより＝調査編纂部だより………（七七）

付録

　豪州神話（一）………（一）

口絵

　爪哇の山獄美＝モイ族の農耕＝モイ族の灌漑法＝バリ島の舞姫＝（一）＝同（二）＝ダイヤ族の結婚式＝海ダイヤ族の独木舟製作

◆『南洋協会雑誌』第七巻第三号（［大正十年］三月卅一日）

　先づ輸入を………（一）

　時事小観………　|印度関税増徴愈実施＝自給自足論の悲哀＝馬来半島の労資紛糾＝ク夫人とカラツパ椰子………（二）

論説

　南洋南支台湾（下）………台湾総督本会々頭男爵　田健治郎………（四）

説苑

　南洋と台湾（上）………本協会専務理事　井上雅二………（八）

　最近緬甸事情………沼田商会主　沼田才治………（一八）

資料

　仏領印度支那土民（三）………（二三）

　爪哇と護謨栽培………極東護謨商事会社　三吉朋十………（二八）

　カカオの栽培及製造（六）………台湾総督府嘱託　藤村誠太郎………（三二）

　比律賓に於ける支那人（上）………田中源太郎　遺稿………（三七）

　領内南洋の現状………予備海軍中将　東郷吉太郎………（四〇）

　蘭領東印度貿易概況（二）………（四四）

雑録

　白象王国暹羅（下）………（四七）

　ハルマヘイラ島生活（十一）………日蘭通交調査会嘱託　江川俊治………（四九）

　パゴタ参詣………三吉香馬………（五五）

　吹流安南物語（二）………（五八）

　近事一束………（六三）

本会報告

　本部だより＝調査編纂部だより………（七六）

付録

豪州神話（二）………（十一）

口絵

新西蘭ミルフオードサンド・アダ湖＝比律賓第一回立法議会＝同壇上のオスメニア氏＝セレベス・マカツサー山奥の土民＝同＝仏領印度支那ラオス村＝モイ族の水上生活

◆『南洋協会雑誌』第七巻第四号（［大正十年］四月卅日）

南洋と労力問題………（一）

時事小観………｜独逸商権着々恢復す＝南洋航路船と日本郵船＝対日貿易も亦劣敗＝蘭領東印度の関税引上………（二）

論説

護謨事業救済問題経過………（四）

説苑

南洋産業史観（上）………南洋協会嘱託　瀬川　亀………（八）

南洋と台湾（下）………本協会専務理事　井上雅二………（二二）

資料

闇黒新ギニア（一）………（三四）

カカオの栽培及製造（七）………台湾総督府嘱託　藤村誠太郎………（三九）

比律賓に於ける支那人（中）………田中源太郎　遺稿………（四三）

蘭領東印度貿易概況（三）………（四八）

海南島事情………小松重利………（五〇）

仏領印度支那土民（四）………（五五）

雑録

フローレス島の印象………（五九）

パゴタ参詣（二）………三吉香馬………（六一）

ハルマヘイラ島生活（十二）………日蘭通交調査会嘱託　江川俊治………（六四）

吹流安南物語（三）………（七一）

近事一束………（七四）

本会報告

本部だより＝台湾支部だより＝新嘉坡商品陳列館だより＝調査編纂部だより（八一）

付録

豪州神話（三）………（二一）

口絵

フローレス島南海岸の風景＝フローレス島土民（海岸地方）＝同（山嶽地方）＝比律賓イゴロット族の家屋＝同族少女の機織＝新西蘭の山百合＝同チア鳥

◆『南洋協会雑誌』第七巻第五号（[大正十年] 五月卅一日）

　回教徒の覚醒………（一）

　時事小観 ｜印度新太守の施政方針＝注目すべき印度新予算　白ニューギニア主義か＝ヤツプ島問題の繋争………（二）

論説

　対南貿易の前途………農商務省商務局長　鶴見左吉雄………（四）

説苑

　暹羅の近状（上）………前駐在暹羅国全権公使　吉田作彌………（八）

　南洋産業史観（下）………本会嘱託　瀬川　亀………（一五）

資料

　闇黒ニューギニア（二）………（二七）

　カカオの栽培及製造（八）………台湾総督府嘱託　藤村誠太郎………（三五）

　香料バニラ………新嘉坡商品陳列館調査………（三九）

　比律賓に於ける支那人（下）………堀田源太郎　遺稿………（四三）

　海南島事情（二）………小松重利………（四八）

　仏領印度支那土民（五）………（五四）

雑録

　フローレス島の印象（二）………（五七）

　スクラップブックより………三吉香馬………（六〇）

　ハルマヘイラ嶋生活（十三）………本会嘱託　江川俊治………（六三）

　吹流安南物語（四）………（六九）

　近事一束………（七三）

本会報告

　本部だより＝台湾支部だより＝調査編纂部だより………（七九）

付録

　豪州神話（四）………（三一）

口絵

　仏領印度支那モイ族の田植＝爪哇のカポツク＝ハルマヘイラ島のサゴ椰子と江川氏＝英領ニユウギニア風俗

◆『南洋協会雑誌』第七巻第六号（[大正十年] 六月三十日）

　南洋と移民………（一）

　時事小観 ｜黒禍の爆弾と印度南洋＝印度南洋の経済的不況　学術研究会の建議＝熱帯病学会議開催さる………（二）

論説

　痛歎に堪へず………前農商務大臣　仲小路廉………（四）

説苑

　仏領印度支那観（上）………高槻一郎………（七）

　暹羅の近状（下）………前駐在暹羅国全権公使　吉田作彌………（一六）

資料

　闇黒ニユーギニア（三）………（二六）

　カカオの栽培及製造（完）………台湾総督府嘱託　藤村誠太郎………（三七）

　規那樹及規那皮（一）………新嘉坡商品陳列館調査………（四二）

　白檀樹に就て（上）………新嘉坡商品陳列館調査………（四六）

　領内南洋の産業………予備海軍中将　東郷吉太郎………（五一）

雑録

　フローレス島の印象（三）………（五八）

　スクラップブックより（六）………三吉香馬………（六一）

　ブイテンゾルフに遊ぶ………南洋協会嘱託　江川俊治………（六四）

　吹流安南物語（五）………（六七）

　近事一束………（七〇）

本会報告

　本部だより＝新嘉坡商品陳列館だより＝調査編纂部だより………（七八）

付録

　豪州神話（五）………（三九）

口絵

　第十二回定期総会晩餐会＝爪哇カロートに近きタイパナス地方＝爪哇カロートのバカンテツト湖＝緬甸の僧侶と小姓＝緬甸土人の風俗＝比律賓パコボス族の服装と楽器＝比律賓イフガオ族の服装

◆『南洋協会雑誌』第七巻第七号　［大正十年］七月卅一日

　列強と石油………（一）

　時事小観………｛日英同盟改締と印度＝蘭首相と爪哇油田問題＝真摯なる南洋研究者………（二）

論説

　熱帯農業経営論（上）………芳賀鍬五郎………（四）

説苑

　仏領印度支那観（下）………高槻一郎………（八）

　最近南米事情………日伯企業組合理事　松田順平………（一八）

資料

闇黒ニユーギニア（四）………（二九）

規那樹と規那皮（二）………新嘉坡商品陳列館調査………（四〇）

白檀樹に就て（下）………新嘉坡商品陳列館調査………（四五）

南洋護謨の世界的名称………極東護謨商事合資会社　三吉朋十………（五〇）

比律賓の製帽業（一）………台湾総督府嘱託　藤村誠太郎………（五三）

雑録

馬来聯邦州の沿革………（五七）

比律賓より………在馬尼剌　水門了一………（六〇）

名花カンダサリ………（六三）

吹流安南物語………（六五）

近事一束………（六九）

本会報告

本部だより＝新嘉坡商品陳列館＝新嘉坡支部だより＝台湾支部だより………（七五）

付録

豪州神話（六）………（四七）

口絵

　□爪哇スメロイ噴火山上の湖水＝□爪哇ジヨクヂヤカルタに於ける酋長の即位式＝□サカイ族の婦人＝□バタン島の婦人＝□名花カンダサリ＝□サカイ族の窖（おとしあな）

◆『南洋協会雑誌』第七巻第八号（［大正十年］八月卅一日）

棉花は奈何………（一）

時事小観………｜緬甸と印度分離問題＝印度の綿布不買同盟＝家族的移民なるを要す＝米国の新回教主義………（二）

論説

熱帯農業経営論（下）………芳賀鍬五郎………（四）

説苑

裏南洋の最近事情………群島南洋海軍省臨時防備隊民政部長　手塚敏郎………（七）

南洋経済界と陳列館の事業………前新嘉坡商品陳列館長　木村増太郎………（一四）

資料

闇黒ニユーギニア（五）………（二三）

爪哇市場と皮革製品………新嘉坡商品陳列館調査………（三二）

最近盤谷の商況………暹羅通信嘱託　山澤宇兵衛………（三五）

比律賓の製帽業（二）………台湾総督府嘱託　藤村誠太郎………（三七）

海南島事情（下）………小松重利………（四二）

雑録

 馬来聯邦州の沿革（二）………（四七）

 スクラツプブツクより（五）………三吉香馬………（四九）

 名花カンダサリ（下）………（五一）

 吹流安南物語………（五三）

 近事一束………（五六）

本会報告

 本部だより＝新嘉坡商品陳列館だより＝台湾支部だより＝調査編纂部だより………（六三）

付録

 豪州神話（七）………（五七）

口絵

 □新嘉坡商品陳列館＝□爪哇土人の芝居＝□馬来半島の処女林の開墾＝□爪哇の山と水

◆『南洋協会雑誌』第七巻第九号（［大正十年］九月三十日）

 日仏交渉の前途………（一）

 時事小観………｜南印モブラア族の反乱＝以夷制夷の時代去る　厭ふべき失敗者の負惜＝宝庫一段の価値を増す………（二）

論説

 馬尼刺麻下級品生産禁止問題………比律賓太田興業会社長　井上直太郎………（四）

説苑

 裏南洋の最近事情（下）………南洋群島海軍省臨時防備隊民政部長　手塚敏郎………（一一）

資料

 闇黒ニユーギニア（六）………（二七）

 仏領印度支那貿易概況（一）………在東京河内　高月一郎………（三七）

 比律賓の製帽業（三）………台湾総督府嘱託　藤村誠太郎………（四一）

 芭蕉栽培に就て………後藤林蔵………（四八）

 比律賓の貿易状態………比律賓地方調査嘱託　水門了一………（五三）

 海南島事情（四）………南支地方調査嘱託　小松重利………（五四）

雑録

 馬来聯邦州の沿革（三）………（五八）

 スクラツプブツクより（六）………三吉香馬………（六〇）

 蘭貢より………蘭貢地方通信嘱託　池田智二………（六四）

 吹流安南物語………（六六）

 近事一束………（七〇）

本会報告
　本部だより＝調査編纂部だより………（七九）
付録
　豪州神話（八）………（八五）
口絵
　□蘭領東印度日本事務局長招待晩餐会＝□爪哇排水工事＝□支那名物の塔＝□蛮人の家屋建築＝□暹羅名物象追＝□暹羅湄南河浮屋の奇観

◆『南洋協会雑誌』第七巻第十号（［大正十年］十月三十一日）
　印度不安………（一）
　時事小観………｛仏領南洋諸島譲渡問題＝北ボルネオ会社の非難＝南印反乱鎮定尚遼遠＝対南貿易業者の生色………（二）
論説
　仏領印度支那関税問題の解決………野波静雄………（四）
説苑
　蘭領東印度の近状（上）………三井物産泗水支店長　阿部重兵衛………（一三）
資料
　闇黒ニユウギニア（七）………（二一）
　仏領印度支那貿易概況（二）………仏領印度支那地方調査嘱託　高月一郎………（三二）
　比律賓の製帽業（四）………台湾総督府嘱託　藤村誠太郎………（三六）
　ニツパ椰子の利用に就て………秋山恒躬………（四四）
　海南島事情（五）………南支地方調査嘱託　小松重利………（四九）
雑録
　印度及緬甸の種姓及俚諺………三吉香馬………（五四）
　暹羅国の階級制度………暹羅地方調査嘱託　山澤宇兵衛………（六〇）
　馬来聯邦州の沿革（四）………（六二）
　吹流安南物語………（六四）
　近事一束………（六七）
本会報告
　本部だより＝台湾支部だより＝調査編纂部だより………（七六）
付録
　豪州神話（九）………（七三）
口絵
　□領内南洋観光団＝□正装せる土人＝□ボルネオサラワーク王国の服装　□ダイアン、サワダ族の

娘＝□湖畔の夕景（爪哇）＝□精巧なる竹橋

◆『南洋協会雑誌』第七巻第十一号（［大正十年］十一月三十日）

南支南洋………（一）

時事小観………｜米国資本の印度流入＝我が燐寸工業の衰兆　邦人南洋漁業の不振＝爪哇防備問題とは何ぞ………（二）

論説

南洋深林救済論………東京帝国大学調査嘱託　吉田梧朗………（四）

説苑

蘭領東印度の近状（下）………三井物産泗水支店長　阿部重兵衛………（七）

資料

闇黒ニューギニア（八）………（一五）

仏領印度支那貿易概況（三）………仏領印度支那地方調査嘱託　高月一郎………（二五）

比律賓の製帽業（五）………台湾総督府嘱託　藤村誠太郎………（二八）

暹羅の貿易界………暹羅地方調査嘱託　山澤宇兵衛………（四二）

ダバオ邦人事業概況………比律賓地方調査嘱託　水門了一………（四六）

海南島事情（六）………南支地方調査嘱託　小松重利………（四八）

雑録

印度及緬甸の種姓及俚諺（二）………三吉香馬………（五三）

暹羅行脚………在暹羅　山田喜平………（六〇）

馬来聯邦州の沿革（五）………（六二）

吹流安南物語………（六三）

近事一束………（六八）

本会報告

本部だより＝調査編纂部だより………（七七）

付録

豪州神話（一〇）………（八一）

口絵

□スマトラの水郷＝□爪哇の水郷＝□ボルネオ・ダイヤ族の顔剃＝□ボルネオ・ダイヤ族の炊事＝□蛮人婦女の米搗＝□海南島七指山中にて射止めたる大豹

◆『南洋協会雑誌』第七巻第十二号（［大正十年］十二月卅一日）

真剣味を欠く………（一）

時事小観………｜南印の鎮定容易ならず＝四国協定と印度脅威＝蘭領土民の思想的悪化＝ボルネオ号発行に就て………（二）

論説
　開拓の美名の下に………東京帝国大学調査嘱託　吉田梧朗………（四）
説苑
　蘭領東印度の農業………農学博士　吉川祐輝………（七）
資料
　闇黒ニユーギニア（九）………（二九）
　仏領印度支那貿易概況（四）………仏領印度支那地方調査嘱託　高月一郎………（四〇）
　比律賓の製帽業（六）………台湾総督府嘱託　藤村誠太郎………（四三）
　暹羅稲作状況………暹羅地方調査嘱託　山澤宇兵衛………（五七）
　海南島事情（七）………南支地方調査嘱託　小松重利………（六二）
雑録
　印度及緬甸の種姓及俚諺（三）………三吉香馬………（六七）
　在暹羅邦人の職業調………在暹羅　山田喜平………（七三）
　メダンより………スマトラ地方調査嘱託　池田覚次郎………（七五）
　吹流安南物語………（七六）
　近事一束………（八一）
本会報告
　本部だより＝調査編纂部だより………（九〇）
付録
　豪州神話（一一）………（八九）
口絵
　□爪哇に於ける煙草工場（土人女の煙草葉の選択）＝□爪哇に於ける煙草工場（土人の葉巻製造）＝□南洋の水運と漁業＝□ボルネオ木材の筏採＝□ボルネオのダイヤモンドの採掘

◆『南洋協会雑誌』第八巻第一号（[大正十一年]一月卅一日発行）
　提言：第一ボルネオ号………（一）
　時事小観………｜比律賓政府の財政的窮乏＝蘭領東印度の米国起債＝独逸資本家の蘭領活躍＝豪州の果実輸出計画………（二）
論説
　根本を究めよ………西脇浩一郎………（四）
説苑
　南洋蘭科植物に就て………子爵　相馬孟胤………（七）
ボルネオ大観
　蘭領ボルネオの概念………安藤義喬………（二四）

Ⅱ. 南洋協会発行雑誌　総目録

　　北ボルネオの大勢………マスター、オブ、アーツ　金澤忠教………（三八）
　　ブルネー王国事情………有馬壽郎………（四五）
　　英領北ボルネオの諸港と其ヒンターランド………石井健三郎………（五〇）
　　蘭領ボルネオの人情風俗………蘭領東印度拓殖会社取締役　二宮　徳………（五七）
　　椰子に就きて………小野孝太郎………（六三）
　　英領北ボルネオの邦人漁業………池田南国………（六七）
　　英領北ボル子オ労働法令………北ボルネオ、タワオ　久原農場訳………（七八）
　　北ボル子オの土地制度………（九五）
資料
　　闇黒ニユーギニア（一〇）………（一〇一）
　　仏領印度支那貿易概況（五）………仏領印度支那地方調査嘱託　髙月一郎………（一〇九）
　　爪哇市場と絹製品………新嘉坡商品陳列館調査………（一一三）
　　スマトラ東海岸州の栽培業………スマトラ地方調査嘱託　池田覚次郎………（一二二）
　　暹羅の皮革業………暹羅地方調査嘱託　山澤宇兵衛………（一三三）
雑録
　　巴城通信（一）………南洋協会爪哇支部………（一四一）
　　続ハルマヘラ島生活（一）………モロツカス群島地方調査嘱託　江川俊治………（一五三）
　　吹流安南物語（十三）………（一五九）
　　近事一束………（一六二）
本会報告………（一七〇）
　　本部だより＝台湾支部だより＝新嘉坡支部だより＝新嘉坡商品陳列館だより＝爪哇支部だより＝調査編纂部だより
付録
　　豪州神話（一二）………（九七）
口絵
　　□第十三回定時総会　□第七回馬来語講習会職員並に講習生（台湾支部）　□ボルネオカツパス河口の市場　□ボルネオカツパス河畔　□ボルネオの海浜　□ボルネオの森林　□ボルネオの漁業　□南洋の蘭

◆『南洋協会雑誌』第八巻第二号（［大正十一年］二月二十八日発行）
　　題言　護謨救済………（一）
　　時事小観………印度自治前途尚ほ遼遠＝カンデー氏一派の活躍＝注目すべき印度製鉄業＝南洋発展助長の所以………（二）
論説

人物養成は如何………西脇浩一郎………（四）

説苑

　　爪哇管見………医学博士　長與又郎………（八）

資料

　　闇黒ニユーギニア（一一）………（一九）

　　仏領印度支那貿易概況（六）………仏領印度支那地方調査嘱託　高月一郎………（二九）

　　暹羅の米（一）………暹羅地方調査嘱託　水野宏平………（三四）

　　比律賓島の石油………比律賓地方調査嘱託　船津完一………（四三）

　　華僑の研究（一）………在暹羅プケット　坂部一郎………（四六）

雑録

　　太平洋上より………本会専務理事　井上雅二………（五五）

　　スクラップブックより………極東護謨商事合資会社　三吉朋十………（五八）

　　続ハルマヘラ島生活（二）………モロツカス群島地方調査嘱託　江川俊治………（六一）

　　暹羅めぐり………在シヤム　山田喜平………（六六）

　　吹流安南物語（十四）………（六八）

　　近事一束………（七一）

本会報告………（八〇）

　　本部だより＝新嘉坡支部だより＝調査編纂部だより

付録

　　豪州神話（一三）………（一〇五）

口絵

　　□比律賓ヘイツペレース山上　□比律賓の猿の様なアイタ人　□暹羅精米所全景　□比律賓土人農家　□同ヘツチヤブリ地方水田

◆『南洋協会雑誌』第八巻第三号（［大正十一年］三月卅一日発行）

　　題言：印度の関税引上………（一）

　　時事小観………印度事務大臣の辞職＝ガンテー氏逮捕せらる＝熱帯貴重木の輸入計画＝平和博と南洋歌舞伎団………（二）

論説

　　南洋深林利用論………東京帝国大学調査嘱託　吉田梧朗………（四）

説苑

　　蘭領東印度の石油事業（一）………日本石油会社外事課長　松澤傳太郎………（七）

資料

　　闇黒ニユーギニア（十二）………（一八）

仏領印度支那貿易概況（七）………仏領印度支那地方調査嘱託　高月一郎………（二七）

暹羅の米（二）………暹羅地方調査嘱託　水野宏平………（三一）

華僑の研究（二）………在シヤムプケット　坂部一郎………（四四）

日暹貿易概況………暹羅地方調査嘱託　山澤宇兵衛………（五九）

雑録

紐育より………本会専務理事　井上雅二………（七六）

南洋奇聞（一）………三吉香馬………（八二）

アロー島の真珠採り………後藤林蔵………（八五）

新ジヤガタラ文………（八八）

近事一束………（九二）

本会報告………（九八）

本部だより＝台湾支部だより＝爪哇支部だより

付録

豪州神話（一四）………（一〇五）

口絵

□ペラ州コオラカンサ宮城　□バリトー河口の猿島　□椰子苗圃　□武装せるダイヤ族　□ビーサン、スリーブと土人

◆『南洋協会雑誌』第八号第四号（［大正十一年］五月五日発行）

題言：外油の輸入………（一）

時事小観………｜独逸対印度貿易の復活＝印度事務大臣の新任＝不当なる邦船圧迫＝本年度の世界糖界は………（二）

論説

南洋群島の将来………南洋庁長官　手塚敏郎………（四）

説苑

蘭領東印度の石油事業（下）………日本石油会社外事課長　松澤傳太郎………（七）

資料

仏領印度支那貿易概況（八）………仏領印度支那地方調査嘱託　高月一郎………（一七）

比島貿易概観………比律賓地方調査嘱託　船津完一………（二一）

爪哇の港湾設備と海運………新嘉坡商品陳列館調査………（二六）

スマトラ州の栽培業………スマトラ地方調査嘱託　池田覚次郎………（三四）

暹羅の米（三）………暹羅地方調査嘱託　水野宏平………（三八）

華僑の研究（三）………在シヤムプケット　坂部一郎………（五〇）

雑録

米国を去らんとして………本会専務理事　井上雅二………（六三）

　　巴城通信（二）………南洋協会爪哇支部………（六八）

　　南洋奇聞（二）………三吉香馬………（七七）

　　続ハルマヘラ島生活（三）………香料群島地方調査嘱託　江川俊治………（八一）

　　暹羅めぐり（三）………山田喜平………（八六）

　　近事一束………（八六）

本会報告………（九八）

　　本部だより＝調査編纂部だより＝新嘉邦だより

付録

　　豪州神話（一五）………（一二一）

口絵

　　□ペナンジヤル山峰　□マンゴー樹　□油椰子の花　□椰子の幼樹　□椰子の発芽と幼樹　□暹羅の開墾事業

◆『南洋協会雑誌』第八号第五号（［大正十一年］五月三十日発行）

　　題言：南洋の運賃競争………（一）

　　時事小観………｜対南貿易依然閑散＝苦境脱出と原価切下＝独商活躍と邦商の退嬰＝南洋の帝国領事会議………（二）

論説

　　南洋市場と独逸（上）………四宮房雄………（四）

説苑

　　山東省の最近事情………本会理事　井上敬次郎………（八）

資料

　　仏領印度支那大観（一）………（二三）

　　仏領印度支那貿易概況（九）………仏領印度支那地方調査嘱託　高月一郎………（三一）

　　暹羅の輸出入貿易（一）………暹羅地方調査嘱託　山澤宇兵衛………（三五）

　　暹羅の米（四）………暹羅地方調査嘱託　水野宏平………（六三）

　　華僑の研究（四）………在シヤムプケット　坂部一郎………（七六）

雑録

　　サウス、ウエルスより………本会専務理事　井上雅二………（八四）

　　巴城通信………南洋協会爪哇支部………（八七）

　　南洋奇聞（三）………三吉香馬………（九三）

　　続ハルマヘラ島生活（四）………香料群島地方調査嘱託　江川俊治………（九九）

　　比律賓の世界的奇習………比律賓地方調査嘱託　船津完一………（一〇六）

94 　Ⅱ．南洋協会発行雑誌　総目録

　　暹羅めぐり（三）………在シヤム　山田喜平………（一〇八）

　　近事一束………（一一〇）

本会報告………（一二〇）

　　本部だより＝調査編纂部だより＝台湾支部だより

付録

　　豪州神話（一六）………（一二九）

口絵

　　□早川副会頭邸に於ける比島両院議長の招宴　□マニラの奇習　□暹羅の米作

◆『南洋協会雑誌』第八巻第六号（［大正十一年］六月三十日発行）

　　題言：独逸と南洋航路………（一）

　　時事小観………　印度産業保護愈々濃厚＝船舶国営主義の悲世＝世界糖界は当分不況か＝米国と仏
　　　領印度支那………（二）

論説

　　南洋市場と独逸（下）………四宮房雄………（四）

説苑

　　蘭領東印度経済事情（上）………清水孫秉………（七）

資料

　　仏領印度支那大観（二）………（一五）

　　仏領印度支那貿易概況（一〇）………仏領印度支那地方調査嘱託　高月一郎………（二三）

　　比島政府の無線電信施設………比律賓地方調査嘱託　船津完一………（二六）

　　暹羅の米（五）………暹羅地方調査嘱託　水野宏平………（二八）

　　華僑の研究（五）………在シヤムプケット　坂部一郎………（四八）

雑録

　　護謨生産制限に就て………於和蘭海牙　井上雅二………（五五）

　　南洋奇聞（四）………三吉香馬………（五九）

　　続ハルマヘラ島生活（五）………香料群島地方調査嘱託　江川俊治………（六三）

　　暹羅巡り（五）………在シヤム　山田喜平………（六九）

　　近事一束………（七一）

本会報告………（七七）

　　本部だより＝調査編纂部だより＝新嘉坡商品陳列館だより＝台湾支部だより＝新嘉坡支部だより＝
　　　爪哇支部だより

付録

　　豪州神話（一七）………（一二七）

口絵

　□馬来ボルネオ展覧会

◆**『南洋協会雑誌』第八巻第七号**（［大正十一年］七月卅一日発行）

　題言：中止か継続か………（一）

　時事小観………　|驥を無人の野に駆る＝南洋排日の気勢悪化す＝在南洋邦人と子弟教育＝エヴエレスト探嶮失敗………（二）

論説

　南北の経済的聯絡（上）………野波静雄………（四）

説苑

　蘭領東印度経済事情（中）………清水孫秉………（一〇）

資料

　仏領印度支那大観（三）………（一六）

　仏領印度支那貿易概況（一一）………仏領印度支那地方調査嘱託　高月一郎………（二六）

　爪哇国民参議会………南洋協会爪哇支部………（三〇）

　暹羅の輸出入貿易（二）………暹羅地方調査嘱託　山澤宇兵衛………（四一）

雑録

　独逸より………於独逸伯林　井上雅二………（四六）

　南洋奇聞（五）………三吉香馬………（五二）

　続ハルマヘラ島生活………香料群島地方調査嘱託　江川俊治………（五八）

　暹羅巡り（六）………在シヤム　山田喜平………（六五）

　近事一束………（六七）

本会報告………（七〇）

　本部だより＝調査編纂部だより＝台湾支部だより＝備付図書

付録

　豪州神話（一八）………（一四五）

口絵

　□第十四回定期総会晩餐会　□暹羅ワツサケーツ寺院　□暹羅の農具　□暹羅の水車　□暹羅の米搗

◆**『南洋協会雑誌』第八巻第八号**（［大正十一年］八月卅一日発行）

　題言：耐湿燐寸………（一）

　時事小観………　|カンデー捕捉後の印度＝紡績工業亦楽観を不許＝比律賓独立遂に成らず＝南洋邦商破綻者相踵ぐ………（二）

論説

　南北の経済的聯絡（中）………野波静雄………（四）

説苑

　蘭領東印度経済事情（下）………清水孫秉………（九）

資料

　仏領印度支那大観（四）………（一九）

　仏領印度支那貿易概況（一二）………仏領印度支那地方調査嘱託　高月一郎………（二八）

　暹羅の輸出入貿易（三）………暹羅地方調査嘱託　山澤宇兵衛………（三一）

　暹羅の内閣官制………暹羅地方調査嘱託　水野宏平………（三八）

雑録

　匈加利より………井上雅二………（四七）

　南洋奇聞（六）………三吉香馬………（五三）

　続ハルマヘイラ島生活（七）………香料群島地方調査嘱託　江川俊治………（五七）

　暹羅巡り（七）………在シヤム　山田喜平………（六四）

　近事一束………（六七）

本会報告………（七二）

　本部だより＝調査編纂部だより＝台湾支部だより＝爪哇支部だより＝備付図書

付録

　豪州神話（一九）………（一五三）

口絵

　□筏上の家（バンジヤルマシン付近）　□ミンブリ地方農村（暹羅）　□タールアン運河開鑿工事　□コラット地方籾其他運搬　□北部ラオス地方籾其他の運搬　□稲運用竹橇　□籾の清浄風力の利用

◆『南洋協会雑誌』第八巻第九号〔[大正十一年]九月三十日発行〕

　題言：米国と印度茶………（一）

　時事小観………｜比律賓の政治季近づく＝南洋貿易の消長と三国＝米国に於ける日印茶………（二）

論説

　南支貿易と英国………野波静雄………（四）

説苑

　邦人の各地に排斥せらるゝ所以………法学博士　蜷川　新………（七）

資料

　仏領印度支那大観（五）………（一二）

　仏領印度支那貿易概況（一三）………仏領印度支那地方調査嘱託　高月一郎………（二二）

　メダンを中心として………スマトラ地方調査嘱託　池田覚次郎………（二五）

　暹羅の輸出入貿易（四）………暹羅地方調査嘱託　山澤宇兵衛………（二八）

雑録
　エーヂヤン海より―欧州を去りて―欧羅巴より亜細亜へ………井上雅二………（三四）
　南洋奇聞（七）………三吉香馬………（四五）
　暹羅めぐり（八）………在シヤム　山田喜平………（五一）
　巴城通信………爪哇支部常任幹事　小谷淡雲………（五三）
　近事一束………（五七）
本会報告………（六二）
　本部だより＝新嘉坡商品陳列館だより＝備付図書
付録
　豪州神話（二〇）………（一六一）
口絵
　□爪哇の奇勝　□船引籾　□清浄行程　□清白　□仕上

◆『南洋協会雑誌』第八巻第一〇号（［大正十一年］十月卅一日発行）
　題言．平和来不安来………（一）
　時事小観………｜ケマル崛起と近東問題＝セーブル條約と英仏伊＝ガンデー氏釈放の真因………（二）
論説
　欧州の危局（上）………井上雅二………（四）
説苑
　南洋に於ける特殊企業銀行の急設を提唱す………飯泉良三………（一五）
　南洋日支合弁事業の現状に就て………堤林数衛………（一八）
資料
　国際栽培護謨会社設立………（二二）
　英国殖民省の護謨輸出税制度案………農商務省貿易通報課………（二八）
　仏領印度支那貿易概況（一四）………仏領印度支那地方調査嘱託　髙月一郎………（三〇）
　暹羅に於ける商標保護問題………暹羅地方調査嘱託　水野宏平………（三四）
　蘭領東印度の無限の開拓余地と隠れたる力………（三六）
　暹羅の輸出入貿易（五）………暹羅地方調査嘱託　山澤宇兵衛………（四三）
雑録
　南洋蛮島巡航記（一）………エドワード、サリスベリー………（四九）
　馬来より爪哇へ………井上雅二………（五七）
　南洋奇聞（八）………三吉香馬………（七四）
　続ハルマヘラ島生活（八）………香料群島地方調査嘱託　江川俊治………（七九）
　暹羅巡り（九）………在シヤム　山田喜平………（八五）

近事一束………（八七）

本会報告………（九三）

　　本部だより＝備付図書

付録

　　豪州神話（二一）………（一六九）

口絵

　　□暹羅の半熟米乾場　□爪哇ラソジオの奇勝　□爪哇プロモの奇勝　□パトムワン水門（暹羅）

　　　□チユラロンコンの水門　□チヤングロンの水汲み　□土人自家用米搗

◆『南洋協会雑誌』第八巻第一一号〔[大正十一年]十一月卅日発行）

　　題言：ソルタン退位………（一）

　　時事小観………│好漢ケマル成功に急ぐ＝ムハメット六世の人物＝印度回教徒の恐慌………（二）

論説

　　南洋に対する国策樹立を提唱す………本会専務理事　井上雅二………（四）

説苑

　　欧州戦後の実勢と南洋（一）………本会専務理事　井上雅二………（一三）

資料

　　蘭印貿易大観（一）………南洋協会爪哇支部………（二三）

　　仏領印度支那貿易概況（一五）………仏領印度支那地方調査嘱託　高月一郎………（二七）

　　護謨栽培業危機に瀕す………（三〇）

　　護謨生産制限と蘭領東印度政府………スマトラ地方調査嘱託　池田覚次郎………（三三）

　　暹羅の輸出入貿易（六）………暹羅地方調査嘱託　山澤宇兵衛………（四〇）

雑録

　　南洋蛮島巡航記（二）………エドワード、サリスベリー………（四五）

　　南洋奇聞（八）………三吉香馬………（五三）

　　続ハルマヘラ島生活（九）………香料群島地方調査嘱託　江川俊治………（五九）

　　暹羅巡り（一〇）………在シヤム　山田喜平………（六三）

　　近事一束………（六五）

本会報告………（七〇）

　　本部だより

付録

　　豪州神話（二二）………（一七七）

口絵

　　□ムボウ島王ラチユ・ポープセニロウ　□仏人とタイチ人との混血児　□フイジ島の娘　□マーキ

サス島の支那人とポリネシア人の混血児　□オイル・パルム樹　□ソサイテー島の魚捕り

◆『**南洋協会雑誌**』第八巻第一二号（［大正十一年］十二月卅一日発行）

　題言：楯の両面………（一）

　時事小観………｜国民の視野を拡大せよ＝本年度の世界的花役者＝再印度市場と邦産燐寸＝仏領印度支那の視察………（二）

論説

　欧州の危局（下）………本会専務理事　井上雅二………（四）

説苑

　欧州戦後の実勢と南洋（二）………本会専務理事　井上雅二………（三〇）

資料

　蘭印貿易大観（二）………南洋協会爪哇支部………（三九）

　仏領印度支那貿易概況（一六）………仏領印度支那地方調査嘱託　高月一郎………（四七）

　暹羅に於ける英国の勢力………暹羅地方調査嘱託　山口　武………（五〇）

　暹羅の輸出入貿易（七）………暹羅地方調査嘱託　山澤宇兵衛………（五五）

雑録

　近事一束………（八〇）

　ソロモン島の那翁　南洋蛮島巡航記（三）………エドワード、サリスベリー………（六二）

　南洋奇聞（九）………三吉香馬………（七〇）

　続ハルマヘイラ島生活（一〇）………香料群島地方調査嘱託　江川俊治………（七三）

　暹羅巡り（一一）………在シヤム　山田喜平………（七八）

本会報告………（八四）

　本部だより＝調査編纂部だより＝台湾支部だより＝本部備付図書

付録

　豪州神話（二三）………（一八五）

口絵

　□和蘭公使デ・グレーフ氏送別晩餐会　□ソロモン島の那翁　□印度人の魔法遣　□オイルパルム樹

◆『**南洋協会雑誌**』第九巻第一号（［大正十二年］一月卅一日発行）

　題言：全欧の政局如何………（一）

　時事小観………｜再奈翁の轍を踏むもの＝悲観材料到所に山積す＝耕さずして降雨を望む＝楽観論は歴史を無視す………（二）

論説

　仏領印度支那開放論………井上雅二………（四）

説苑

欧州戦後の実勢と南洋（三）………井上雅二………（九）

資料

　　蘭印貿易大観（三）………南洋協会爪哇支部………（二六）

　　護謨輸出制限と労働者失業救済………（四二）

　　仏領印度支那の新税関法………仏領印度支那地方調査嘱託　高月一郎………（五七）

　　暹羅の輸出入貿易（八）………暹羅地方調査嘱託　山澤宇兵衛………（六〇）

雑録

　　南洋蛮島巡航続記（四）………エドワード、サリスベリー………（七一）

　　南洋奇聞（十一）………三吉香馬………（七九）

　　続ハルマヘイラ島生活（十一）………香料群島地方調査嘱託　江川俊治………（八三）

　　暹羅巡り（一二）………在シヤム　山田喜平………（八六）

　　近事一束………（八八）

本会報告………（九五）

　　本部だより＝調査編纂部だより＝本部備付図書

付録

　　豪州神話（二四）………（一九三）

口絵

　　□タイチ島の王女　□タイチ島の椰子娘　□ソロモン島の勇士　□ソロモン島の美人　□スマトラ煙草

◆『南洋協会雑誌』第九巻第二号（［大正十二年］二月廿八日発行）

　題言：ロ総督を悼む………（一）

　時事小観………｜米国移民法案愈通過す＝行き詰り迄行き詰れり＝人口問題と外領の研究＝仏領印度支那総督長逝………（二）

論説

　　閑却せられたる阿富汗………（四）

　　南洋の金融梗塞と其解決………堤林数衛………（八）

説苑

　　南米及南亜［阿］（一）………本会副会頭　内田嘉吉………（一六）

資料

　　蘭印貿易大観（四）………南洋協会爪哇支部………（二三）

　　仏領印度支那の近状………横山正脩………（四九）

　　仏領印度支那貿易概況（一七）………仏領印度支那地方調査嘱託　高月一郎………（五五）

　　暹羅皇叔プリンスダムロング殿下………暹羅地方調査嘱託　山口　武………（六〇）

雑録
  野獣売買の話………フランク・エツチ・バック………（六三）
  南洋奇聞（十二）………三吉香馬………（七三）
  続ハルマヘイラ島生活（十二）……香料群島地方調査嘱託　江川俊治………（七六）
  暹羅巡り（一二）………在シヤム　山田喜平………（八一）
  近事一束………（八三）
本会報告………（九一）
  本部だより＝新嘉坡商品陳列館だより＝本部備付図書
付録
  豪州神話（二五）………（二〇一）
口絵
  □プリンス・ダムロング殿下　□新嘉坡商品陳列館　□新嘉坡商品陳列館第一階陳列室の一部　□同上第二階陳列室の一部

◆『南洋協会雑誌』第九巻第三号（[大正十二年] 三月卅一日発行）
  題言：学術的調査………（一）
  時事小観………｛中間景気論の流行は＝糖価と現実暴露の悲哀＝新嘉坡軍事的設備問題＝南支排貨運動再燃か………（二）
論説
  南洋移民に就て………（四）
  高月一郎君を悼む………（六）
  熱帯国に於ける我移民の方針………横山正脩………（九）
説苑
  南米及南阿（二）………本会副会長　内田嘉吉………（一三）
資料
  蘭印貿易大観（五）………南洋協会爪哇支部………（二〇）
  仏領印度支の近状………海防　横山正脩………（六八）
  仏領印度支那貿易概況（一九）………故　高月一郎………（七二）
雑録
  近事一束………（九七）
  食人島探検記（一）………マルチン・ジヨンソン………（七六）
  南洋奇聞（十三）………三吉香馬………（八六）
  続ハルマヘイラ島生活（十三）……香料群島地方調査嘱託　江川俊治………（八九）
本会報告………（一〇五）

本部だより＝台湾支部だより＝本部備付図書

付録

　豪州神話（二六）………（二〇九）

口絵

　□セレベス島メナド市街　□蘭領ニユーギニア、マノクワリ付近極楽鳥を捕獲せる土人の群　□セレベス島ミナハサ州ラゴアン中流家庭の未婚婦人　□セレベス島ミナハサ州海抜六千メートルの健康地　□セレベス島ラムンアン高峰の山道

◆『南洋協会雑誌』第九巻第四号（［大正十二年］四月三十日発行）

　題言：隣邦の年中行事………（一）

　時事小観………ｌス社副社長の比島観＝水平社運動と移民政策＝亜爾然丁の移民制限＝シ提督のグワム軍港論………（二）

論説

　移植民政策の確立と水平社運動………（四）

説苑

　南米及南阿（三）………本会副会頭　内田嘉吉………（八）

資料

　蘭印貿易大観（六）………南洋協会爪哇支部………（一七）

　蘭領東印度の石油採掘問題………（七〇）

　驚くべき印度支那米産の将来………仏領印度支那調査嘱託　横山正脩………（七四）

　仏領印度支那貿易概況（二〇）………故　高月一郎………（八一）

　南支南洋に於ける邦人の状況………松川俊治………（八八）

雑録

　食人島探検記（三）………マルチン・ジヨンソン………（九二）

　南洋奇聞（一四）………三吉香馬………（一〇三）

　続ハルマヘイラ島生活（一三）………香料群島地方調査嘱託　江川俊治………（一〇七）

　近事一束………（一一四）

本会報告………（一一九）

　本部だより＝調査編纂部だより＝関西だより＝新嘉坡だより＝本部備付図書

付録

　豪州神話（二七）………（二一七）

口絵

　□スマトラ地方蘭米栽培会社所有生液護謨輸送貨車　□スマトラ地方テレース式栽培植林地　□蘭領ニユーギニア、マノクワリ港　蘭領北ニユーギニヤ、パプア族の男子　□蘭領北ニユーギニヤ

の土人（婦人）

◆『南洋協会雑誌』第九巻第五号（［大正十二年］五月卅一日発行）

　題言：摂政宮殿下の御渡台………（一）

　時事小観………｜石油問題の解決如何＝海外企業論の流行は＝石炭輸出と水田国有論＝比島西印交換問題起る………（二）

論説

　海外企業論の流行………（四）

説苑

　最近の暹羅………前盤谷領事　三隅棄蔵………（八）

資料

　蘭印貿易大観（七）………南洋協会爪哇支部………（一六）

　スマトラ東海岸州栽培業………スマトラ地方調査嘱託　池田覚次郎………（八三）

　バンカ島の錫鉱山………（九七）

　蘭印政体組織の変更問題（一）………南洋協会爪哇支部………（　〇〇）

雑録

　食人島探検記（三）………マルチン・ヂヨンソン………（一一一）

　南洋奇聞（十五）………三吉香馬………（一二一）

　続ハルマヘイラ島生活（一四）………香料群島地方調査嘱託　江川俊治………（一二五）

　近事一束………（一三一）

本会報告………（一三七）

　本部だより＝調査編纂部だより＝関西支部だより＝南洋群島支部だより＝台湾支部だより＝新嘉坡だより＝爪哇支部だより＝本部備付図書

付録

　豪州神話（二八）………（二二五）

口絵

　□馬来聯邦州チロ山麓の巌窟寺院　□錫採鉱の状景（バンカ島）　□蘭領東印度バリ島の稲田　□蘭領東印度ラングカツトに於けるサルタン王子の結婚式

◆『南洋協会雑誌』第九巻第六号（［大正十二年］六月三十日発行）

　題言：南洋視察団………（一）

　時事小観………｜南米南洋移民論の流行＝朝栽夕採の植民教育論＝槿花百日の栄すら見ず＝江川君の行を送る………（二）

論説

　植民教育論の流行………（四）

104　Ⅱ．南洋協会発行雑誌　総目録

説苑
　　日本民族は何処に移住すべき乎………本会々員法学博士　蜷川　新………（八）
資料
　　蘭印政体組織の変更問題（二）………南洋協会爪哇支部………（三四）
　　熱帯事業に就て（一）………横浜高等工業学校教授　堀江不器雄………（四七）
　　仏領印度支那税関法………（五四）
　　護謨生産額の予想………極東護謨商事会社代表社員　三吉朋十………（六三）
　　バンカ島の錫鉱山（二）………（六五）
　　スマトラ栽培業統計表（一九二二年）………スマトラ地方調査嘱託　池田覚次郎………（六九）
雑録
　　薨去せられたる暹羅皇兄殿下………暹羅地方調査嘱託　山口　武………（七二）
　　食人島探険記（四）………マルチン・ジヨンソン………（七四）
　　南洋奇聞（一六）………三吉香馬………（八五）
　　続ハルマヘラ島生活（一五）………香料群島地方調査嘱託　江川俊治………（八九）
　　近事一束………（一〇〇）
本会報告………（一〇七）
　　本部だより＝関西支部だより＝台湾支部だより＝新嘉坡支部だより＝爪哇支部だより＝本部備付図書
口絵
　　薨去せられたる暹羅皇兄チヨンポン殿下＝爪哇スラバヤ、カリ・マスの流域＝南洋協会関西支部発会式晩餐会＝爪哇メラピ火山

◆『南洋協会雑誌』第九巻第七号（[大正十二年]七月三十一発行）
　題言：人材教育………（一）
　時事小観………秦を亡すものは胡なり＝比律賓の支那人排斥＝何物を以て南洋に臨む＝炎帝来れり炎帝来れり………（二）
論説
　　日貨抵制の考察………（四）
説苑
　　仏領印度支那最近事情………本会々員前海防領事　中村　修………（八）
資料
　　蘭印政体組織の変更問題（三）………南洋協会爪哇支部………（二〇）
　　熱帯事業に就て（二）………横浜高等工業学校教授　堀江不器雄………（三三）
　　豪州の製糖業………（四〇）

雑録

　食人島探検記（五）………マルチン・ジヨンソン………（五二）

　南洋奇聞（一七）………三吉香馬………（五八）

　続ハルマヘフ島生活（一六）………香料群島地方調査嘱託　江川俊治………（六五）

　近事一束………（七四）

本会報告………（八一）

　本部だより＝関西支部だより＝台湾支部だより＝本部備付図書

口絵

　□スマトラ、メダン市街の一部　□英領ニウ・ギニア、モツアン族の娘　□スマトラ第一のホテル・デ・ブール　□英領ニウ・ギニア、メケヲ、トブ族の家

◆『南洋協会雑誌』第九巻第八・九号（［大正十二年］九月三十日発行）

　題言：有史以来の惨事………（一）

　時事小観………｜失敗を予断せんとす＝比島売却説の真相如何＝比島及比島民を侮辱す………（二）

論説

　比律賓の将来………（四）

説苑

　スマトラに於ける油椰子（一）………横浜高等工業学校教授　堀江不器雄………（七）

資料

　蘭印政体組織の変更問題（四）………南洋協会爪哇支部………（一八）

　暹羅に於ける仏米の文化的施設………暹羅地方調査嘱託　山口　武………（二八）

　仏領印度支那貿易大観………在河内新嘉坡商品陳列館調査嘱託　松下光廣………（三二）

　護謨事業の考察（一）………松川俊治………（三八）

雑録

　食人島探検記（六）………マルチン・ジヨンソン………（四三）

　南洋奇聞（一八）………三吉香馬………（五七）

　続ハルマヘラ島生活（一七）………香料群島地方調査嘱託　江川俊治………（六〇）

　爪哇の古代宗教に就て………スラバヤ　竹井天海………（六二）

　蘭印に於ける日本人の海運業（一）………本会爪哇支部調査………（七〇）

　近事一束………（七六）

本会報告………（八〇）

　本部だより＝調査編纂部だより＝関西支部だより＝台湾支部だより＝南洋群島だより＝陳列館だより＝本部備付図書

口絵

□馬来半島ジヨホール王国バトパハに於ける密輸出の護謨を押収して焼却せる光景　□苗床に於ける油椰子　□油椰子・六年木

◆『南洋協会雑誌』第九巻第一〇号（[大正十二年]十月三十一日発行）

題言：過去を葬るべし………（一）

時事小観………│獅子の善と羚羊の善と＝余りに無関心ならずや＝南洋とお伽噺的観測＝海外思想と国民教育………（二）

論説

　時局と海外発展………（四）

説苑

　スマトラに於ける油椰子（二）………横浜高等工業学校教授　堀江不器雄………（七）

資料

　熱帯事業に就て（三）………横浜高等工業学校教授　堀江不器雄………（一九）

　蘭印政体組織の変更問題（五）………南洋協会爪哇支部………（五）

　英領馬来の対日貿易………新嘉坡商品陳列館調査………（三九）

　護謨事業の考察（二）………松川俊治………（四六）

　蘭領東印度金融事情………新嘉坡商品陳列館調査………（五四）

雑録

　続々ハルマヘラ島生活（一）………香料群島地方調査嘱託　江川俊治………（五六）

　爪哇銀行に就て………本会爪哇支部調査………（六五）

　蘭印のガラス及ガラス器市場………（七一）

　南洋視察団行程（一）………（七四）

　近事一束………（七八）

本会報告………（八二）

　本部だより＝南洋群島支部だより＝陳列館だより＝本部備付図書

口絵

　□スマトラ島メダン市街の一部　□スマトラ島高原のトバ湖　□ココ椰子汁液採集の図　□砂糖椰子　□比律賓に於けるヴイノ・デ・ココ蒸留装置

◆『南洋協会雑誌』第九巻第一一・一二号（[大正十二年]十二月一日発行）

題言：天譴と更生………（一）

時事小観………│蘭領東印度の海軍拡張＝我国に備ふるにあらず＝不用意の海外発展論＝年将に暮れんとす………（二）

論説

　米国と護謨………（四）

説苑
　回教民族の将来………（七）

資料
　蘭印の諸大会社（一）………本会爪哇支部調査………（一一）
　英領馬来の織物輸入………（二一）
　新嘉坡を工業方面から観て………新嘉坡商品陳列館………（二三）
　芭蕉の研究（一）………スマトラ地方調査嘱託　池田覚次郎………（三六）
　蘭印新民法法案に就て………本会爪哇支部………（三八）
　蘭領東印度の小麦耕作………（四一）
　英領印度及緬甸の油田………（四八）
　スマトラ、デリー栽培界の新傾向………本会爪哇支部………（五〇）

雑録
　関東震災に対する暹国官民の同情………暹羅地方調査嘱託　山口　武………（五二）
　蘭印主要新聞の色彩及傾向………本会爪哇支部………（五三）
　食人島探検記（七）………マルチン・ジヨンソン………（五五）
　南洋視察団行程（二）………（六二）
　近事一束………（六五）

本会報告………（七〇）
　本部だより＝関西支部だより＝台湾支部だより＝本部備付図書

口絵
　□南洋のバナナ　□暹羅プケット港錫採掘の状況

◆『南洋協会雑誌』第拾巻第一号（[大正十三年]一月一日発行）
　題言　震災後第一年の新春………（一）
　時事小観　海外より帰来者多し＝帝都は日本の帝都なり＝震災と鉄材の自給自足＝南洋木材の輸入は………（二）

論説
　新嘉坡武装と和蘭海軍………（四）

説苑
　蘭領東印度最近事情（一）………南洋協会爪哇支部長在バタビヤ帝国総領事　松本幹之亮………（七）

資料
　蘭印政体組織の変更問題（六）………南洋協会爪哇支部………（一八）
　護謨価格の前途………新嘉坡商品陳列館………（二二）
　芭蕉の研究（二）………スマトラ地方調査嘱託　池田覚次郎………（二三）

108　Ⅱ．南洋協会発行雑誌　総目録

　　新嘉坡対日本為替の変動………新嘉坡商品陳列館………（二六）

　　スマトラの人文（一）………（二七）

　　蘭領東印度経済事情………南洋協会爪哇支部………（三〇）

　　ビルマの鉱業………（三九）

　　蘭印の諸大会社（二）………南洋協会爪哇支部………（四一）

　　地方小売雑貨邦商………新嘉坡商品陳列館………（四六）

　　英領印度の護謨………（四七）

　　蘭領東印度の輸出物（一）………（四九）

　　震災復興と南洋木材………松川俊治………（五六）

雑録

　　食人島探検記（八）………マルチン・ジヨンソン………（六三）

　　蘭領東印度の人物（一）………南洋協会爪哇支部　小谷淡雲………（七〇）

　　南洋特産物標本の頒布………（七四）

　　近事一束………（七八）

本会報告………（八二）

　　本部だより＝台湾支部だより＝本部備付図書

口絵

　　□南洋ボルネオサンピツト河畔の密林　□緬甸人の家庭

◆『南洋協会雑誌』第拾巻第二号（［大正十三年］二月一日発行）

　　題言：国是国策の奈何………（一）

　　時事小観………｜羨望すべき独商の活躍＝他力本願主義を捨てよ＝グーゼ博士の新発見＝和蘭は依然大国なり………

論説

　　日暹と新條約………（四）

説苑

　　蘭領東印度最近事情(二)………南洋協会爪哇支部長在バタビヤ帝国総領事　松本幹之亮………（八）

　　南支南洋の病院施設に就て（一）………台湾総督府医院医長　本名文任………（一五）

資料

　　蘭印政体組織の変更問題（七）………南洋協会爪哇支部………（二〇）

　　英領北ボルネオの土地法改正………新嘉坡商品陳列館………（二七）

　　護謨栽培事業の前途楽観………（二九）

　　蘭印の諸大会社（三）………南洋協会爪哇支部………（三一）

　　ハノイ短信………在ハノイ　牧野豊三郎………（三九）

ボルネオの製鉄業………南洋協会爪哇支部………（四一）

芭蕉の研究（三）………スマトラ地方調査嘱託　池田覚次郎………（四三）

米国政府の護謨調査進捗………新嘉坡商品陳列館………（四六）

ヂヤムビの富源………南洋協会爪哇支部………（四七）

マラヤ貿易の大勢………新嘉坡商品陳列館………（四九）

雑録

食人島探検記（九）………マルチン・ジヨンソン………（五一）

印度支那に於ける日本災害義捐一般………（五九）

国際移民会議と民間特別委員会………（六〇）

近事一束………（六五）

本会報告………（七〇）

本部だより＝台湾支部だより＝爪哇支部だより＝本部備付図書

口絵

□蘭領ボルネオ・カヤン河流域の部落　□スマトラ・メダン停車場　□スマトラ・ブラワン港

◆『南洋協会雑誌』第拾巻第三号（[大正十三年] 三月一日発行）

題言：河ぞ遅々たる………（一）

時事小観………　新嘉坡武装案の廃棄＝ガンデイー釈放せらる＝労働党内閣と印度自治＝学生団の印度文明研究………（二）

論説

仲小路廉君を悼む………（四）

説苑

南支南洋の病院施設に就て（二）………台湾総督府医院医長　本名文任………（八）

汎太平洋科学会議に就て（一）………台北　大島正満………（一四）

資料

世界経済に於ける蘭領印度の土壌と気候の意義………南洋協会爪哇支部　小谷淡雲………（二〇）

ベンカリスの邦人と其事業………南洋協会爪哇支部………（三〇）

柔仏王国護謨園標準生産量再査定規則………新嘉坡南洋栽培業者聯合会………（三一）

新嘉坡に於ける医薬及売薬繃帯材料商況………新嘉坡商品陳列館………（三四）

一九二三年の暹羅瞥見………暹羅地方調査嘱託　山口　武………（三五）

蘭領東印度の輸出物（二）………（三九）

バナナの営［栄］［ママ］養価………台湾総督府殖産局商工課………（四三）

最近の印度支那貿易（一）………（四五）

パチヨリー油に就て（一）………大森益徳………（五〇）

スマトラの人文（二）………（五五）
  英蘭合併ボルネオ製鉄会社設立計画………南洋協会々員　石原廣一郎………（五九）
  爪哇島に於ける香料植物の研究（一）………南洋協会評議員　大谷光瑞………（六二）
  護謨市価の前途………新嘉坡商品陳列館………（六四）
雑録
  食人島探検記（一〇）………マルチン・ヂヨンソン………（六六）
  中央ボルネオ横断記（一）………カール・ラムホルツ………（七一）
  近事一束………（七四）
本会報告………（七九）
  本部だより＝関西支部だより＝台湾支部だより＝南洋群島支部だより＝本部備付図書
口絵
  □南洋の砂糖椰子　□爪哇スラバヤ市街の一部　□英領ニユーギニア・カイリ・カイリ族

◆『南洋協会雑誌』第拾巻第四号（［大正十三年］四月一日発行）
  題言：漫然たる移民論………（一）
  時事小観………｜イスメット内閣成る＝あまりに功を急ぐもの＝比律賓独立遂に絶望か＝仏領印度
　　支那と日本………（二）
論説
  和田副会頭を悼む………（四）
説苑
  汎太平洋科学会議に就て（二）………台北　大島正満………（一〇）
資料
  沙胡椰子栽培並製粉………大森益徳………（一八）
  馬来半島及び蘭領東印度の農業小作制度………（二五）
  護謨生産制限問題………新嘉坡商品陳列館………（三〇）
  蘭領東印度の輸出物（三）………（三一）
  爪哇島に於ける香料植物の研究（二）………大谷光瑞………（三五）
  スマトラの煙草栽培………（三九）
  パチヨリー油に就て（二）………大森益徳………（四六）
  爪哇糖業の経済的意義（一）………南洋協会爪哇支部　小谷淡雲………（五〇）
  スマトラの人文（三）………（五八）
  マラヤのタピオカ………新嘉坡商品陳列館………（六一）
  最近の印度支那貿易（二）………（六二）
  蘭領印度貿易大観………南洋協会爪哇支部………（六五）

コカの研究………スマトラ地方調査嘱託　池田覚次郎………（七四）

雑録

　食人島探検記（一一）………マルチン・ジヨンソン………（七六）

　中央ボルネオ横断記（二）………カール・ラムホルツ………（八四）

　近事一束………（八七）

本会報告………（九一）

　本部だより＝関西支部だより＝台湾支部だより＝南洋群島支部だより＝本部備付図書

口絵

　□故南洋協会副会頭和田豊治君

◆『南洋協会雑誌』第拾巻第五号（［大正十三年］五月一日発行）

　題言：健忘なる哉………（一）

　時事小観………　|釈放後のガンデイー氏＝悪戦史より苦闘史なり＝何故に移植民不振ぞ＝羨むべき流行なる哉………（二）

論説

　井底の痴蛙………（四）

説苑

　我が南洋群島最近事情（一）………南洋協会南洋群島支部長南洋庁長官　横田郷助………（一〇）

　最近の爪哇スマトラ（一）………スマトラ護謨拓殖株式会社社長　山地土佐太郎………（一八）

資料

　印度支那外国貿易………仏領印度支那調査嘱託　横山正脩………（三〇）

　馬来半島及び蘭領東印度の農業小作制度（二）………（四一）

　護謨私議………川上笠水………（四七）

　爪哇島に於ける香料植物の研究（三）………大谷光瑞………（五二）

　新日暹条約成る………（五八）

　爪哇糖業の経済的意義（二）………南洋協会爪哇支部　小谷淡雲………（五九）

　暹羅領馬来半島縦貫鉄道………暹羅地方調査嘱託　山口　武………（六四）

　蘭領印度貿易大観（二）………南洋協会爪哇支部………（六七）

　西豪州の近状………東條勝友………（七七）

　沙胡椰子栽培並に製粉（二）………大森益徳………（八〇）

雑録

　食人島探検記（一二）………マルチン・ジヨンソン………（九二）

　近事一束………（一〇〇）

本会報告………（一〇四）

本部だより＝南洋群島支部だより＝本部備付図書

口絵

　　□比律賓群島ザンボアンガの謝肉祭　□珈琲樹間に咲く野性仙人掌

◆『南洋協会雑誌』第拾巻第六号（[大正十三年] 六月一日発行）

　題言：仏印総督の来朝………（一）

　時事小観………｜米国と其の排日法案＝排斥せらるゝの非＝我が移植民の一大欠陥＝メルラン総督の来朝………（二）

論説

　　排日法案通過の後に………（四）

説苑

　　最近の爪哇スマトラ（二）………スマトラ護謨拓殖株式会社社長　山地土佐太郎………（八）

資料

　　印度支那外国貿易（二）………仏領印度支那調査嘱託　横山正脩………（二〇）

　　ランダ州の邦人胡椒栽培………新嘉坡商品陳列館………（三〇）

　　爪哇島に於ける香料植物の研究（四）………大谷光瑞………（三六）

　　ニユウギニアの開発………南洋協会爪哇支部………小谷淡雲………（四二）

　　爪哇の糖業………（四四）

　　暹羅政府と対英外貨………暹羅地方調査嘱託………山口　武………（六二）

　　スマトラの煙草栽培（二）………（六三）

　　新嘉坡市場と日本製陶磁器………新嘉坡商品陳列館………（六九）

雑録

　　日暹新條約の側面観………（八〇）

　　蘭領東印度の人物（三）………南洋協会爪哇支部　小谷淡雲………（八二）

　　南洋の金融問題………（八四）

　　近事一束………（八六）

本会報告………（八九）

　　本部だより＝本部備付図書

口絵

　　□サラワクの石油坑　□南ボルネオの大はいも

◆『南洋協会雑誌』第拾巻第七号（[大正十三年] 七月一日発行）

　題言：米貨排斥………（一）

　時事小観………｜小股掬ひ的報復手段＝大国民の襟度ありや咲ふべき西比利水田論＝詩聖タゴール翁の再遊………（二）

論説
　暹羅、印度支那、英領北ボルネオ………（四）

説苑
　我が南洋群島最近事情（二）………南洋協会南洋群島支部長南洋庁長官　横田郷助………（八）
　南洋の鉄、石炭並に石油（一）………南洋鉱業公司社長　石原廣一郎………（一八）
　蘭領東印度と各国の投資（一）………エミール、ヘルフエリッヒ………（三〇）

資料
　暹羅と仏人の勢力及事業………暹羅地方調査嘱託　山口　武………（三八）
　蘭領印度貿易大観（三）………南洋協会爪哇支部………（四一）
　新嘉坡市場と琺瑯鉄器………新嘉坡商品陳列館………（六一）
　英領北ボルネオ事情………三井物産株式会社　山田不二………（六九）
　仏領印度支那の外国貿易………仏領印度支那関税局長　キルセー報告　仏領印度支那調査嘱託　横山正脩訳………（八一）
　爪哇糖業の経済的意義（三）………南洋協会爪哇支部　小谷淡雲………（八五）
　馬来及錫倫の護謨輸出制限………新嘉坡商品陳列館………（九四）
　英人の観たる護謨生産制限問題………南洋協会嘱託　大森益徳………（九五）

雑録
　蘭領東印度の人物（四）………南洋協会爪哇支部　小谷淡雲………（九九）
　ジヤヴアニーズと其移住………南　胡洋………（一〇一）
　日本の物価高は経済的損害………陸軍大尉　フアン・デル・プール………（一〇三）
　近事一束………（一〇五）

本会報告………（一〇七）
　本部―台湾支部消息―爪哇支部消息―本部備付図書

口絵
　□サラワク王国の土人酋長　□南洋群島パラオ無線電信所

◆『**南洋協会雑誌**』**第拾巻第八号**〔［大正十三年］八月一日発行〕
　題言：五指交々弾く………（一）
　時事小観………｜植民地の統一とは何ぞ＝植民政策不統一の図＝植民地は植民地たれ＝整理緊縮の斧鉞は？………（二）

論説
　海外企業の援助………（四）

説苑
　対南発展と金融問題（一）………台湾銀行理事　久宗　董………（七）

パラオ島の気候………パラオ島南洋庁観測所　大和　隆………（一四）

蘭領東印度と各国の投資（二）………エミール・ヘルフエリッヒ………（一七）

南洋の鉄、石炭、石油（二）………南洋鉱業公司社長　石原廣一郎………（二八）

資料

護謨の前途………スマトラ興業株式会社　多湖実敬………（三五）

蘭領印度貿易大観（四）………南洋協会爪哇支部………（四九）

仏領印度支那の外国貿易………仏領印度支那関税局長　キルセー報告　仏領印度支那調査嘱託　横山正脩訳………（五六）

英領北ボルネオ事情（二）………三井物産株式会社　山田不二………（六七）

比律賓のマニラ麻………南洋協会嘱託　大森益徳………（七九）

爪哇糖業の経済的意義（四）………南洋協会爪哇支部　小谷淡雲………（八二）

仏領東京の採炭業………新嘉坡商品陳列館………（八九）

蘭領東印度茶況………南　胡洋………（九三）

雑録

シーボルト先生渡来百年記念祭………羅波留頓　風戸勝三郎………（九五）

南洋奇聞（一八）………三吉香馬………（一〇〇）

近事一束………（一〇五）

本会報告………（一〇九）

　本部―台湾支部消息―南洋群島支部消息―本部備付図書

口絵

　□南洋協会第十六回定時総会晩餐会　□爪哇バタビヤ旧市街凱旋門　□故シーボルト氏渡来百年記念祭　□パパヤの果実　□ナンカの果実

◆『南洋協会雑誌』第拾巻第九号（［大正十三年］九月一日発行）

題言：回教研究の流行………（一）

時事小観………｜稲の事を稲に問はず＝農村振興と移植民問題＝笑ふべき愚論の流行＝善光寺詣たらしめよ………（二）

論説

印度は無風帯に入らず………（四）

説苑

対南発展と金融問題（二）………台湾銀行理事　久宗　董………（八）

仏領印度支那の現在及将来………仏領印度支那地方調査嘱託　横山正脩………（一六）

資料

英領北ボルネオ事情（三）………三井物産株式会社　山田不二………（二六）

蘭領印度貿易大観（五）………南洋協会爪哇支部………（三九）

印度の鉄及び鋼………大森益徳………（五七）

護謨販売統一計画………新嘉坡商品陳列館………（六二）

爪哇糖業の経済的意義（五）………南洋協会爪哇支部　小谷淡雲………（六五）

トバの研究………新嘉坡商品陳列館　佐藤　暲………（七八）

仏領印度支那の外国貿易………仏領印度支那関税局長　キルセー報告　仏領印度支那調査嘱託　横山正脩訳………（八六）

蘭領東印度の護謨業と米国投資………新嘉坡商品陳列館………（九七）

雑録

暹羅と米国の勢力………暹羅地方調査嘱託　山口　武………（一〇一）

シヤーミン・ストライキ問題………石井健三郎………（一〇四）

近事一束………（一〇六）

本会報告………（一一〇）

本部………関西支部………南洋協会第十六回定時総会事業報告

口絵

□南洋観光団本会訪問記念　□バタビヤ旧市街（土酋ピーター・エルベルフエルドの梟首）

◆『南洋協会雑誌』第拾巻第一〇号（［大正十三年］十月一日発行）

題言：極めて寥々………（一）

時事小観………徒らに流行を追ふもの＝彼我共に相識る所なし＝余裕ある者は幸なる哉＝食糧問題の脅威を奈何………（二）

論説

恵まれたる覚醒………（四）

南洋経済時報の合併………（八）

説苑

蘭領東印度の農業………蘭領東印度政庁中央農事試験場長理学博士　ペー・イエー・エス・クラーメル………（一〇）

仏領印度支那を視察して（一）………東大教授理学博士　早田文蔵………（一七）

資料

馬来半島の油椰子………横浜高等工業学校教授　堀江不器雄………（二五）

新嘉坡市場のセルロイド製品………新嘉坡商品陳列館………（二九）

南洋の護謨王国………南洋栽培連合会………（三五）

メンクワン葉製袋の経済的価値………新嘉坡商品陳列館………（五二）

晩敦の茶共進会と茶業大会………南洋協会爪哇支部　小谷淡海………（五四）

116　Ⅱ．南洋協会発行雑誌　総目録

　　仏領印度支那の外国貿易（四）………仏領印度支那関税局長　キルセー報告　仏領印度支那調査嘱
　　　託　横山正脩訳………（五九）
　　新嘉坡市場の箱根細工………新嘉坡商品陳列館………（七七）
　　トバの栽培………在新嘉坡　城野昌三………（七九）
　　蘭領東印度の護謨園と資金貸付………南洋協会爪哇支部　小谷淡雲………（八九）
　　商品としての東京漆………新嘉坡商品陳列館………（九〇）
　　蘭領印度貿易大観（六）………南洋協会爪哇支部………（九八）
　　馬来半島の養魚………新嘉坡商品陳列館　佐藤　暲………（一二一）
　雑録
　　南洋奇聞（一九）………三吉香馬………（一二四）
　　東大図書館の復興と暹羅官立大学………暹羅地方調査嘱託　山口　武………（一二七）
　　日本開国と和蘭の寄与（一）………在バタビヤ陸軍大尉　フアン・デル・プール………（一二八）
　　一般デリー移民事務所近況………南洋協会爪哇支部　小谷淡雲………（一三一）
　　暫定独暹協定と仏国………暹羅地方調査嘱託　山口　武………（一三三）
　　暹羅民商法を読む………（一三五）
　　近事一束………（一三七）
　本会報告
　　本部………台湾支部消息………新嘉坡支部消息………南洋群島支部消息………本部備付図書………
　　　（一四二）
　口絵
　　□蘭領東印度政庁中央農事試験場長クラーメル博士歓迎講演晩餐会　□フォルト・デ・コツク付近
　　　カルプーウエンの絶勝　□井上専務理事の日比両国人の招待午餐会　□爪哇バンドンに於ける茶
　　　共進会と茶業大会

◆『南洋協会雑誌』第拾巻第一一号（［大正十三年］十一月一日発行）
　　題言：童話と童謡………（一）
　　時事小観………│拓殖務省の新設成らず＝特殊銀行の併合如何＝特殊会社と民間諸会社＝長き舌と
　　　薄き唇………（二）
　論説
　　最近の比律賓………（四）
　説苑
　　仏領印度支那を視察して（二）………東大教授理学博士　早田文蔵………（九）
　　比律賓の現状（一）………南洋協会専務理事　井上雅二………（一六）
　資料

仏領印度支那の関税引下と本邦品………在河内新嘉坡商品陳列館嘱託　松下光廣………（二七）

蘭領東印度の租税制度………南洋協会爪哇支部　小谷淡雲………（三二）

暹羅米市況一般………（四八）

トバの研究（二）………新嘉坡商品陳列館　佐藤　暲………（五〇）

熱帯農園のトラクター耕耙作業………（五九）

蘭印銀行業大観（一）………（六九）

新嘉坡市場の綿布………（七六）

仏領印度支那の外国貿易（五）………仏領印度支那関税局長　キルセー報告　仏領印度支那調査嘱託　横山正脩訳………（八四）

柔仏州関税定率並細則の一部………（九三）

勃興期に於ける馬来最初の油椰子農場………（九七）

蘭領印度貿易大観（七）………南洋協会爪哇支部………（一〇四）

雑録

　暹仏新條約と仏国………暹羅地方調査嘱託　山口　武………（一四〇）

　南洋奇聞（二〇）………三吉香馬………（一四二）

　日本開国と和蘭の寄与（二）………在爪哇陸軍大尉　フアン・デル・プール………（一四八）

　近事一束………（一四九）

本会報告

　本部………台湾支部消息………南洋群島支部消息………新嘉坡商品陳列館消息………スラバヤ商品陳列所消息………本部備付図書………（一五四）

口絵

　□比島上下両院議長主催の井上専務理事夫婦招待会記念撮影　□比律賓ミンダナオ島ダバオ州ミンタル小学校と麻栽培邦人の集団　□南洋群島ヤルート島近海の毒魚

◆『南洋協会雑誌』第拾巻第一二号（［大正十三年］十二月一日発行）

　題言：一年の総勘定………（一）

　時事小観………｜戦前の独逸と現在日本＝海外移民か産児制限か＝サンガニズムの考察＝新嘉坡軍港問題の再燃………（二）

論説

　マニラ支部設立の議あるを聞いて………（四）

説苑

　比律賓現状（二）………南洋協会専務理事　井上雅二………（七）

資料

　仏領印度支那時事（一）………仏領印度支那調査嘱託　横山正脩………（二〇）

新嘉坡市場と敷物類………（二九）

蘭印銀行業大観（二）………（三三）

一九二五年度の護謨生産及消費………（四四）

新嘉坡市場と籐及竹細工類………（五一）

製紙原料としてのララン草………小泉信義………（五八）

新嘉坡市場と玩具類………（六一）

海峡植民地の通貨………（六三）

蘭領東印度の生産業………（六五）

新嘉坡市場と金属製品輸入状況………（七三）

阿片と蘭領東印度………南洋協会爪哇支部　小谷淡雲………（七八）

仏領印度支那の外国貿易（六）………仏領印度支那関税局長　キルセー報告　仏領印度支那調査嘱託　横山正脩訳………（八一）

蘭領印度貿易大観（八）………南洋協会爪哇支部………（九四）

絹麻織物とラミ………（一三六）

雑録

日本開国と和蘭の寄与（三）………在バタビヤ陸軍大尉　フアン・デル・プール………（一三八）

荷税を苦しむ土人の経済………（一四〇）

蘭領東印度の人物（五）………南洋協会爪哇支部　小谷淡雲………（一四一）

近事一束………（一四三）

本会報告

本部………新嘉坡商品陳列館月報………新嘉坡商品陳列館大正十三年度上半期事業概要………爪哇スラバヤ商品陳列所消息………関西支部第二回定時総会………本部備付図書………（一四九）

口絵

□油椰子幼樹と珈琲樹との混植　□南洋協会スラバヤ商品陳列所全景　□トバ苗仮施　□立トバの繁殖　□長さ四間トバ根　□トバ根切断

◆『南洋協会雑誌』第拾一巻第一号（［大正十四年］一月一日発行）

羽翼成らずして飛ぶ………（一）

時事小観（ガンデー氏の変説改論＝ザクルルパシヤの失脚＝憐可きは日本国民なり＝新ドン・キ・ホーテ）………（二）

論説

農村問題の解決と海外発展………（四）

説苑

日本と比律賓木材………比律賓山林局主任技師　ルイス・ヂエー・レース………（八）

植民政策私見………農商務省嘱託　野波静雄………（二三）

資料

　　オホバ寄生木属の研究………柔仏ナムヘン　照屋全昌………（三三）

　　蘭領東印度の生産業………（四四）

　　仏領印度支那の外国貿易（七）………仏領印度支那関税局長　キルセー報告　仏領印度支那調査嘱託　横山正脩訳………（五四）

　　サラワ国土地法………（七〇）

　　新嘉坡市場と蟹缶詰………（七八）

　　馬来農芸共進会………新嘉坡商品陳列館　佐藤　暲………（七九）

　　蘭領印度貿易大観（九）………南洋協会爪哇支部………（八六）

　　仏領印度支那時事（二）………仏領印度支那調査嘱託　横山正脩………（一〇九）

　　サラワ農芸品展覧会と日本商品………（一一七）

　　南洋の栽培と企業………南洋協会爪哇支部　小谷淡雲………（一二一）

　　爪哇銀行利子引上………（一四五）

雑録

　　南洋奇聞（二一）………三吉香馬………（一四七）

　　ハルマヘラの鰐狩り………香料群島調査嘱託　江川俊治………（一五〇）

　　近事一束………（一五四）

本会報告

　　本部スラバヤ日本商品陳列所消息―新嘉坡日本商品陳列館消息―本部備付図書………（一六〇）

口絵

　　□南洋の初光―□比島パグサンハン峡谷の飛瀑―□比島パグサンハン峡谷の椰子実の筏―□第七回和蘭語講習会終了紀念晩餐会―□ニュー・ギニアのプパア［パパア］人種（一）同上（二）

◆『南洋協会雑誌』第拾一巻第二号（［大正十四年］二月一日発行）

　　十年一と昔………（一）

　　時事小観（答礼使一行の仏印往訪―酔生の武陵桃源国民―サイアム研究の流行―暹羅留学生招致問題）………（二）

論説

　　創立十周年に際して………（四）

説苑

　　邦人の栽培企業地は………南洋協会爪哇支部　小谷淡雲………（八）

　　植民政策私見（二）………農商務省嘱託　野波静雄………（三一）

資料

新嘉坡市場と糖菓………（四六）

　　世界の人口と食糧問題………井上雅二………（五一）

　　仏領印度支那の外国貿易（八）………仏領印度支那関税局長　キルセー報告　仏領印度支那調査嘱
　　　託　横山正脩訳………（五八）

　　蘭領印度貿易大観（一〇）………南洋協会爪哇支部………（六五）

　　南洋の栽培と企業（二）………南洋協会爪哇支部　小谷淡雲………（八六）

　　新嘉坡市場と帽子………（一〇〇）

　　仏領印度支那時事（三）………仏領印度支那調査嘱託　横山正脩………（一〇九）

　　シヤンステートと邦人植民………石井健三郎………（一二三）

雑録

　　南洋奇聞（二二）………三吉香馬………（一二五）

　　ハルマヘラの鰐狩り（二）………香料群島調査嘱託　江川俊治………（一二八）

　　馬来半島の過去及現在………浜上吉雄………（一三一）

　　近事一束………（一四三）

本会報告

　　本部………新嘉坡商品陳列館月報………爪哇スラバヤ日本商品陳列所消息………新入会員………本
　　　部備付図書………（一四七）

口絵

　　□スマトラ島シボルガ湾の夕映─□爪哇の山嶽鉄道─□爪哇スマランの蘭領印度鉄道会社全景─□
　　　ボルネオ、バンヂヤルマシンの土人市場（一）─□同上（二）─□爪哇土人のバンダン及竹製帽
　　　子販売店─□ラムボタンの果実

◆『南洋協会雑誌』第拾一巻第三号（［大正十四年］三月一日発行）

　　自由か同化か………（一）

　　時事小観（龍を画いて点晴を欠く─ブラジル移民の叫び─家庭と学校とを有せず─宣伝第一の弊と
　　　は）………（二）

論説

　　我国対仏印の接近………（四）

説苑

　　南洋の金融………新嘉坡駐在商務官　中島清一郎………（七）

資料

　　南洋の栽培と企業（三）………南洋協会爪哇支部　小谷淡雲………（一四）

　　新嘉市場と印度炭………（三一）

　　仏領印度支那の外国貿易（九）………仏領印度支那関税局長　キルセー報告　仏領印度支那調査嘱

託　横山正脩訳………（三五）

　　蘭印銀行業大観（三）………（四五）

　　新嘉坡に於る綿ネル………（六四）

　　爪哇邦人雑貨商………（六五）

　　大阪優良品特売会………（六九）

　　護謨調査期間設置法案………石井健三郎………（八二）

雑録

　　南洋奇聞（二三）………三吉香馬………（八四）

　　盤谷巡り………高岳尊信………（八七）

　　馬来半島の過去及現在（二）………浜上吉雄………（九九）

　　近事一束………（一〇二）

本会報告

　　本部………新入会員………馬尼剌支部………本部備付図書………（一〇六）

口絵

　　□大阪優良品特売会の盛況―□同上―□迦稀那祭に於ける暹羅国王陛下行幸―□暹羅国豊年祭ブランコ

◆『南洋協会雑誌』第拾一巻第四号（［大正十四年］四月一日発行）

　　老大国の新聞紙………（一）

　　時事小観（冷熱常なき我が国民―我が移民の教養と教訓と訓練―笑ふべき時代錯誤―鴉片制限会議終了す）………（二）

論説

　　一人のフイヒテ無し………（五）

説苑

　　英領馬来の施政………前新嘉坡駐剳総領事　浮田郷次………（八）

資料

　　南洋の栽培と企業（四）………南洋協会爪哇支部　小谷淡雲………（一四）

　　安南塩の研究………（二一）

　　蘭印銀行業大観（四）………（二九）

　　仏領印度支那の燐寸工業………（三八）

　　暹羅の輸出入貿易………（四一）

　　南洋市場と海鼠………（四三）

　　柔仏王国の財政と貿易………（四四）

　　加奈陀より蘭領印度へ………（四六）

一九二四年英領馬来対日貿易………（四八）

　　　生護謨直取引に関する私見………大森益徳………（八〇）

雑録

　　　翡翠山の話………蘭貢にて　高屋四郎………（八七）

　　　南洋奇聞（二四）………三吉香馬………（九三）

　　　アユチヤ行………高岳尊信………（九八）

　　　近事一束………（一〇五）

本会報告

　　　本部………新入会員………本部備付図書………（一一一）

口絵

　　　□南洋協会創立十周年記念祝賀晩餐会―□アユチヤ日本人村址―□アユチヤ廃寺

◆『南洋協会雑誌』第拾一巻第五号（[大正十四年] 五月一日発行）

　　　南蛮と紅毛………（一）

　　　時事小観（余りに期待に過ぐ＝財界不況と支店出張所＝自然の理法適合に過ぐ＝南洋産木材の移入）
　　　　………（二）

論説

　　　海外移民政策の確立と即行………（四）

説苑

　　　英領馬来の施政（二）………前新嘉坡駐劄総領事　浮田郷次………（一一）

資料

　　　クアラ・スランゴルの印度労働者………（一九）

　　　英領馬来の綿布類………（二四）

　　　蘭印銀行業大観（五）………（二七）

　　　南洋群島の産業………林　紅樹………（三八）

　　　海峡植民地の商標登録………（四一）

　　　護謨栽培業者と製造家………石井健三郎………（四二）

　　　護謨生産制限問題………（四四）

　　　生護謨直取引に関する私見（二）………大森益徳………（五四）

　　　新嘉坡市場のガンニー袋………（六三）

　　　蘭領東印度の産物………片野正一………（六五）

　　　英領馬来のモミ及ベニヤ函………（六九）

雑録

　　　南洋奇聞（二五）………三吉香馬………（七三）

日本開国と和蘭の寄与（四）………フアン・デル・プール………（七六）
　　蘭領西ボルネオを巡りて………南洋協会爪哇支部長　井田守三………（七八）
　　日本旅行記より………小谷淡雲………（八一）
　　北暹の旅………高岳尊信………（八七）
　　近事一束………（一〇三）
本会報告
　　□本部………新入会員………本部備付図書………（一〇七）
口絵
　　□スマトラ、トバ湖の絶勝―□漆虫棲息の状態（暹羅のステイツクラツク）―□暹羅メナン河畔の精米場―□緬甸の仏跡―□暹羅国境の牛車―□暹羅の高等農林師範学校

◆『**南洋協会雑誌**』第拾一巻第六号（［大正十四年］六月一日発行）
　　可なる所以を知らず………（一）
　　時事小観（米国資本の南洋殺到＝国民依然南洋を知らず＝依然外領地方を見ず＝南洋研究に関する好著）………（二）
論説
　　海外移民政策の確立と即行（二）………（四）
説苑
　　英領馬来の施政（三）………前新嘉坡駐剳総領事　浮田郷次………（一三）
　　仏領印度支那近状………印度支那協会常務理事　松木幹一郎………（二〇）
資料
　　仏領印度支那と本邦商品………（三七）
　　ヘベヤ樹の研究………三五公司　三浦肆影楼………（四三）
　　蘭印銀行業大観（六）………（四五）
　　英領北ボルネオのニツパ・パームとアルコール………新嘉坡商品陳列館産業調査課　佐藤　暲………（五四）
　　仏領印度支那の産業貿易………新嘉坡駐剳総領事　中島清一郎………（六八）
　　蘭印新会社税令の草案と説明………南洋協会爪哇支部　小谷淡雲………（九七）
　　サゴ椰子と其澱粉………香料群島調査嘱託　江川俊治………（一〇七）
　　一九二四年英領馬来の対日貿易大観………（一一三）
雑録
　　日本開国と和蘭の寄与（五）………フアン・デル・プール………（一二四）
　　南洋奇聞（二六）………三吉香馬………（一二六）
　　日本旅行記より（二）………小谷淡雲………（一二八）

馬来半島の過去及現在（三）………浜上吉雄………（一三三）

母国を去りて………太平洋上にて　井上雅二………（一四三）

近事一束………（一四五）

本会報告

　□本部………新嘉坡商品陳列館………台湾支部………新入会員………本部備付図書………（一五〇）

口絵

　□爪哇バタビヤ郊外の暮色—□ホンゲイ炭田—□南洋の松島アローン湾の奇勝

◆『南洋協会雑誌』第拾一巻第七号（［大正十四年］七月一日発行）

　印度南洋の思想的研究………（一）

　時事小観（支那動乱と海外企業＝唇敗れ道寒からんとす＝あまりに遠交に専なり＝プラタツプ氏の再遊）………（二）

論説

　海外移民政策の確立と即行（三）………（四）

説苑

　仏領印度支那近状（二）………印度支那協会常務理事　松木幹一郎………（一四）

資料

　新嘉坡の鳳梨缶詰業………（二六）

　蘭印銀行業大観（七）………（三〇）

　サゴ椰子と其澱粉（二）………香料群島調査嘱託　江川俊治………（四〇）

　護謨価暴騰と其前途………（四八）

　本邦輸出品の包装………（五三）

　蘭領新会社税令の草案と説明（二）………南洋協会爪哇支部　小谷淡雲………（五六）

　仏領印度支那の財政………仏領印度支那調査嘱託　横山正脩………（六九）

　マニラの漁業………比律賓群島調査嘱託　榎本信一………（七二）

　蘭領東印度の生産（三）………片野正一………（七六）

　コロンボ港と独逸海運業………石井健三郎………（八二）

　蘭領東印度の華僑………南洋協会爪哇支部　小谷淡雲………（八四）

　印度の輸出入貿易………（八八）

雑録

　南洋奇聞（二七）………三吉香馬………（九〇）

　日本開国と和蘭の寄与（六）………フアン・デル・プール………（九三）

　大きな物好みのカナダ………井上雅二………（九五）

　近事一束………（九九）

本会報告

　□本部………新嘉坡商品陳列館………南洋群島支部………新入会員………本部備付図書………
　　　（一〇五）

口絵

　□カムボヂャのプノンペン公園―□交趾支那土人婦女の食事―□暹羅婦人の機織り―□暹羅の市場

◆『南洋協会雑誌』第拾一巻第八号（［大正十四年］八月一日発行）

　一国紳貴の来往………（一）

　時事小観（旧油頁岩と我石油政策＝英領ボルネオ油田問題＝米価の脅威を奈何）………（二）

論説

　護謨市況の好転………（四）

説苑

　比島植民私案………比律賓群島調査嘱託　マニラ　榎本信一………（一〇）

資料

　仏領印度支那の林産………（　五）

　マニラの漁業（二）………比律賓群島調査嘱託　榎本信一………（三〇）

　新嘉坡の電気製作品………（三四）

　一九二四年の印度支那貿易………仏領印度支那調査嘱託　横山正脩………（三八）

　新嘉坡の塗料輸入………（五〇）

　ヤルート島の毒魚………南洋庁医院医官　松尾陸一………（五九）

　外人護謨栽培会社営業成績………（六七）

　ハノイ見本市と本邦商品………（七〇）

　新嘉坡市場と外国製化粧品………（八〇）

　蘭印新会社税令の草案と説明（三）………南洋協会爪哇支部　小谷淡雲………（八三）

雑録

　南洋奇聞（二八）………三吉香馬………（九一）

　レジストロ植民地より………井上雅二………（九五）

　近事一束………（九八）

本会報告

　□本部………関西支部………新嘉坡商品陳列館………新入会員………本部備付図書………（一〇五）

口絵

　南洋協会第十七回定時総会晩餐会―□伯国首府リオ・デ・ジヤネイロ帝国大使館官邸に於ける井上
　　専務理事主賓招待午餐会

◆『南洋協会雑誌』第拾一巻第九号（［大正十四年］九月一日発行）

  善隣の新熟語………（一）

  時事小観（支那排外熱南洋に及ぶ＝護謨供給者と需要者＝我海外企業家の試練＝我仏尊しとのみ言はず）………（二）

論説

  北米を経南米を巡りて………（四）

説苑

  蘭領東印度と税制………爪哇　堤林数衛………（一一）

資料

  新嘉坡市場とセメント………（一五）

  新嘉坡の電気製作品（二）………（三二）

  ヂヤムビの土人護謨………南洋協会爪哇支部　小谷淡雲………（三五）

  仏領印度支那の林産（二）………（四九）

  ベンクーレンの養蚕業………（六三）

  一九二四年の印度支那貿易（二）………仏領印度支那調査嘱託　横山正脩………（六六）

  広告と文字の選択………（七六）

  海峡植民地通貨の膨張………（七七）

  蘭領新会社税令の草案と説明（四）………南洋協会爪哇支部　小谷淡雲………（七八）

  爪哇更紗と本邦………落合喜一郎………（八五）

  蘭印の魚類輸入………（九〇）

雑録

  南洋奇聞（二九）………三吉香馬………（九二）

  日本開国と和蘭の寄与（七）………フアン・デル・プール………（九五）

  新嘉坡と交通機関………（九七）

  近事一束………（九九）

本会報告

  □本部………（第十七回定時総会＝続）………新嘉坡商品陳列館………スラバヤ日本商品陳列所………新入会員………本部備付図書………（一〇四）

口絵

  □南洋協会スラバヤ日本商品陳列所全景―□スラバヤ日本商品陳列所シヨウ・ウインドウの一部―□同上陳列室の一部―□スラバヤ日本商品陳列所シヨウ・ウインドウの一部―□同上陳列室の一部―□南洋群島第四回内地観光団本会訪問記念

◆『南洋協会雑誌』第拾一巻第拾号（[大正十四年] 一〇月一日発行）

　血は水よりも濃し………（一）

　時事小観（栽培護謨争覇戦と英国＝米国決して侮る可らず＝我が栽培業者と隠逸者）………（二）

論説

　新らしき国、恵まれたる国………（四）

説苑

　最近の暹羅………前駐暹公使　矢田長之助………（一五）

資料

　マニラ煙草………比律賓群島調査嘱託　榎本信一………（二一）

　蘭領東印度の鉛筆需給………（二八）

　爪哇更紗と本邦（二）………落合喜一郎………（三七）

　新嘉坡とサゴー集散状況………（四五）

　ヤルート島の毒魚（二）………南洋庁医院医官　松尾陸一………（五五）

　ヂヤムビの土人護謨（一）………南洋協会爪哇支部　小谷淡雲………（六三）

　一九二四年爪哇及マヅラの貿易………在バタビア帝国総領事　井田守三………（七八）

雑録

　南洋奇聞（三〇）………三吉香馬………（九二）

　馬来半島の過去及現在（四）………浜上吉雄………（九五）

　近事一束………（一〇〇）

本会報告

　□本部………新嘉坡商品陳列館………南洋群島支部………新入会員………本部備付図書………（一〇七）

口絵

　□蘭領東印度バリ島のヒンヅー教寺院―□比律賓人の精米―□比律賓マニラの椰子油製造工場

◆『南洋協会雑誌』第拾一巻第拾一号（[大正十四年] 一一月一日発行）

　我が海外移住民………（一）

　時事小観（護謨成金の楽観的態度＝好況期は警戒期なり＝決して軽視すべからず＝熱帯医学会了はる）………（二）

論説

　盛衰の分岐点に立てる日本………（四）

説苑

　最近の暹羅（二）………前駐暹公使　矢田長之助………（一三）

資料

Ⅱ. 南洋協会発行雑誌　総目録

　　ロゼレの栽培と可能性………南洋協会爪哇支部　小谷淡雲………（二〇）
　　海峡植民地と綿布の需要………（二八）
　　東京産生漆と邦商………（六〇）
　　一九二四年爪哇及マヅラの貿易（二）………在バタビア帝国総領事　井田守三………（六三）
　　蘭印の綿布綿織物貿易………スラバヤ　武富　喬………（七二）
　　南洋群島の糖業………（七四）
　　新嘉坡市場と鉛筆………（八五）
　　一九二四年英領北ボルネオの貿易………在新嘉坡総領事　中島清一郎………（九四）
　　新嘉坡市場と紙製品………（一〇四）
雑録
　　マニラ麻挽出機械の発明………タヴァオにて　長風生………（一〇七）
　　南洋奇聞（三一）………三吉香馬………（一一二）
　　南米を後にして………井上雅二………（一一六）
　　マニラの水族館………榎本信一………（一二一）
　　近事一束………（一二四）
本会報告
　　□本部………スラバヤ商品陳列所………関西支部………新嘉坡商品陳列館………新嘉坡支部………新入会員………本部備付図書………（一三〇）
口絵
　　□南洋協会スラバヤ商品陳列所開所披露記念—□マニラ麻挽機械発明者表彰記念—□最新発明のマニラ麻挽き機械—□ブラジル国アニユーマス珈琲園に於ける井上本会専務理事のブラジル人有力者招待会

◆『南洋協会雑誌』第拾一巻第拾二号（［大正十四年］十二月一日発行）
　　江戸将軍時代の逸民………（一）
　　時事小観（更に望蜀の嘆無からず＝我が南阿新航路の開設＝米国の志や小ならず）………（二）
論説
　　アルゼンタインの将来………（四）
説苑
　　南北中米視察に就て………南洋協会専務理事　井上雅二………（八）
資料
　　ロゼレの栽培と可能性（二）………南洋協会爪哇支部　小谷淡雲………（一三）
　　爪哇銀行法………（一九）
　　オイル・パームの栽培と予算………新嘉坡商品陳列館産業調査課　佐藤　暲………（二八）

護謨の将来………（三七）

南東ボルネオの土人護謨………南洋協会爪哇支部　小谷淡雲………（五一）

スマトラ、デリーの煙草栽培………（五九）

一九二四年錫蘭対日貿易………在コロンボ帝国領事　城　友二………（八一）

爪哇の黄麻袋製造工場………（六四）

新嘉坡市場と日本製燐寸………（六六）

リベリヤの護謨栽培………（六八）

仏印対日貿易………（七二）

爪哇の塩乾魚需要………（七六）

雑録

南洋奇聞（三二）………三吉香馬………（八二）

南洋企業に対する考へ方の変化………（八五）

蘭印を目的とする英国商業会議所………（八八）

近事一束………（九三）

本会報告

本部………新嘉坡商品陳列館………スラバヤ日本商品陳列所………新入会員………本部備付図書………（九九）

口絵

□スラバヤ日本領事代理主催藤山本会副会頭歓迎レセプション—□極東熱帯医学大会代表者招待茶話会

南洋協会雑誌第十一巻総目次

◆『南洋協会雑誌』第十二巻第一号（［大正十五年］一月一日発行）

禅師一休が道歌………（一）

時事小観（支那動乱と南洋華僑＝年中行事化の比島独立＝所謂外領に進出する時）………（二）

論説

護謨事業の将来に就て………（四）

説苑

護謨の需給関係………千田牟婁太郎………（八）

資料

爪哇の冷蔵庫需要………（一七）

英領馬来の陶磁器及硝子器の輸入………（一九）

蘭領東印度と独逸の貿易………（二二）

爪哇のセルロイド製品需要………（二四）

シトロネラに就て………爪哇　廣瀬了乗………（二九）

爪哇へ輸入の魚類缶詰………（三四）

縞黒檀の研究………（三七）

爪哇の煉瓦工業………南洋協会爪哇支部常任幹事　小谷淡雲………（四一）

蘭領東印度の大豆需要………（四五）

熱帯地方の植物性油工業………（五〇）

スマトラ東海岸の商業………（五三）

雑録

比律賓のお正月………榎本信一………（五六）

暹羅の新年………（六〇）

爪哇土人の正月………小谷光子………（六二）

新嘉坡のお正月………（六六）

南洋奇聞（三三）………三吉香馬………（六九）

藤山雷太氏を中心として………バタビヤにて　小谷淡雲………（七二）

近事一束………（七九）

本会報告

本部―馬尼剌支部―新入会員―本部備付図書………（八七）

口絵

□初頭の椰子―□南洋協会第八回和蘭語講習会講師ラツベルトン氏送別記念―□海峡植民地卑南市街―□藤山本会副会頭並林徳太郎氏帰朝歓迎講演会

◆『南洋協会雑誌』第十二巻第二号（[大正十五年]二月一日発行）

聖雄の末路………（一）

時事小観（市に三虎をいだす＝何故南洋に物色せざる＝銑鉄課税と南洋製鉄業）………（二）

論説

海外新航路開設に就て………（四）

説苑

南北中米視察に就て（二）………南洋協会専務理事　井上雅二………（八）

資料

馬来半島の貿易………（一四）

爪哇の玩具需給………（三五）

新嘉坡の硝子玉及珠需要………南洋協会新嘉坡商品陳列館　中村桃太郎………（四一）

対印度企業の発展と其経営組織………中島清一郎………（四九）

爪哇の本邦漆器需要………（八五）

護謨園売買とヲプシヨンアグリーメント………（九一）

　　爪哇の綿縮類需給………（九三）

　　熱帯アメリカに於ける護謨栽培………大村益徳………（九七）

　　蘭領東印度の護謨栽培………（一〇一）

雑録

　　暹羅新皇帝プラチヤチポック陛下………暹羅地方調査嘱託　山口　武………（一〇三）

　　南洋奇聞（三四）………三吉香馬………（一〇六）

　　南洋各地商況………（一一〇）

　　近事一束………（一一八）

本会報告

　　本部―台湾支部―新嘉坡商品陳列館―新入会員―本部備付図書………（一三〇）

口絵

　　□暹羅新帝プラチヤチポック陛下―□在スラバヤ欧州玩具商店シヨウ・ウインドウ―□在スラバヤ欧州玩具商店内玩具陳列状況

◆『南洋協会雑誌』第十二巻第三号（[大正十五年] 三月一日発行）

　　海外投資家の用意………（一）

　　時事小観（獅子の善と羚羊の善と＝日暮れて途更に遠し＝在米黒人と本土の黒人＝味はざる梢頭の柿）………（二）

論説

　　麻栽培事業の将来………（四）

説苑

　　南洋に於ける邦人発展の今昔………愛知県商品陳列所々長　原文次郎………（七）

　　南北中米視察に就て（三）………南洋協会専務理事　井上雅二………（二三）

資料

　　爪哇更紗と本邦（三）………落合喜一郎………（三一）

　　馬来半島の貿易（二）………（三七）

　　爪哇の硝子光珠取引………（五一）

　　暹羅の市場を覗いて………（五八）

　　護謨生産者としての蘭領東印度………（六四）

　　新嘉坡市場と本邦製漆器類………（六八）

　　爪哇のレイヨン応用綿布需要………スラバヤ　武富　喬………（七〇）

　　護謨樹の期間採収に就いて………南興園　照屋全昌………（七二）

　　護謨栽培業と其世界的需給………南洋護謨拓殖株式会社専務取締役　奥村幸二郎………（七七）

132　Ⅱ．南洋協会発行雑誌　総目録

雑録
　　南洋奇聞（三五）………三吉香馬………（八六）
　　比律賓のカーニバル………榎本信一……（九〇）
　　南洋各地商況………（九四）
　　近事一束………（一一一）
本会報告
　　本部………新入会員………本部備付図書………（一一七）
口絵
　　□茶屋四郎次郎安南交易図─□比律賓のカーニバル祭に於ける女王戴冠式の光景─□比律賓のカーニバル祭に於ける商工共進会

◆『南洋協会雑誌』第十二巻第四号（［大正十五年］四月一日発行）
　　本会の趣旨………（一）
論説
　　企業地としてのスマトラの価値………（二）
説苑
　　南洋に於ける邦人発展の今昔（二）………愛知県商品陳列所々長　原文次郎………（六）
資料
　　護謨栽培業と其世界的需給(二)………南洋護謨拓殖株式会社専務取締役　奥村幸二郎………（一七）
　　馬来半島の貿易（三）………（二九）
　　シトロネラに就て（二）………廣瀬了乗………（三九）
　　米国評論之評論誌と護謨………（五〇）
　　南東ボルネオの土人護謨（二）………南洋協会爪哇支部　小谷淡雲………（五八）
　　爪哇の絹織物需要………（六二）
雑録
　　ボンガボンの牧場を観る………マニラ　榎本信一………（七三）
　　ニューギニア事情………海老名庄三郎………（七八）
　　南洋奇聞（三六）………三吉香馬………（八五）
　　南洋各地商況………（九〇）
　　近事一束………（一〇八）
本会報告
　　本部─新入会員─本部備付図書………（一一三）
口絵
　　□世界最大の花ラフレシア・アルノルデイ─□同右─□ニューギニア、パプア族の武装姿─□ニ

ユーギニア、パプア族の家庭

◆『南洋協会雑誌』第十二巻第五号（[大正十五年] 五月一日発行）
　　本会の趣旨………（一）
論説
　　南洋領事会議開催に際して………（二）
説苑
　　南洋を縦断して………南洋協会副会頭　藤山雷太………（五）
資料
　　護謨栽培業と其世界的需給(三)………南洋護謨拓殖株式会社専務取締役　奥村幸二郎………（一一）
　　近時栽培界彙報………南洋協会新嘉坡商品陳列館産業調査課　佐藤　暲………（三〇）
　　新嘉坡市場と燐寸………（四五）
　　南東ボルネオの土人護謨(三)………南洋協会爪哇支部　小谷淡雲………（五五）
　　コプラ製造とフオルマリン液の応用試験………ボルネオ、タワオ　鶴仲壽美………（六五）
　　ジョホールの外国会社法………（七一）
　　本邦対南洋貿易と為替………（七三）
　　裏南洋の水産小企業に就て………水産講習所　松浦信雄………（七八）
雑録
　　ボンガボンの牧場を観る(二)………マニラ　榎本信一………（八二）
　　比律賓ダバオ便り………黒潮舟人………（八六）
　　南洋奇聞(三七)………三吉香馬………（八九）
　　南洋各地商況………（九二）
　　近事一束………（一〇六）
本会報告
　　本部―新入会員―本部備付図書………（一一三）
口絵
　　本会理事井上敬次郎氏南洋視察記念―南洋群島サイパン島産椰子がに―南洋群島パラオ南洋庁付近の道路―故太田恭三郎君―同記念碑全景―故太田恭三郎君記念碑除幕式場―故太田恭三郎君記念碑銘

◆『南洋協会雑誌』第十二巻第六号（[大正十五年] 六月一日発行）
　　本会の趣旨………（一）
論説
　　英領北ボルネオと本邦移民………（二）
説苑

134　Ⅱ．南洋協会発行雑誌　総目録

　　南洋を縦断して（二）………南洋協会副会頭　藤山雷太………（五）
　　邦人の企業地として観たる暹羅国………飯泉良三………（一一）
資料
　　近時栽培界彙報（二）………南洋協会新嘉坡商品陳列館産業調査課　佐藤　暲………（二三）
　　コプラ製造とフォルマリン液の応用試験………ボルネオ、タワオ　鶴仲壽美………（二八）
　　一九二五年英領馬来の対外貿易………南洋協会新嘉坡商品陳列館………（三三）
　　南東ボルネオの土人護謨（四）………南洋協会爪哇支部　小谷淡雲………（四一）
　　爪哇市場に於ける新モス有望………南洋協会スラバヤ日本商品陳列所長　安江安吉………（四七）
　　本邦対南洋貿易と為替（二）………（五二）
　　一九二五年の蘭領東印度………南洋協会スラバヤ日本商品陳列所長　安江安吉………（五六）
　　南洋に於ける米国系護謨栽培会社………南洋協会新嘉坡商品陳列館………（六四）
　　爪哇市場と陶磁器………南洋協会スラバヤ日本商品陳列所長　安江安吉………（六六）
雑録
　　南洋奇聞（三八）………三吉香馬………（七二）
　　ゴム株の話………窪田弥一………（七五）
　　マニラ、カーニバル祭商工展覧会と本邦………南洋協会マニラ支部長在マニラ帝国領事　縫田栄四郎………（七八）
　　ソンゾル諸島………水産講習所　松浦信雄………（八〇）
　　南洋各地商況………（八一）
　　近事一束………（九三）
本会報告
　　本部―新入会員―本部備付図書………（九九）
口絵
　　マニラ、カーニバル祭商工展覧会に於ける日本館―同上内部―南洋群島ソンゾル島に翻る日章旗―南洋群島サイパン島カラパン町外の島民の墓地

◆『南洋協会雑誌』第十二巻第七号（［大正十五年］七月一日発行）
　　本会の趣旨………（一）
論説
　　移民地としての南洋………（二）
説苑
　　熱帯森林を拓くの路………香料群島調査嘱託　江川俊治………（五）
　　南洋を縦断して（三）………南洋協会副会頭　藤山雷太………（一四）
　　邦人の企業地として観たる暹羅国（二）………飯泉良三………（二〇）

資料

　馬来半島に於ける有用植物の寄生木に就て………照屋全昌………（二六）

　裏南洋の策源地タナパク港………近江谷栄次………（三一）

　近時栽培界彙報（三）………南洋協会新嘉坡商品陳列館産業調査課　佐藤　暲………（三四）

　一九二五年の蘭領東印度（二）………南洋協会スラバヤ日本商品陳列所長　安江安吉………（四〇）

　人造護謨は可能なりや………横浜高等工業学校教授　堀江不器雄………（四六）

　一九二五年英領馬来の対外貿易（二）………南洋協会新嘉坡商品陳列館………（四八）

　ダヴアオ経済事情………（五二）

　爪哇に於ける化粧品の需給状況………南洋協会スラバヤ日本商品陳列所………（五六）

雑録

　護謨株の話（二）………窪田弥一………（六〇）

　南洋奇聞（三九）………三吉香馬………（六三）

　南洋群島の風土………林　紅樹………（六七）

　南洋各地商況………（七一）

本会報告

　本部―スラバヤ商品陳列所―新入会員………（九〇）

口絵

　□ダブリユー・エヌ・ゴーラ氏歓迎講演会―□（上）暹羅中央農事試験場の籾落―□（中）暹羅盤谷湄南河畔の精米所―□（下）暹羅プラサキ灌漑水路の提堰

◆『南洋協会雑誌』第十二巻第八号〔大正十五年〕八月一日発行）

　本会の趣旨………（一）

論説

　食糧問題と南洋企業………（二）

説苑

　蘭領東印度に於ける石油企業………岩佐徳三郎………（五）

　熱帯森林を拓くの路（二）………香料群島調査嘱託　江川俊治………（一二）

　南洋の水産………農林省水産技師　下田杢一………（二〇）

　邦人の企業地として観たる暹羅国（三）………飯泉良三………（二六）

資料

　馬来半島に於ける有用植物の寄生木に就て（二）………照屋全昌………（三二）

　近時栽培界彙報（四）………南洋協会新嘉坡商品陳列館産業調査課　佐藤　暲………（四二）

　一九二五年の蘭領東印度（三）………南洋協会スラバヤ日本商品陳列所長　安江安吉………（五二）

　蘭貢市場と日本商品………南洋協会新嘉坡商品陳列館………（五八）

爪哇に於ける化粧品の需給状況（二）………南洋協会スラバヤ日本商品陳列所………（六九）

仏領印度支那の護謨栽培―交趾支那―………佐藤惣三郎訳………（七五）

雑録

南洋奇聞（四〇）………三吉香馬………（八二）

南洋各地商況………（八六）

近事一束………（九六）

本会報告

本部―台湾支部―新入会員―本部備付図書………（一〇一）

口絵

□南洋協会第十八回総会晩餐会―□南洋貿易振興会派遣南洋旅商団見本市―□同上南洋旅商団一行

◆『南洋協会雑誌』第十二巻第九号〔［大正十五年］九月一日発行）

本会の趣旨………（一）

論説

商品陳列館と対南事業促進の根本策………（二）

説苑

邦人の企業地として観たる暹羅国（四）………飯泉良三………（五）

資料

蘭領東印度に於ける労働問題………南洋協会スラバヤ日本商品陳列所………（一〇）

新嘉坡市場に輸入せらるゝタイル類………南洋協会新嘉坡商品陳列館………（一四）

比律賓群島と護謨事業………比律賓群島調査嘱託　榎本信一………（一七）

仏領印度支那柬甫寨の鉄鉱山………南洋協会新嘉坡商品陳列館………（一九）

一九二五年の蘭領東印度（四）………南洋協会スラバヤ日本商品陳列所長　安江安吉………（二五）

緬甸市場と最近の貿易………南洋協会新嘉坡商品陳列館………（三一）

蘭領東印度に於ける穀倉信用制度………（三六）

仏領印度支那の護謨栽培（二）………佐藤惣三郎訳………（三九）

雑録

比島行………井上雅二………（五一）

南洋奇聞（四一）………三吉香馬………（五二）

比島に於ける税金一覧表………（五六）

南洋各地商況………（六三）

近事一束………（七二）

本会報告

本部―爪哇支部―新入会員………（七六）

口絵
　　□南洋群島第五回内地観光団本会訪問記念—□爪哇の鉄道—□同上

◆『南洋協会雑誌』第十二巻第十号（［大正十五年］十月一日発行）
　本会の趣旨………（一）
論説
　第一回貿易会議を了へて………（二）
説苑
　南洋に於ける邦人の事業………台湾総督府技師　色部米作………（五）
　邦人の企業地として観たる暹羅国（五）………飯泉良三………（一七）
資料
　蘭領東印度市場に於けるポルトランドセメントの需給………南洋協会スラバヤ日本商品陳列所………（二三）
　ブリに就て………比律賓群島調査嘱託　榎本信一………（三八）
　爪哇の蓖麻子油集散状況………南洋協会爪哇支部………（四一）
　南洋印度貿易寄言………神戸　香川　濚………（四六）
　仏印に於けるスチックラック培養資料………南洋協会新嘉坡商品陳列館………（五三）
　爪哇に於ける自転車の需給………南洋協会スラバヤ日本商品陳列所………（五七）
雑録
　比島行（二）………井上雅二………（六三）
　南洋奇聞（四二）………三吉香馬………（六八）
　南洋各地商況………（七一）
　第一回貿易会議………（八一）
　近事一束………（一一五）
本会報告
　本部—新嘉坡商品陳列館—台湾支部—新入会員………（一二二）
口絵
　　□爪哇プレアンゲルに於ける茶園並に製茶工場—□新嘉坡市街—□海峡植民地マラツカの夕映

◆『南洋協会雑誌』第十二巻第十一号（［大正十五年］十一月一日発行）
　本会の趣旨………（一）
論説
　暹羅文部大臣ダニー親王殿下を御迎して………（二）
説苑
　蘭領東印度事情………南洋協会爪哇支部長駐バタビヤ総領事　井田守三………（五）

邦人の企業地として観たる暹羅国（六）………飯泉良三………（一五）
資料
　　新嘉坡市場に於ける自転車及付属品………南洋協会新嘉坡商品陳列館嘱託………中村桃太郎………
　　　（二二）
　　爪哇に於ける莫大小製品需要………南洋協会スラバヤ日本商品陳列所………（三〇）
　　南洋印度貿易寄言（二）………神戸　香川　溙………（四三）
　　仏印に於けるスチックラック培養資料（二）………南洋協会新嘉坡商品陳列館………（四九）
　　爪哇に於ける琺瑯鉄器需給………南洋協会スラバヤ日本商品陳列所………（五三）
　　護謨樹種改良に就て………三五公司　小田　修………（六四）
雑録
　　日本の新旧南端………香料群島調査嘱託　江川俊治………（七〇）
　　南洋奇聞（四三）………三吉香馬………（七四）
　　南洋群島の風土（二）………林　紅樹………（七六）
　　南洋各地商況………（八二）
　　近事一束………（九〇）
本会報告
　　本部―台湾支部―爪哇支部―スラバヤ日本商品陳列所―馬尼剌支部―関西支部―新入会員………
　　　（九七）
口絵
　　□本会の暹羅文部大臣ダニー親王殿下歓迎招待会―□大阪市南洋巡回見本市―□同上―□南洋事情
　　　講演会の盛況―□馬来半島の錫鉱山―□同上

◆『南洋協会雑誌』第十二巻第十二号（［大正十五年］十二月一日発行）
　　本会の趣旨………（一）
論説
　　太平洋問題に就て………（二）
説苑
　　南洋に於ける邦人の事業（二）………台湾総督府技師　色部米作………（六）
　　比律賓事情………南洋協会専務理事　井上雅二………（一九）
　　邦人の企業地として観たる暹羅国（七）………飯泉良三………（三一）
資料
　　新嘉坡市場に於ける化粧品の需要………南洋協会新嘉坡商品陳列館………（三六）
　　比島は移住の余地あり………比律賓群島調査嘱託　榎本信一………（四〇）
　　蘭領東印度のガンビル………南洋協会スラバヤ日本商品陳列所………（四三）

東甫寨漆に就て………南洋協会新嘉坡商品陳列館調査嘱託　松下光廣………（四八）

海外産業と科学的知識涵養の急務………東京帝国大学嘱託蘭領西ボルネオ在住　吉田梧郎………（五一）

蘭領東印度に於ける油椰子の将来………南洋協会スラバヤ日本商品陳列所………（五四）

英領馬来の上半期輸入綿布………南洋協会新嘉坡商品陳列館………（六〇）

雑録

　日本の新旧南端（二）………香料群島調査嘱託　江川俊治………（六三）

　南洋奇聞（四四）………三吉香馬………（六九）

　交通機関は汽車かバスか………佐藤惣三郎………（七二）

　スマトラ東海岸日本人栽培業者協会設立………（七八）

　南洋各地商況………（七九）

　近事一束………（八九）

本会報告

　本部—関西支部—新嘉坡商品陳列館—新入会員—本部備付図書………（九五）

口絵

　□藤山副会頭邸に於ける暹羅文部大臣ダニー親王殿下歓迎会—□南洋協会スラバヤ日本商品陳列所に於ける南洋産業視察団一行

第十二巻総目次

◆『南洋協会雑誌』第十三巻第一号（［昭和二年］一月一日発行）

　本会の趣旨………（一）

論説

　今後の対南企業に就て………（二）

説苑

　爪哇に於ける金融制度………南洋協会理事　児玉謙次………（五）

資料

　一九二五年度英領馬来対日貿易………南洋協会新嘉坡商品陳列館………（一六）

　スラバヤに於ける万年筆並にシヤープペンシル………南洋協会スラバヤ日本商品陳列所………（二九）

　新農園企業の有望と其の造林様式………南洋協会新嘉坡商品陳列館………（三三）

　護謨園の価値………エー・ダブリユー・スチル………（四一）

　英領馬来に於ける本邦琺瑯器………南洋協会新嘉坡商品陳列館………（五一）

　ダバオ事情………在外指定ダバオ日本人尋常小学校長　岡崎平治………（五三）

　熱帯農業の成否と現業員との関係………南洋協会新嘉坡商品陳列館………（六三）

　蘭領東印度土地法規………南洋協会爪哇支部常任幹事　小谷淡雲………（七五）

雑録

　　南洋奇聞（四五）………三吉香馬………（七七）

　　交通機関は汽車かバスか（二）………佐藤惣三郎………（八〇）

　　南国土民の冠婚葬祭………吉田梧郎………（八五）

　　馬来半島からセレベスまで………南洋協会爪哇支部常任幹事　小谷淡雲………（八九）

　　南洋各地商況………（九七）

　　近事一束………（一〇五）

本会報告

　　本部―関西支部―新嘉坡商品陳列館―スラバヤ日本商品陳列所―新入会員―本部備付図書………
　　　　（一一四）

口絵

　　□徳川頼貞侯・鎌田栄吉氏一行歓迎紀念―□仏領印度支那安南王国順化府郊外孔子廟進士碑―□仏
　　領印度支那安南王国順化府城遠望

◆『南洋協会雑誌』第十三巻第二号（［昭和二年］二月一日発行）

論説

　　昭和の新時代を迎ふ………（二）

説苑

　　日暹関係に就て………駐暹羅特命全権公使　林久治郎………（五）

資料

　　英領馬来市場の刃物及金属製品………南洋協会新嘉坡商品陳列館………（一六）

　　爪哇に輸入せらるゝベニヤ・チエストに就て………南洋協会スラバヤ日本商品陳列所………（二一）

　　海峡植民地に於けるベニヤ及モミ函輸入状況………南洋協会新嘉坡商品陳列館………（二九）

　　ガムビヤに就て………南洋協会新嘉坡商品陳列館………（三二）

　　印度製茶業大観………（五六）

　　蘭領東印度の海運界………南洋協会スラバヤ日本商品陳列所………（五八）

　　我国の人口及び食糧問題に就いて………井上雅二………（七一）

雑録

　　南洋奇聞（四六）………三吉香馬………（七七）

　　瀬戸清次郎君を悼む………正木吉右衛門………（八〇）

　　ジヤワ印象記………宇都宮高等農林学校教授農学博士　松井謙吉………（八二）

　　インダラギリを訪ふ………南洋協会スマトラ地方調査嘱託　池田覚次郎………（九六）

　　馬来半島からセレベスまで（二）………南洋協会爪哇支部常任幹事　小谷淡雲………（九九）

　　南洋各地商況………（一〇六）

第十二次スラバヤ年市………（一一六）

　　近時一束………（一一九）

本会報告

　　本部─台湾支部─スラバヤ日本商品陳列所─新嘉坡商品陳列館─新入会員─本部備付図書………
　　　　（一二六）

口絵

　　□前南洋協会理事故藤瀬政次郎君─第十二次スラバヤ年市日本館の外観─□同上内部の一部─□爪
　　　哇の水郷─□仏領印度支那河内国際見本市

◆『南洋協会雑誌』第十三巻第三号（［昭和二年］三月一日発行）

　　本会の趣旨………（一）

論説

　　海外発展と共存共栄………（二）

説苑

　　英領南洋事情………南洋協会新嘉坡商品陳列館長　石井健三郎………（五）

資料

　　一九二六年上半期の仏領印度支那輸出入………南洋協会新嘉坡商品陳列館………（一五）

　　我国の人口及び食糧問題に就いて（二）………井上雅二………（二〇）

　　蘭領東印度の工業概観………南洋協会スラバヤ日本商品陳列所………（三八）

　　栽培事業と金融………南洋協会新嘉坡商品陳列館………（四九）

　　馬来に於ける絹織物の輸入状況………南洋協会新嘉坡商品陳列館………（五二）

　　一九二六年爪哇及マドラ輸出貿易………南洋協会スラバヤ日本商品陳列所………（六三）

　　新嘉坡市場に於ける王冠コルクの需給………南洋協会新嘉坡商品陳列館………（六五）

　　爪哇に於ける王冠コルク需給………南洋協会スラバヤ日本商品陳列所………（六六）

　　英領馬来に於ける電気事業の概況………南洋協会新嘉坡商品陳列館………（七一）

　　暹羅の鉱業………（七四）

　　将来に於ける護謨生産と消費………佐藤惣三郎………（七九）

雑録

　　南洋奇聞（四七）………三吉香馬………（八五）

　　南国土民の冠婚葬祭（二）………吉田梧郎………（八八）

　　ジヤワ印象記（二）………宇都宮高等農林学校教授農学博士　松井謙吉………（九〇）

　　馬来半島からセレベスまで（三）………南洋協会爪哇支部常任幹事　小谷淡雲………（一〇八）

　　南洋各地商況………（一一六）

本会報告

本部―関西支部―新嘉坡商品陳列館―台湾支部―爪哇支部―新入会員―本部備付図書………（一二八）

口絵

　□蘭艦スマトラ艦長スコーラー大佐士官招待観劇会記念―□比律賓群島ミンダナオ島ダバオ湾内に於けるモロー族漁夫の水上家屋―□同上ダバオ太田興業会社創立者太田恭三郎君紀念碑前に於ける我代議士諸氏一行―□同上ダバオ付近の山野に居住するバゴボ族の家屋

◆『南洋協会雑誌』第十三巻第四号（[昭和二年] 四月一日発行）

　本会の趣旨………（一）

論説

　海外移住組合に就て………（二）

説苑

　仏領印度支那事情………駐西貢帝国領事　寺島廣文………（五）

資料

　爪哇及スマトラの土壌………南洋協会爪哇支部常任幹事　小谷淡雲………（一三）

　我国の人口及び食糧問題に就いて（三）………井上雅二………（一八）

　一九二六年下半期英領馬来の輸入綿織物………南洋協会新嘉坡商品陳列館………（四二）

　爪哇に輸入せらるゝ生果物………南洋協会スラバヤ日本商品陳列所………（四七）

　比律賓の木材………南洋協会比律賓地方調査嘱託　榎本信一………（五〇）

　爪哇に於けるタピオカ生産と輸出………南洋協会スラバヤ日本商品陳列所………（五五）

　スマトラ苦力條例及アッシスタント規則………古河護謨園　土屋　拡訳………（六〇）

　暹羅に於けるチークの現在及将来………在盤谷帝国領事　郡司喜一………（八五）

雑録

　南洋奇聞（四八）………三吉香馬………（八九）

　馬来半島からセレベスまで（四）………南洋協会爪哇支部常任幹事　小谷淡雲………（九三）

　売薬の売行と印度人の病種………在孟買帝国領事　玉木勝次郎………（九九）

　自動車製造業の前途………南洋栽培協会………（一〇二）

　ニューギニア島とストルリング探険隊………竹村生………（一〇五）

　南洋各地商況………（一〇八）

　近事一束………（一一九）

本会報告

　本部―爪哇支部―新入会員………（一二六）

口絵

　□涼風来―□徳川頼貞侯鎌田栄吉氏島薗順次郎博士歓迎講演晩餐会

◆『南洋協会雑誌』第十三巻第五号（[昭和二年] 五月一日発行）

　本会の趣旨………（一）

論説

　台湾銀行の休業と南洋………（二）

説苑

　我国策と南洋進展………南洋協会副会頭　藤山雷太………（五）

　南洋旅行談………東京帝国大学教授医学博士　島薗順次郎………（一五）

資料

　海峡植民地市場に於ける硝子製品………南洋協会新嘉坡商品陳列館………（二六）

　爪哇スマトラの土壌（二）………南洋協会爪哇支部常任幹事　小谷淡雲………（三二）

　蘭領印度現行商標條例………南洋協会爪哇支部訳編………（四二）

　世界に於ける護謨の生産量と消費高………南洋栽培協会………（五一）

　蘭領東印度の胡椒………南洋協会スラバヤ日本商品陳列所………（五七）

　一九二七年度の護謨………エー・ダブリユー・ステイル………（六〇）

雑録

　サンバレス紀行………マニラ　榎本信一………（六三）

　南洋奇聞（四九）………三吉香馬………（六八）

　馬来半島からセレベスまで（五）………南洋協会爪哇支部常任幹事　小谷淡雲………（七二）

　南洋各地商況………（七七）

　近事一束………（八五）

本会報告

　本部―台湾支部―新嘉坡商品陳列館―新入会員―本部備付図書………（九三）

口絵

　□夕照―□商工省旅商第二班見本市―□同上

◆『南洋協会雑誌』第十三巻第六号（[昭和二年] 六月一日発行）

　本会の趣旨………（一）

論説

　台銀在南支店の存続拡充の要………（二）

説苑

　対蘭領東印度輸出貿易に就て………南洋協会スラバヤ日本商品陳列所長　安江安吉………（五）

　南遊所見………貴族院議員　鎌田栄吉………（一三）

資料

　蘭領東印度の農業概観………南洋協会スラバヤ日本商品陳列所………（二三）

144　Ⅱ. 南洋協会発行雑誌　総目録

　　爪哇及スマトラの土壌（三）………南洋協会爪哇支部常任幹事　小谷淡雲………（四一）
　　新嘉坡市内主なる日本商品の輸入販売業者………南洋協会新嘉坡商品陳列所………（五一）
　　一九二六年爪哇及マドラの貿易と日本の地位………南洋協会スラバヤ日本商品陳列所………（五六）
　　繁殖法による護謨園の根本的改善策………農学士　芳賀鍬五郎………（六九）
　　爪哇に輸入せらるゝ扇風器に就て………南洋協会スラバヤ日本商品陳列所………（八一）
雑録
　　サンバレス紀行（二）………マニラ　榎本信一………（八五）
　　南洋奇聞（五〇）………三吉香馬………（九〇）
　　馬来半島からセレベスまで（六）………南洋協会爪哇支部常任幹事　小谷淡雲………（九六）
　　南洋各地商況………（一〇四）
　　近事一束………（一一三）
　　マニラ・カーニバル祭商工展覧会と本邦参加………在マニラ帝国総領事　縫田栄四郎………（一二四）
本会報告
　　本部―台湾支部―スラバヤ日本商品陳列所―爪哇支部―新入会員―本部備付図書………（一二八）
口絵
　　□比律賓ザンボアンガ近傍―□南洋協会スラバヤ日本商品陳列所に於て開催せる商工省旅商第二班
　　見本展示会―マニラ・カーニバル祭会場夜景―□同上商工展覧会日本館全景―□マニラ・カーニ
　　バル祭商工展覧会日本館内部

◆『南洋協会雑誌』第十三巻第七号（[昭和二年] 七月一日発行）
　　本会の趣旨………（一）
論説
　　商工省大阪貿易通報事務所の開設に就て………（二）
説苑
　　南遊所感………林業試験技師　森　三郎………（五）
　　南遊所見（二）………貴族院議員　鎌田栄吉………（一四）
資料
　　一九二六年下半期に於ける英領馬来対日主要品貿易及前年同期の比較対照………南洋協会新嘉坡商
　　　品陳列所………（二四）
　　護謨ストックの概要………A・W・S………（四五）
　　コカの研究………南洋協会爪哇支部………（四八）
　　護謨の将来に就いて………ダビット・エム・フイガート………（五七）
　　海峡植民地市場に於ける帽子………南洋協会新嘉坡商品陳列所………（五九）
雑録

暹羅最近外交界の一大成功………暹羅地方調査嘱託　山口　武………（六四）

　南洋奇聞（五一）………三吉香馬………（六七）

　仏領印度支那に於る仏人実業家の見たる日本と其の通商問題………海防　水谷乙吉………（七二）

　世界最人の花ラフレシヤ・アーノルヂー………（七五）

　南洋各地商況………（七七）

　近事一束………（八八）

本会報告

　本部―新嘉坡商品陳列所―本部備付図書………（九八）

口絵

　□緬甸蘭貢市街の一部―□比律賓に於ける寺院―□比律賓マニラ市場に陳列せる土人製作品

◆『南洋協会雑誌』第十三巻第八号（［昭和二年］八月一日発行）

　本会の趣旨………（一）

論説

　人口食料問題調査会設置に就て………（二）

説苑

　南遊所見（三）………貴族院議員　鎌田栄吉………（四）

　南洋企業組織に就て………ジヨホール護謨栽培株式会社長　岡部常太郎………（二二）

資料

　南洋地質鉱産の研究………岩佐徳三郎………（二七）

　二十世紀の初頭二十五年間に於ける人口の増加に関する調査摘要………農林省農務局米穀課………（三二）

　護謨芽接費、砧木及土壌………南洋協会新嘉坡商品陳列所………（三九）

　護謨の三大市場………佐藤惣三郎………（四四）

　蘭領東印度の貨物税………南洋協会スラバヤ日本商品陳列所………（五七）

　蘭領西部ボルネオ踏査記………東京帝国大学嘱託　吉田梧郎………（五九）

雑録

　暹羅政界の近情………暹羅地方調査嘱託　山口　武………（六三）

　南洋奇聞（五二）………三吉香馬………（六六）

　南洋各地商況………（七一）

本会報告

　本部―新嘉坡商品陳列所―台湾支部―新入会員―本部備付図書………（七七）

口絵

　□南洋協会新嘉坡商品陳列所主催第一回商品見本陳列会―□仏領印度支那の塩田―□同上

付録

　□南洋協会会員名簿（昭和二年七月二十日現在調）

◆『南洋協会雑誌』第十三巻第九号（[昭和二年] 九月一日発行）

　本会の趣旨………（一）

論説

　比島総督ウツド将軍の死を悼む………（二）

説苑

　南洋企業組織に就て（二）………ジヨホール護謨栽培株式会社長　岡部常太郎………（五）

　仏領印度支那の近状………南洋協会仏領印度支那地方調査嘱託　横山正脩………（一〇）

資料

　蘭領印度に於ける日本製燐寸の輸入減少の理由と其の挽回策………南洋協会スラバヤ日本商品陳列所………（一六）

　南洋地質鉱産の研究（二）………岩佐徳三郎………（二五）

　英領印度に於ける時計市場………（三〇）

　一九二六年度に於けるスマトラ東海岸州の経済概観………南洋協会スラバヤ日本商品陳列所………（三六）

　仏領印度支那南部地方栽培業の将来………（四三）

　海峡植民地市場に於ける傘類………南洋協会新嘉坡商品陳列所………（四六）

　護謨の三大市場（二）………佐藤惣三郎………（五〇）

　蘭領西部ボルネオ踏査記（二）………東京帝国大学嘱託　吉田梧郎………（五四）

　我国移植民政策に就て（摘録）………井上雅二………（五九）

　爪哇支那日本汽船会社の活躍と日蘭貿易………南洋協会爪哇支部常任幹事　小谷淡雲………（六九）

雑録

　ハノイ見本市に就て………南洋協会新嘉坡商品陳列所仏領印度支那調査嘱託　松下光廣………（七二）

　暹羅政界名士の面影………南洋協会暹羅地方調査嘱託　山口　武………（七七）

　札幌南洋展覧会………胡　洋生………（八〇）

　南洋奇聞（五三）………三吉香馬………（八二）

　南洋各地商況………（八六）

　近事一束………（九七）

　新嘉坡、スマトラ、彼南、馬来半島、ビルマ、バンコツク、四十五日間の旅行表………（一〇六）

本会報告

　本部―新嘉坡商品陳列所―新入会員―本部備付図書………（一〇八）

口絵

□南洋協会第十九回定時総会晩餐会―□南洋展覧会々場

◆『南洋協会雑誌』第十三巻第十号（[昭和二年]十月一日発行）
　本会の趣旨………（一）
論説
　国際愛より出発せる対南発展………（二）
説苑
　南洋に於ける栽培企業に就て………農学士　芳賀鍬五郎………（五）
　南洋の海運………南洋協会理事　伊東米治郎………（一一）
資料
　南洋地質鉱産の研究（三）………岩佐徳三郎………（三〇）
　仏領印度支那と本邦売薬………南洋協会新嘉坡商品陳列所仏領印度支那地方調査嘱託　松下光廣
　　………（二六）
　我国移植民政策に就て（二）摘録………井上雅二………（二九）
　蘭領印度市場に於ける亜鉛鍍金板の需給状況と日本製品に対する希望………南洋協会スラバヤ日本
　　商品陳列所………（四九）
　蘭領西部ボルネオ踏査記（三）………東京帝国大学嘱託　吉田梧郎………（五六）
　蘭領東印度に於ける菓子需給状況………南洋協会スラバヤ日本商品陳列所………（六〇）
　護謨の三大市場（三）………佐藤惣三郎………（七〇）
　爪哇及スマトラの土壌（四）………南洋協会爪哇支部常任幹事　小谷淡雲………（七四）
雑録
　スマトラ、アチエ東海岸南部タパヌリ及パダン州を訪ふ………南洋協会スマトラ地方調査嘱託　池
　　田覚次郎………（八二）
　暹羅政界名士の面影（二）………南洋協会暹羅地方調査嘱託　山口　武………（八七）
　南洋奇聞（五四）………三吉香馬………（八九）
　日本製布株式会社捺染綿布陳列会と其効果………南洋協会スラバヤ日本商品陳列所………（九三）
　南洋諸地方に於ける支那人の日貨排斥………（九五）
　南洋各地商況………（一〇〇）
本会報告
　本部―スラバヤ日本商品陳列所―新嘉坡商品陳列所―新入会員―本部備付図書………（一一一）
口絵
　□万国無線電信会議参列のため横浜出帆の大洋丸に便乗せる内田本会副会頭―□南洋協会スラバヤ
　　日本商品陳列所に於ける日本製布株式会社捺染綿布陳列会の一部

◆『南洋協会雑誌』第十三巻第十一号（［昭和二年］十一月一日発行）

　本会の趣旨………（一）

論説

　対外的気魄の欠乏を憂ふ………（二）

説苑

　南洋に於ける栽培企業に就て（二）………農学士　芳賀鍬五郎………（五）

　護謨園の寿命に就て………三五公司技師　小田　修………（一一）

資料

　仏領印度支那新内国税の徴収開始………南洋協会新嘉坡商品陳列所仏領印度支那地方調査嘱託　松下光廣………（二〇）

　南洋地質鉱産の研究（四）………岩佐徳三郎………（二二）

　仏領印度支那南部企業の現在及将来………（二八）

　蘭領西部ボルネオ踏査記（四）………東京帝国大学嘱託　吉田梧郎………（三一）

　爪哇及スマトラの土壌（五）………南洋協会爪哇支部常任幹事　小谷淡雲………（三七）

　護謨価の下落と護謨株の消長………南洋協会新嘉坡商品陳列所………（四五）

　アムステルダム護謨市場の沿革と将来………佐藤惣三郎訳補………（四九）

　護謨樹の切付方法………南洋栽培協会………（五六）

　本邦に於て爪哇更紗模造品製造開始に関する諸考察………南洋協会スラバヤ日本商品陳列所………（六〇）

　シヤン・ステートの経済概観………国分正三………（六八）

　南洋郵船の爪哇直行定期航路開始………（八〇）

雑録

　南洋奇聞（五五）………三吉香馬………（八一）

　南洋各地商況………（八四）

　近時一束………（九三）

本会報告

　本部―台湾支部―新嘉坡商品陳列所―新入会員―本部備付図書………（九九）

口絵

　□南洋協会スラバヤ日本商品陳列所に於ける大倉喜七郎男一行―□南洋協会スラバヤ日本商品陳列所に於て大倉喜七郎男一行の観覧に供したる南洋古美術品陳列の一部

◆『南洋協会雑誌』第十三巻第十二号（［昭和二年］十二月一日発行）

　本会の趣旨………（一）

論説

昭和二年を送る………（二）
説苑
　　南洋に於ける邦人の遺跡を訪ねて………遅塚麗水………（五）
資料
　　爪哇及スマトラの土壌（六）………南洋協会爪哇支部常任幹事　小谷淡雲………（一一）
　　蘭領西部ボルネオ踏査記（五）………東京帝国大学嘱託　吉田梧郎………（一九）
　　南洋地質鉱産の研究（五）………岩佐徳三郎………（二五）
　　南洋漁業の現状と本邦漁網の割込に就て………南洋協会新嘉坡商品陳列所………（三二）
　　投資国別上より見たるスマトラ東海岸州の栽培業………南洋協会スラバヤ日本商品陳列所………（三八）
　　護謨輸出制限第五年末に於ける英領馬来………南洋協会新嘉坡商品陳列所………（四一）
　　砂糖椰子………南洋協会南洋栽培企業調査嘱託　増淵佐平………（四五）
雑録
　　南洋奇聞（五六）………三吉香馬………（四八）
　　スマトラ東海岸南部を巡る………南洋協会スマトラ地方調査嘱託　池田覚次郎………（五三）
　　南洋各地商況………（五八）
　　スマトラ近信………南洋協会南洋栽培企業調査嘱託　増淵佐平………（六五）
本会報告
　　本部―爪哇支部―南洋群島支部―新嘉坡商品陳列所―新入会員―本部備付図書………（六六）
口絵
　　□マニラ日本人小学校の大運動会―□比律賓群島ミンダナヲ島ダバオ湾に於けるモロー族漁夫の水上家屋―□南洋協会新嘉坡商品陳列所陳列の一部

◆『南洋協会雑誌』第十四巻第一号（［昭和三年］一月一日発行）
　　本会の趣旨………（一）
論説
　　対南洋関係諸団体の出生………（二）
　　スマトラに於けるマニラ麻………（三）
説苑
　　南洋に於ける邦人の遺跡を訪ねて（二）………遅塚麗水………（五）
資料
　　蘭領東印度の石炭………吉村万治………（一四）
　　爪哇の漁業並漁具の需要………南洋協会スラバヤ日本商品陳列所………（二四）
　　産出多量の護謨樹の栽培………南洋栽培協会………（三〇）

150   Ⅱ．南洋協会発行雑誌　総目録

　　馬来半島に於ける下級化粧品………南洋協会新嘉坡商品陳列所………（三七）

　　蘭領西部ボルネオ踏査記（六）………東京帝国大学嘱託　吉田梧郎………（四〇）

　　中島総領事一行の渡南と蘭印各地の新聞………南洋協会スラバヤ日本商品陳列所………（四〇）

　　熱帯に於ける陸稲栽培………南洋協会モロツカス群島調査嘱託　江川俊治………（四九）

　　蘭領東印度に於ける日本製自転車並部分品の現況………南洋協会スラバヤ日本商品陳列所………（五四）

　　爪哇及スマトラの土壌（七）………南洋協会爪哇支部常任幹事　小谷淡雲………（六二）

　　海峡植民地並馬来聯邦州に於ける商標の登録………南洋協会新嘉坡商品陳列所………（七一）

　　南洋地質鉱産の研究（六）………岩佐徳三郎………（七三）

　　大阪商船の南洋定期航路時間短縮………（八一）

　　一九二四年護謨輸出制限條令の改正………南洋協会新嘉坡商品陳列所………（八四）

　　蘭領東印度に於ける小麦粉輸入状況と我国小麦粉の将来………南洋協会スラバヤ日本商品陳列所………（八七）

雑録

　　尊敬すべき栽培家ヴーネエーセン兄弟………南洋協南洋栽培企業調査嘱託　増淵佐平………（九四）

　　日、比、米人共栄の地ダバオ………在ダバオ　黒潮舟人………（一〇〇）

　　南洋奇聞（五七）………三吉香馬………（一〇二）

　　南洋各地商況………（一〇五）

　　近時一束………（一一四）

本会報告

　　本部―新嘉坡商品陳列所―台湾支部―新入会員―本部備付図書………（一二四）

口絵

　　□常夏の国にも春光あり―□在倫敦帝国協会内に常設せる倫敦護謨栽培協会出品の馬来半島に於ける護謨園のデイオラマ―□同上―□南洋協会スラバヤ日本商品陳列所シヨウ・ウインドウに陳列展示せる東京宮田製作所完成自転車（記事蘭領東印度に於ける日本製自転車並其部分品の現況参照）―□南洋協会スラバヤ日本商品陳列所内に於ける株式会社守谷商会自転車部分品販売部陳列の状況―（同上）―□南洋協会新嘉坡商品陳列所楼上に於ける大阪輸出協会の大阪優良品バザー―（本会報告参照）―□同上

◆『南洋協会雑誌』第十四巻第二号（[昭和三年] 二月一日発行）

　　本会の趣旨………（一）

論説

　　比律賓総督の新任………（二）

　　鮮満と南洋………（三）

説苑
　比律賓材話………高野　実………（五）
　支那の社会本質に就いて………経済学博士　木村増太郎………（一四）
資料
　スマトラ東海岸州事情………南洋協会南洋栽培企業調査嘱託　増淵佐平………（一八）
　熱帯に於ける陸稲栽培（二）………南洋協会モロツカス群島調査嘱託　江川俊治………（二七）
　蘭領西部ボルネオ踏査記（七）………東京帝国大学嘱託　吉田梧郎………（三二）
　南洋地質鉱産の研究（七）………岩佐徳三郎………（三九）
　蘭領東印度に於ける小麦粉輸入状況と我国小麦粉の将来（二）………南洋協会スラバヤ日本商品陳列所………（四五）
　土人護謨と蘭領東印度………南洋協会新嘉坡商品陳列所………（五四）
　爪哇に於ける硝子製品市況―に併せて大阪製品に対する悪評に鑑み当業者の反省を求む………南洋協会スラバヤ日本商品陳列所………（六〇）
　護謨供給の調節………佐藤惣三郎………（六四）
雑録
　尊敬すべき栽培家ヴーネエーセン兄弟（二）………南洋協会南洋栽培企業調査嘱託　増淵佐平………（七二）
　南洋奇聞（五八）………三吉香馬………（七七）
　スマトラ東海岸南部を巡る（二）………南洋協会スマトラ地方調査嘱託　池田覚次郎………（八〇）
　南洋各地商況………（八四）
　近事一束………（九〇）
本会報告
　本部―新嘉坡商品陳列所―スラバヤ日本商品陳列所―台湾支部―新入会員―本部備付図書………（九九）
口絵
　□スマトラ東海岸ルペル・クルツール・マーツカペー・アムステルダムのプル・ラヂヤ・エステートに於ける最新式の機械を設備せるオイル・パーム工場―□最新の栽培方法に依る護謨豊産樹芽接の状況

◆『南洋協会雑誌』第十四巻第三号（［昭和三年］三月一日発行）
　本会の趣旨………（一）
論説
　事業家と信念………（二）
説苑

比律賓材話（二）………高野　実………（五）

　　支那の社会本質に就いて（二）………経済学博士　木村増太郎………（一〇）

資料

　　蘭領東印度に於ける永租借権延長問題………南洋協会爪哇支部常任幹事　小谷淡雲………（一五）

　　蘭領東印度に於ける小麦粉輸入状況と我国小麦粉の将来（三）………南洋協会スラバヤ日本商品陳列所………（二五）

　　護謨園改良の急務………南洋協会南洋栽培企業調査嘱託　増淵佐平………（二九）

　　英領馬来市場に於けるケーブル其他ワイヤ製品の現況………南洋協会新嘉坡商品陳列所………（三五）

　　蘭印に於ける日本製飴の販路獲得に対する希望………南洋協会スラバヤ日本商品陳列所………（四〇）

　　タピオカ澱粉と甘藷澱粉の現勢………千葉県農会技師　高橋深蔵………（四四）

　　護謨供給の調節（二）………佐藤惣三郎………（五二）

　　フイリッピン群島鉱業の過去及現在………理学士　石井清彦………（五五）

　　蘭領西部ボルネオ踏査記（八）………東京帝国大学嘱託　吉田梧郎………（六二）

　　南洋地質鉱産の研究（八）………岩佐徳三郎………（六七）

雑録

　　南洋奇聞（五九）………三吉香馬………（七九）

　　馬来半島からセレベスまで（七）………南洋協会爪哇支部常任幹事　小谷淡雲………（八三）

　　南洋各地商況………（九〇）

　　近事一束………（九四）

本会報告

　　本部―新嘉坡商品陳列所―爪哇支部―新入会員―本部備付図書………（一〇〇）

口絵

　　□南洋群島ヤツプ島オールメンハウス―□南洋協会新嘉坡商品陳列所に於ける内田副会頭

◆『南洋協会雑誌』第十四巻第四号（［昭和三年］四月一日発行）

　　本会の趣旨………（一）

論説

　　人口問題対策と対南事業………（二）

説苑

　　比律賓材話（三）………高野　実………（五）

資料

　　タピオカ澱粉と甘藷澱粉の現勢（二）………千葉県農会技師　高橋深蔵………（一二）

　　英領馬来市場に於けるケーブル其他ワイヤ製品の現況（二）………南洋協会新嘉坡商品陳列所………（二一）

フイリッピン群島鉱業の過去及現在（二）………理学士　石井清彦………（三三）

蘭領東印度に捺染綿布輸出増進の為め我国製造業者に対する希望………南洋協会スラバヤ兼新嘉坡商品陳列所長　安江安吉………（四一）

爪哇及スマトラの土壌（八）………南洋協会爪哇支部常任幹事　小谷淡雲………（四五）

一九二七年蘭領東印度貿易に於ける日本の地位………南洋協会スラバヤ日本商品陳列所………（五三）

護謨供給の調節（三）………佐藤惣三郎………（七五）

最近の錫情況………南洋協会新嘉坡商品陳列所………（八〇）

仏領印度支那の石油………南洋協会仏領印度支那地方調査嘱託　塩田谷五郎………（八〇）

マニラ魚市場を左右する邦人漁業の発展状態………在マニラ　青山龍吉………（八四）

最近に於ける南洋護謨界の真相………佐藤惣三郎………（九〇）

雑録

　南洋奇聞（六〇）………三吉香馬………（九六）

　スマトラ東海岸南部を巡る（三）………南洋協会スマトラ地方調査嘱託　池田覚次郎………（一〇〇）

　南洋各地商況………（一〇五）

　近事一束………（一一〇）

本会報告

　本部―爪哇支部―新入会員―本部備付図書………（一二四）

口絵

　□カトンの椰子風―□マニラ港トンド日本人漁業組合漁船（記事「マニラ魚市場を左右する邦人漁業の発展状態」参照―□同上組合漁場―□内田本会副会頭並井上本会専務理事歓迎送別晩餐会(本会報告参照）―□南洋協会第十回和蘭語講習会講師朝倉純孝氏謝恩会（本会報告参照）

◆『南洋協会雑誌』第十四巻第五号〔[昭和三年] 五月一日発行〕

　本会の趣旨………（一）

論説

　護謨の輸出制限撤廃と其の今後に於ける栽培事業………（二）

説苑

　比律賓材話（四）………高野　実………（五）

　緬甸事情………南洋協会緬甸地方調査嘱託　国分正三………（一六）

資料

　蘭領東印度に捺染綿布輸出増進の為め我国製造業者に対する希望（二）………南洋協会スラバヤ兼新嘉坡商品陳列所長　安江安吉………（二七）

　フイリッピン群島鉱業の過去及現在（三）………理学士　石井清彦………（三七）

　蘭領東印度の契約苦力待遇改善問題………南洋協会新嘉坡商品陳列所………（四一）

154　Ⅱ．南洋協会発行雑誌　総目録

　　タピオカ澱粉と甘藷澱粉の現勢（三）………千葉県農会技師　高橋深蔵………（四三）
　　蘭領西部ボルネオ踏査記（九）………東京帝国大学嘱託　吉田梧郎………（五五）
　　一九二七年蘭領東印度貿易に於ける日本の地位（二）………南洋協会スラバヤ日本商品陳列所………
　　　　（六四）
　　馬来半島に於けるオイルパーム栽培予定地に就て………南洋協会新嘉坡商品陳列所………（七三）
　　古柯に就て………南洋協会新嘉坡商品陳列所主事　増淵佐平………（七八）
　　等高台地の構造に就いて………佐藤惣三郎………（八五）
　　仏領印度支那の官有地使用許可に対する新制度………海防　水谷乙吉………（八九）
雑録
　　第一回西貢見本市に就て………南洋協会仏領印度支那地方調査嘱託　塩田谷五郎………（九二）
　　北太平洋上より………井上雅二………（九五）
　　南洋発展と二つの難問題………江川俊治………（九六）
　　爪哇会東京に生る………（一〇〇）
　　南洋各地商況………（一〇三）
　　近事一束………（一〇八）
本会報告
　　□本部─台湾支部─新嘉坡商品陳列所─新嘉坡支部─新入会員─本部備付図書………（一一五）
口絵
　　□南洋協会主催林前暹羅駐劄特命全権公使中島総領事藤原バタビヤ日本人小学校長歓迎送別晩餐会
　　　─□第一回西貢見本市（上）中央交趾支那館（中）日本商業会議所聯合会売店（下）見本市正門
　　　入口─□新嘉坡南天酒楼に於ける商工省旅商邦商華僑招待会─□商工省旅商第一班新嘉坡展示会

◆『南洋協会雑誌』第十四巻第六号（［昭和三年］六月一日発行）
　　本会の趣旨………（一）
論説
　　我が対南発展と排日運動………（二）
説苑
　　緬甸事情（二）………南洋協会緬甸地方調査嘱託　国分正三………（四）
資料
　　タピオカ澱粉と甘藷澱粉の現勢（四）………千葉県農会技師　高橋深蔵………（一一）
　　爪哇及スマトラの土壌（九）………南洋協会爪哇支部常任幹事　小谷淡雲………（一九）
　　一九二七年蘭領東印度貿易に於ける日本の地位（三）………南洋協会スラバヤ日本商品陳列所………
　　　　（二七）
　　古柯に就て（二）………南洋協会新嘉坡商品陳列所主事　増淵佐平………（四五）

蘭領東印度に輸入せらるゝ綾木綿………南洋協会スラバヤ日本商品陳列所………（五三）

油椰子油と綿種実油………南洋協会新嘉坡商品陳列所主事　増淵佐平………（六四）

蘭領西部ボルネオ踏査記（十）………東京帝国大学嘱託　吉田梧郎………（七〇）

等高台地の構造に就いて（二）………佐藤惣三郎………（八四）

護謨芽接に就いて………南洋協会スマトラ地方調査嘱託　池田覚次郎………（八七）

蘭領東印度に於けるシトロネラ油………南洋協会スラバヤ日本商品陳列所………（九三）

商工省旅商見本展示会とスラバヤ年市に対するスラバヤ市長の意見………南洋協会スラバヤ日本商品陳列所………（九四）

事変発生後に於ける護謨の新生産と消費の予想………佐藤惣三郎………（一〇一）

雑録

　ハバナ行の舟中より………井上雅二………（一〇三）

　南洋発展と二つの難問題（二）………江川俊治………（一一〇）

　南洋各地に於ける日貨排斥………（一一四）

　南洋各地商況………（一一五）

　近事一束………（一一九）

本会報告

　本部―台湾支部―南洋群島支部―新嘉坡商品陳列所―爪哇支部―スラバヤ日本商品陳列所―新入会員―本部備付図書………（一二四）

口絵

　□海中に没せるクラカタウ島―□南洋協会スラバヤ日本商品陳列所階上に於ける商工省旅商第一班商品見本展示会―□蘭領東印度の風光―□南洋協会マニラ支部斡旋により開催せる商工省旅商第一班マニラ商品見本展示会―□スラバヤ日本人会館に於ける商工省旅商第一班主催日本風景及製造工業商会宣伝活動写真並本邦食料品試食会

◆『**南洋協会雑誌**』**第十四巻第七号**（[昭和三年] 七月一日発行）

　本会の趣旨………（一）

論説

　汎米と弗の力………井上雅二………（二）

説苑

　護謨栽培事業の今昔………三五公司技師林学士　小田　修………（四）

資料

　南洋に於ける亜鉛板………南洋協会新嘉坡商品陳列所主事　増淵佐平………（二〇）

　蘭領東印度に於けるゴムコパル………南洋協会スラバヤ日本商品陳列所………（二六）

　護謨事業の将来………佐藤惣三郎………（三二）

スマトラに於ける肥料市場………南洋協会スラバヤ日本商品陳列所………（三四）

　古柯に就て（三）………南洋協会新嘉坡商品陳列所主事　増淵佐平………（三八）

　英領馬来に於けるトマト・サーデイン缶詰………南洋協会新嘉坡商品陳列所………（四四）

　爪哇及スマトラの土壌（十）………南洋協会爪哇支部常任幹事　小谷淡雲………（四九）

　護謨市価暴落と将来の南洋栽培企業………南洋協会新嘉坡商品陳列所主事　増淵佐平………（五九）

雑録

　ハバナよりリオへ………井上雅二………（六九）

　第一回西貢見本市に就て（二）………南洋協会仏領印度支那地方調査嘱託　塩田谷五郎………（七七）

　南洋各地に於ける日貨排斥………（八六）

　南洋各地商況………（九二）

　近事一束………（九八）

本会報告

　□本部―台湾支部―新嘉坡商品陳列所―爪哇支部―新入会員―本部備付図書………（一一二）

口絵

　□東部爪哇の勝地トサリの奥ブロモ火山の麓にあるサンド・シー（砂海）の奇観―□比律賓ダバオ日本人会経営ミンタル小学校運動会

◆『南洋協会雑誌』第十四巻第八号（［昭和三年］八月一日発行）

　本会の趣旨………（一）

論説

　本会東海支部設置さる………（二）

説苑

　暹羅の近情………前暹羅駐剳特命全権公使　林久治郎………（四）

　緬甸事情（三）………南洋協会緬甸地方調査嘱託　国分正三………（一二）

資料

　蘭領東印度市場に於ける日本製亜鉛鉄板の改良を要す可き所以………南洋協会スラバヤ日本商品陳列所………（一九）

　爪哇の関税に就て………南洋協会嘱託　目崎得養………（二三）

　籐に就て………南洋協会新嘉坡商品陳列所長代理　増淵佐平………（二八）

　蘭領東印度に輸入せらるゝ綾木綿（二）………南洋協会スラバヤ日本商品陳列所………（三八）

　台頭せんとする南洋の工業時代………南洋協会新嘉坡商品陳列所………（四五）

　蘭印の椰子油………南洋協会スラバヤ日本商品陳列所………（六一）

　伊太利国護謨事業の現況………佐藤惣三郎………（六六）

　一九二八年第三期蘭印輸入税評定価格………南洋協会スラバヤ日本商品陳列所………（六九）

蘭領西部ボルネオ踏査記（十一）………東京帝国大学嘱託　吉田梧郎………（七三）
蘭国側より観たる最近の護謨生産調節問題………在和蘭日本帝国公使館………（八〇）
護謨栽培事業より観たる大アマゾン河流域と南洋………蘆澤安平………（八五）
三千万台を突破せる世界の自動車数………佐藤惣三郎………（九一）

雑録

薨去せられたる暹羅元帥バノラングセー親王殿下………南洋協会暹羅地方調査嘱託　山口　武………（九六）
ドーセ河畔の国を巡りて………井上雅二………（九八）
支那の客批館に就て………小川南洋………（一〇六）
熱帯衛生を読みて感あり………南洋協会モルツカス群島調査嘱託　江川俊治………（一〇九）
南洋各地に於ける日貨排斥………（一一一）
南洋各地商況………（一一五）
近事一束………（一二一）

本会報告

□本部―東海支部―台湾支部―南洋群島支部―新嘉坡商品陳列所―爪哇支部―スラバヤ日本商品陳列所―新入会員―本部備付図書………（一二七）

口絵

□南洋協会第二十回定時総会晩餐会―□七月一日開校式を挙げたバタビヤ日本人小学校児童並父兄（右上）スラバヤ日本人小学校々舎（左上）バタビヤに入港の練習艦隊出雲艦に御搭乗の高松宮殿下を奉迎せる我が同胞（中央）―□薨去せられたる暹羅元帥バノラングセー親王殿下―□六月二六日名古屋商工会議所に於て挙行せる南洋協会東海支部発会式の盛況

◆『南洋協会雑誌』第十四巻第九号（［昭和三年］九月一日発行）

本会の趣旨………（一）

論説

再び華僑の排日に就て………（二）

説苑

暹羅の近情（二）………前暹羅駐剳特命全権公使　林久治郎………（四）

資料

錫蘭に於ける護謨生産原価に就て………在古倫母帝国領事代理　茂垣長作………（一二）
蘭領東印度に輸入せらるゝ綾木綿（三）………南洋協会スラバヤ日本商品陳列所………（一八）
台頭せんとする南洋の工業時代（二）………南洋協会新嘉坡商品陳列所………（二七）
台湾糖業の改良に就て………慶應義塾大学医学部助教授医学博士　隈川八郎………（三七）
籐に就て（二）………南洋協会新嘉坡商品陳列所長代理　増淵佐平………（三九）

護謨栽培事業の経済的考察………南洋護謨株式会社タナイタムヒリル園にて　伊藤長太郎………（四六）

護謨生産の謎………ジヨホール護謨栽培株式会社長　岡部常太郎………（五四）

護謨栽培に於ける蘭人の新説………南洋栽培業者聯合会………（五六）

蘭領東印度に於ける人絹織物の輸入状況………南洋協会スラバヤ日本商品陳列所………（五八）

瑞典の護謨事業とソヴイエツト露西亜護謨事業………佐藤惣三郎………（六五）

雑録

暹羅に於ける英仏………南洋協会暹羅地方調査嘱託　山口　武………（六八）

大ブラジル共和国を再訪して………井上雅二………（七一）

なめくじの紀行………在マニラ　榎本寸雲………（七五）

『熱帯衛生』を読みて感あり（二）………南洋協会モルツカス群島調査嘱託　江川俊治………（七九）

南洋各地に於ける日貨排斥………（八一）

南洋各地商況………（八八）

本会報告

本部—新嘉坡支部—新入会員—本部備付図書………（九三）

口絵

□クウイーン・オブ・ナイト　□南洋協会新嘉坡支部総会の盛況

◆『南洋協会雑誌』第十四巻第十号（［昭和三年］十月一日発行）

本会の趣旨………（一）

論説

商業青年を南洋各地に送れ………（二）

説苑

邦人の海外企業より見たる南洋………総領事　中島清一郎………（四）

邦人未踏の小スンダ列嶋の民族を訪ねて………南洋協会嘱託　三吉朋十………（八）

資料

護謨栽培事業の経済的考察（二）………南洋護謨株式会社タナイタムヒリル園にて　伊藤長太郎………（一七）

対南洋貿易振興策として最大急務の一たる冷蔵庫の設置………南洋協会新嘉坡商品陳列所々長代理　増淵佐平………（二五）

スラバヤに於ける琺瑯鉄器………南洋協会スラバヤ日本商品陳列所………（三三）

重要なる発見—苗圃に於ける護謨豊産樹の選別………南洋協会新嘉坡商品陳列所………（三六）

籐に就て（三）………南洋協会新嘉坡商品陳列所長代理　増淵佐平………（四二）

瑞典の護謨事業とソヴイエツト露西亜の護謨事業（二）………佐藤惣三郎………（四八）

自由通商と蘭領東印度………南洋協会嘱託　目崎得養………（五三）
雑録
　　なめくじ紀行（二）………在マニラ　榎本寸雲………（五六）
　　又南米を後にして………井上雅二………（六〇）
　　暹羅政界名士の面影（三）………南洋協会暹羅地方調査嘱託　山口　武………（六九）
　　南洋奇聞（六一）………三吉香馬………（七一）
　　パナマよりカルビアン海へ………井上雅二………（七六）
　　南洋各地商況………（八四）
　　近事一束………（八九）
　　新嘉坡に於ける日貨排斥の経過と将来………南洋協会新嘉坡商品陳列所………（九三）
本会報告
　　本部―台湾支部―爪哇支部―新嘉坡商品陳列所―新入会員―本部備付図書………（九五）
口絵
　　□七月一日挙行せるバタビヤ日本人小学校開校式記念撮影―□護謨樹芽接の実況―□南洋協会新嘉坡スラバヤ商品陳列所近況―□南洋協会新嘉坡商品陳列所近況

◆『南洋協会雑誌』第十四巻第十一号（[昭和三年]十一月一日発行）
論説
　　南洋関係事業功労者を表彰せよ………（二）
　　海運の発達と南洋貿易企業の進展………（二）
説苑
　　邦人の海外企業より見たる南洋（二）………総領事　中島清一郎………（五）
　　邦人未踏の小スンダ列嶋の民族を訪ねて（二）………南洋協会嘱託　三吉朋十………（九）
資料
　　南洋に於ける香水原料植物………南洋協会新嘉坡商品陳列所々長代理………増淵佐平………（一七）
　　スラバヤに於ける硝子製品の近況………南洋協会スラバヤ日本商品陳列所………（二一）
　　護謨園の映画………ジヨホール護謨栽培株式会社社長　岡部常太郎………（二五）
　　昭和三年度上半期に於ける爪哇物産の商状と其輸出状況………南洋協会スラバヤ日本商品陳列所………（二九）
　　一九二六年度英領馬来対日貿易………南洋協会新嘉坡商品陳列所………（三八）
　　ハンガリアに於ける護謨事情………佐藤惣三郎………（五三）
　　日本製タツピング・ナイフの販路獲得に対する希望………南洋協会スラバヤ日本商品陳列所………（五五）
　　護謨樹の芽接………南洋護謨株式会社タナイタムヒリル園　伊藤長太郎………（五八）

馬来市場に輸入せらる、本邦産梨果の取引に就て………南洋協会新嘉坡商品陳列所………（六五）

雑録

英国より瑞西へ………井上雅二………（六八）

暹羅政界名士の面影（四）………南洋協会暹羅地方調査嘱託　山口　武………（七六）

新嘉坡に於ける日貨排斥の経過と将来（二）………南洋協会新嘉坡商品陳列所………（七八）

ユング・フラウ岳麓より………井上雅二………（八一）

邦人企業地としての英領北ボルネオ………比律賓群島地方調査嘱託　渡辺　薫………（八六）

近事一束………（九〇）

本会報告

本部―台湾支部―新嘉坡商品陳列所―スラバヤ商品陳列所―爪哇支部―新入会員―本部備付図書………（九八）

□南洋関係事業功労者事績（一）………（一一七）

口絵

□南洋協会第八十五回講演晩餐会―□南洋協会新嘉坡商品陳列所主催法政大学南洋見学団歓迎（上）南洋視察中の井上準之助氏・井坂孝氏・加納友之介氏一行（下）―□スラバヤに於けるアニーム会社の電気用品販売部（上）南洋協会スラバヤ日本商品陳列所を介しアニーム会社が購入せる日本陶器製電気スタンド及岐阜提灯等を販売の為め同社シヨウ・ウキンドウに陳列せる状況（下）―□蘭領東印度に於て需要せらる、各種電灯（上）―□同上（下）

◆『南洋協会雑誌』第十四巻第十二号（［昭和三年］十二月一日発行）

本会の趣旨………（一）

論説

南洋関係事業功労者表彰せらる………（二）

我国の経済上より見たる南洋地方の重要さ………（三）

説苑

比律賓の近情………前南洋協会マニラ支部長前マニラ駐在総領事　縫田栄四郎………（五）

資料

南洋に於ける香水原料植物（二）………南洋協会新嘉坡商品陳列所長代理　増淵佐平………（一八）

蘭領東印度に於ける我国製自転車及其部分品………南洋協会スラバヤ日本商品陳列所………（二八）

一九二八年上半期に於ける英領馬来輸出入貿易………南洋協会新嘉坡商品陳列所………（三六）

護謨樹の芽接（二）………南洋護謨株式会社タナイタムヒリル園　伊藤長太郎………（四二）

一九二六年英領馬来対日貿易（二）………南洋協会新嘉坡商品陳列所………（四六）

一九二七年蘭領東印度に於ける本邦製セメントの地位………南洋協会スラバヤ日本商品陳列所………（五四）

新嘉坡市場に於ける籐の種類並に取引事情………南洋協会新嘉坡商品陳列所………（六〇）

我対南貿易発展策として我国船舶のベラワン寄港を提唱す………南洋協会スラバヤ日本商品陳列所
………（六五）

雑録

南洋奇聞（六二）………三吉香馬………（七八）

バンメチユオトに於ける野獣展覧即売会と南部安南奥地高原地方の開墾………南洋協会仏領印度支
那調査嘱託　塩田谷五郎………（八二）

南洋各地商況………（八五）

近事一束………（八九）

本会報告

本部―新嘉坡商品陳列所―爪哇支部―スラバヤ商品陳列所―新入会員―本部備付図書………（九四）

□南洋関係事業功労者事績（二）………（一〇九）

口絵

□仏領印度支那バンメチユオトに開催の野獣展覧即売会に於ける象群、鰐並に見物中の猛人の酋長
―□南洋産貝類御嘉納の光栄に浴せる山村八重子嬢

第十四巻総目次

◆『南洋協会雑誌』第十五巻第一号（[昭和四年]一月一日発行）

本会の趣旨………（一）

論説

昭和四年を迎えて………（二）

説苑

南遊所感………南洋協会評議員　井上準之助………（五）

海外移民問題に関する列国の情勢と企業上より観たる南洋の地位………南洋協会事務理事海外興業
株式会社社長　井上雅二………（一二）

邦人未踏の小スンダ列島の民族を訪ねて（三）………南洋協会嘱託　三吉朋十………（二三）

資料

カポツクの栽培………南洋栽培業者聯合会相談役ジヨホール護謨栽培株式会社社長　岡部常太郎訳
………（三二）

一九二八年上半期に於ける英領馬来輸出入貿易（二）………南洋協会新嘉坡商品陳列所………（三七）

一九二七年度メダン中心のスマトラ東海岸州輸出入貿易と我国の発展策………南洋協会スラバヤ日
本商品陳列所………（四八）

南洋に於ける香水原料植物（三）………南洋協会新嘉坡商品陳列所長代理………増淵佐平………（五四）

我国アルミニユーム製品の発展地として有望なる蘭領印度………南洋協会スラバヤ日本商品陳列所

　　　　長　安江安吉………（六二）

　　サラワク・ビーンの学名に就て………照屋全昌………（七三）

　　胡椒栽培の実験………吉田梧郎………（七六）

雑録

　　南洋奇聞（六三）………三吉香馬………（八三）

　　ボルネオ東南州護謨園年中行事………（八七）

　　孤島の森に二児を挙ぐ………江川俊治………（八九）

　　南洋各地商況………（九五）

　　近事一束………（一〇二）

本会報告

　　本部―新入会員―本部備付図書………（一〇六）

　　□南洋関係事業功労者事績（三）………（一一一）

口絵

　　□田家朝―□十二月三日南洋協会開催の蘭領印度海軍部長官フークストラ少将爪哇艦々長ダルハイゼン大佐外士官歓迎招待観劇会―□初光―□爪哇とスマトラの情景

◆『南洋協会雑誌』第十五巻第二号（［昭和四年］二月一日発行）

　　本会の趣旨………（一）

論説

　　大いに南洋を観る可し………（二）

説苑

　　南遊所感（二）………南洋協会評議員　井上準之助………（五）

　　海外移民問題に関する列国の情勢と企業上より観たる南洋の地位（二）………南洋協会事務理事海外興業株式会社長　井上雅二………（一一）

　　邦人未踏の小スンダ列島の民族を訪ねて（四）………南洋協会嘱託　三吉朋十………（二四）

資料

　　蘭印の自動車及付属並に部分品と日本製品の進出………前南洋協会スラバヤ兼新嘉坡商品陳列所長　安江安吉………（三一）

　　英領馬来に於ける独逸品の活躍………南洋協会新嘉坡商品陳列所………（四〇）

　　カポツクの栽培（二）………南洋栽培業者聯合会相談役ジヨホール護謨栽培株式会社長　岡部常太郎………（四五）

　　我国アルミニユーム製品の発展地として有望なる蘭領印度（二）………前南洋協会スラバヤ兼新嘉坡商品陳列所長　安江安吉………（五三）

　　胡椒栽培の実験（二）………吉田梧郎………（六一）

南洋に於ける香水原料植物（四）………南洋協会新嘉坡商品陳列所長事務取扱　増淵佐平………（六九）

　新嘉坡市場に於ける一九二八年各月本邦貨物需給概観………南洋協会新嘉坡商品陳列所………（七八）

　一九二七年度メダン中心のスマトラ東海岸州輸出入貿易と我国の発展策（二）………南洋協会スラバヤ日本商品陳列所………（八一）

　新嘉坡市場に於けるデンタル・ラバー………南洋協会新嘉坡商品陳列所………（九六）

雑録

　南洋奇聞（六四）………三吉香馬………（九八）

　南洋各地商況………（一〇二）

　近事一束………（一〇七）

本会報告

　本部―新嘉坡商品陳列所―爪哇支部―新入会員―本部備付図書………（一一二）

□南洋関係事業功労者事績（四）………（一一九）

口絵

　□最近活動を始めた比律賓ルソン島のマヨン火山―□陸棲の鰐Vulnus Comodoensis（南洋奇聞記事参照）―□爪哇バイテンゾルフ博物館に在る陸棲の鰐の骨格

◆『南洋協会雑誌』第十五巻第三号（［昭和四年］三月一日発行）

　本会の趣旨………（一）

論説

　邦品の蘭印進出と和蘭の態度………（二）

説苑

　南遊所感………南洋協会評議員　井上準之助………（五）

　最近の我対爪哇貿易に就て………南洋協会評議員　井坂　孝………（一二）

　邦人未踏の小スンダ列島の民族を訪ねて（五）………南洋協会嘱託　三吉朋十………（一六）

資料

　蘭印の自動車及付属並に部分品と日本製品の進出………前南洋協会スラバヤ兼新嘉坡商品陳列所長　安江安吉………（二五）

　蘭領印度砿業法に関する概念………南洋協会新嘉坡商品陳列所………（三一）

　胡椒栽培の実験（三）………吉田梧郎………（三三）

　一九二七年度メダン中心のスマトラ東海岸州輸出入貿易と我国の発展策（三）………南洋協会スラバヤ日本商品陳列所………（四〇）

　馬来半島の錫………南洋協会新嘉坡商品陳列所………（五一）

　改正蘭領東印度所得税………南洋協会スラバヤ日本商品陳列所………（五五）

　スマトラ苦力條例修正追加條文訳………古河合名会社バタム出張所員　土屋　拡………（六六）

雑録
　南洋奇聞（六五）………三吉香馬………（七一）
　馬来半島に於ける労働階級の印度人………南洋栽培業者聯合会相談役ジヨホール護謨栽培株式会社々長　岡部常太郎………（七五）
　南洋各地商況………（七八）
　近事一束………（八四）

本会報告
　本部—新嘉坡商品陳列所—新入会員—本部備付図書………（九一）
□南洋関係事業功労者事績（五）………（九九）

口絵
　□バタビヤ在留邦人の御大礼奉祝紀念撮影—□緬甸ラングーン市商業街—□同上

◆『南洋協会雑誌』第十五巻第四号（［昭和四年］四月一日発行）
　本会の趣旨………（一）

論説
　拓殖研究所及博物館設置の必要………（二）

説苑
　製紙原料としてのバカスに就て………三亜製紙株式会社顧問慶大助教授医学博士　隈川八郎………（五）
　最近の我対爪哇貿易に就て（二）………南洋協会評議員　井坂　孝………（一六）

資料
　英領馬来に於ける護謨価と護謨株価………南洋協会新嘉坡商品陳列所………（二四）
　改正蘭領東印度所得税法（二）………南洋協会スラバヤ商品陳列所………（三一）
　英領馬来の貨幣制度金融機関並に為替事情………南洋協会新嘉坡商品陳列所………（四〇）
　蘭印の自動車及付属並に部分品と日本製品の進出（三）………前南洋協会スラバヤ兼新嘉坡商品陳列所長　安江安吉………（五二）
　胡椒栽培の実験（四）………吉田梧郎………（六三）
　一九二七年度メダン中心のスマトラ東海岸州輸出入貿易と我国の発展策（四）………南洋協会スラバヤ商品陳列所………（七二）
　過去四ヶ年の護謨の生産並に消費と一九二九年の予想………佐藤惣三郎………（八二）
　比律賓群島ダバオ在住邦人の保健に就て………台湾総督府兼外務省嘱託慶應義塾大学助教授医学博士　隈川八郎………（八七）

雑録
　南洋奇聞（六六）………三吉香馬………（九二）
　我が熱帯衛生………南洋協会嘱託　目崎得養………（九六）

南洋各地商況………（九九）

　　近事一束………（一〇四）

本会報告

　　本部―新嘉坡商品陳列所―新入会員―本部備付図書………（一〇八）

口絵

　　□南洋協会新嘉坡商品陳列所全景及同陳列所内に於て開催せる新規出品物特別展示会―□同上会場に於ける侍従甘露寺伯爵来賓並に所員一同―□スマトラ、メダンに於ける侍従甘露寺伯爵、軍艦北上乗組員及在留日本人有志並日本人小学校児童―□比律賓ダバオに於ける保健衛生に関する施設

◆『南洋協会雑誌』第十五巻第五号（〔昭和四年〕五月一日発行）

　　本会の趣旨………（一）

論説

　　第四回太平洋学術大会爪哇に開かる………（二）

説苑

　　緬甸事情………領事　内藤啓三………（五）

資料

　　英領馬来に於ける楽器需給状況………本会新嘉坡商品陳列所………（一一）

　　蘭印の自動車及付属並に部分品と日本製品の進出（四）………前本会スラバヤ兼新嘉坡商品陳列所長　安江安吉………（二二）

　　アラビカ珈琲………本会新嘉坡商品陳列所長事務取扱　増淵佐平………（三〇）

　　アフロス会規摘録………南洋栽培協会………（四二）

　　バガス・パルプ工業の将来………台湾総督府殖産局技師　土肥季太郎………（四九）

　　改正蘭領東印度所得税法（三）………本会スラバヤ商品陳列所………（五五）

　　比律賓群島ダバオ州に於ける邦人の産業に就て………台湾総督府兼外務省嘱託慶大助教授医学博士　隈川八郎………（五九）

　　胡椒栽培の実験（五）………吉田梧郎………（六七）

　　英領馬来に於ける農園の医療組織………南洋栽培業者聯合会相談役ジヨホール護謨栽培株式会社長　岡部常太郎………（七五）

雑録

　　南洋奇聞（六七）………三吉香馬………（七九）

　　白鳳丸来る………ハルマヘラにて　江川俊治………（八七）

　　開発を待つスマトラ島インドラギリ………インドラギリ地方副知事　フエー・オブデーン　本会調査編纂部訳………（九〇）

　　南洋各地商況………（九三）

近事一束………（九八）

緬甸に於ける落花生の取引………（一〇一）

本会報告

本部―新嘉坡商品陳列所―新入会員―本部備付図書………（一〇三）

口絵

□本会スラバヤ商品陳列所に於ける侍従甘露寺伯爵並所員一同―□南洋商業実習生謝恩会

◆『南洋協会雑誌』第十五巻第六号（［昭和四年］六月一日発行）

本会の趣旨………（一）

論説

川村台湾総督の南遊を望む………（二）

説苑

緬甸事情（二）………領事　内藤啓三………（五）

南洋に於ける邦人の産業及保健上の欠陥に就て………台湾総督府兼外務省嘱託慶應義塾大学助教授　医学博士　隈川八郎………（一一）

資料

アラビカ珈琲（二）………本会新嘉坡商品陳列所長事務取扱　増淵佐平………（二一）

蘭印の自動車及付属並に部分品と日本製品の進出（五）………前本会スラバヤ兼新嘉坡商品陳列所長　安江安吉………（三二）

新嘉坡市場に於ける本邦陶磁器、硝子器、琺瑯鉄器の近状………本会新嘉坡商品陳列所………（四六）

アフロス会規摘録（二）………南洋栽培協会………（五〇）

改正蘭領東印度所得税法（四）………本会スラバヤ商品陳列所………（五六）

英領馬来に於ける清涼飲料水需給状況………本会新嘉坡商品陳列所………（六六）

一九二八年度に於ける加奈陀護謨製造業の進歩………佐藤惣三郎………（七三）

胡椒栽培の実験（六）………吉田梧郎………（七九）

スラバヤ商業協会の輸入品検査規定………（八六）

雑録

南洋奇聞（六八）………三吉香馬………（九三）

開発を待つスマトラ島インドラギリ（二）………インドラギリ地方副知事　フエー・オブデーン　本会調査編纂部訳………（九九）

蘭領印度に於ける医師開業手続………（一〇四）

南洋各地商況………（一〇五）

近事一束………（一一〇）

本会報告

本部―台湾支部―爪哇支部―新嘉坡商品陳列所―新入会員―本部備付図書………（一一五）
口絵
　　□バタビア日本人小学校第一回修業式記念写真―□チムール土人のササンドー楽器

◆『南洋協会雑誌』第十五巻第七号〔［昭和四年］七月一日発行〕
　　本会の趣旨………（一）
論説
　　デヴイス比律賓総督の新任………（二）
説苑
　　南洋に於ける邦人の産業及保健上の欠陥に就て（二）………台湾総督府兼外務省嘱託慶應義塾大学
　　　　助教授医学博士　隈川八郎………（五）
　　比律賓視察談………蜂須賀正氏………（一五）
資料
　　アラビカ珈琲（三）………本会新嘉坡商品陳列所長事務取扱　増淵佐平………（二二）
　　東南ボルネオ州に於ける野生護謨………野村護謨精製工場　田中陽二郎………（三六）
　　一九二八年度に於ける英領馬来対外貿易と日本………本会新嘉坡商品陳列所………（四〇）
　　一九二八年度に於ける仏国護謨工業の真相………佐藤惣三郎………（五六）
　　パハンの資源………本会新嘉坡商品陳列所調査嘱託　吉田喜一郎………（六二）
　　スマトラの輸出貿易と北米合衆国………（七〇）
　　胡椒栽培の実験（七）………吉田梧郎………（七四）
　　ジョホール外国会社法抜抄………南洋栽培業者聯合会………（八二）
　　南洋漁業経営論………本会モルツカス群島地方調査嘱託　江川俊治………（八四）
雑録
　　南洋奇聞（六九）………三吉香馬………（八九）
　　開発を待つスマトラ島インドラギリ（三）………インドラギリ地方副知事　フエー・オブデーン
　　　　本会調査編纂部訳………（九三）
　　比律賓ダバオ最近事情………太田興業会社重役　正木吉右衛門………（九七）
　　南洋各地商況………（九九）
　　近事一束………（一〇四）
本会報告
　　本部―爪哇支部―新入会員―本部備付図書………（一〇九）
口絵
　　□アラビカ珈琲の苗床（上）―□アラビカ珈琲工場の全景（下）―□アラビカ珈琲の調整

◆『南洋協会雑誌』第十五巻第八号（［昭和四年］八月一日発行）
　本会の趣旨………（一）
論説
　緊縮政策と海外発展………（二）
説苑
　比律賓視察談（二）………蜂須賀正氏………（五）
　ダバオ雑観………外務省嘱託　小林常八………（一〇）
資料
　蘭領印度市場に於ける硝子及同製品の取引状況………本会スラバヤ商品陳列所………（一七）
　英領馬来に於ける煉乳需給状況………本会新嘉坡商品陳列所………（三〇）
　東南ボルネオ州に於ける野生護謨（二）………野村護謨精製工場　田中陽二郎………（三九）
　胡椒栽培の実験（八）………吉田梧郎………（四六）
　護謨の取引に就て………南洋栽培業者聯合会………（五五）
　南洋漁業経営論（二）………本会モルツカス群島地方調査嘱託　江川俊治………（六〇）
　一九二八年度に於ける英領馬来対外貿易と日本（二）………本会新嘉坡商品陳列所………（六三）
　英国栽培護謨株の前途観………佐藤惣三郎………（七一）
　統計――一九二八年度西貢港主要物産輸出貿易表………本会仏領印度支那地方調査嘱託　塩田谷五郎
　　………（八〇）
雑録
　南洋奇聞（七〇）………三吉香馬………（八三）
　南洋各地商況………（九〇）
　近事一束………（九六）
本会報告
　本部―台湾支部―新嘉坡支部―新嘉坡商品陳列所―爪哇支部―新入会員―本部備付図書………
　　（一〇四）
口絵
　□本会二十一回定時総会晩餐会―□本会新嘉坡支部第十回定時総会晩餐会

◆『南洋協会雑誌』第十五巻第九号（［昭和四年］九月一日発行）
　本会の趣旨………（一）
論説
　石塚新台湾総督を迎ふ………（二）
説苑
　比律賓視察談（三）………蜂須賀正氏………（五）

ダバオ雑観（二）………外務省嘱託　小林常八………（八）
資料
　　英領馬来市場に於けるタイル需給状況………本会新嘉坡商品陳列所………（一二）
　　蘭領印度市場に於ける硝子及同製品の取引状況（二）………本会スラバヤ商品陳列所………（二六）
　　胡椒栽培の実験（九）………吉田梧郎………（三七）
　　過去十ヶ年間に於ける英領馬来対日貿易………本会新嘉坡商品陳列所………（四六）
　　ブートン・アスフアルトに就いて………本会スラバヤ商品陳列所………（五三）
　　乾燥せる護謨樹………南洋採培業者聯合会………（六〇）
　　馬来聯邦州護謨統計と聯邦土地管理長官代理の調査苦心談………佐藤惣三郎訳述………（六五）
雑録
　　南洋奇聞（七一）………三吉香馬………（七〇）
　　開発を待つスマトラ島インドラギリ（四）………インドラギリ地方副知事　フエー・オブデーン
　　　本会調査編纂部訳………（七四）
　　馬来語に就いて………海外拓殖学校講師　竹井十郎………（七七）
　　仏領印度支那総督訪問記………本会仏領印度支那地方調査嘱託　塩田谷五郎………（八一）
　　南洋各地商況………（八四）
　　近事一束………（八九）
本会報告
　　本部―台湾支部―新嘉坡商品陳列所―爪哇支部―新入会員―本部備付図書………（九三）
口絵
　　□新興スマトラの風光―□カユプテ樹―□カユプテ油の製造

◆『南洋協会雑誌』第十五巻第十号（[昭和四年] 十月一日発行）
　　本会の趣旨………（一）
論説
　　金輸出解禁と対南洋貿易………（二）
説苑
　　南洋の鉄、錫及び木材………石原産業海運合資会社々長　石原廣一郎………（五）
資料
　　新嘉坡市場に於けるカタン糸需給状況………本会新嘉坡商品陳列所………（一〇）
　　馬来聯邦州護謨統計と聯邦土地管理長官代理の調査苦心談(二)………佐藤惣三郎訳述………（二〇）
　　蘭領印度市場に於ける硝子及同製品の取引状況（三）………本会スラバヤ商品陳列所………（二六）
　　一九二八年ジヨホール国一般事情………新嘉坡　百姓会………（四六）
　　蘭領印度市場に於ける陶磁器取引状況………本会スラバヤ商品陳列所………（五〇）

170　Ⅱ．南洋協会発行雑誌　総目録

　　英領馬来の錫………（五五）
　　一九二七年度及一九二八年度交趾支那米産額………本会仏領印度支那地方調査嘱託　塩田谷五郎
　　　………（五八）
雑録
　　台湾と千島を観る………三吉香馬………（六〇）
　　南洋各地商況………（六五）
　　近事一束………（七五）
本会報告
　　本部―台湾支部―新嘉坡商品陳列所―爪哇支部―新入会員―本部備付図書………（八二）
口絵
　　□ラングーン市ローヤル・レークの畔―□緬甸イエナン・ヤングの油田―□新嘉坡市役所全景、在メダン、アフロス農事試験場、バンドン市の勧業館、在メダン、ハー・ヴエー・アー事務所

◆『南洋協会雑誌』第十五巻第十一号（[昭和四年] 十一月一日発行）
　　本会の趣旨………（一）
論説
　　百聞一見に如かず………（二）
説苑
　　南洋の鉄、錫及木材（二）………石原産業海運合資会社々長　石原廣一郎………（五）
資料
　　英領馬来に於ける漁業………本会新嘉坡商品陳列所………（八）
　　暹羅に於ける共同信用組合運動に就て………外務省嘱託　杉田祥夫………（一八）
　　英領馬来に於けるセメントの需給状況………本会新嘉坡商品陳列所………（二二）
　　馬来半島に於ける華僑の活躍………村上　博………（三三）
　　蘭領印度市場に於ける陶磁器取引状況（二）………本会スラバヤ商品陳列所………（三七）
　　英領馬来に於ける鳳梨缶詰に就て………本会新嘉坡商品陳列所………（四四）
　　スマトラの喉咽ベラワンデリの発展………（五四）
雑録
　　南洋奇聞（七二）………三吉香馬………（五七）
　　仏領印度支那総督ピエール・パスキエー氏………（六二）
　　南洋各地商況………（六五）
　　近事一束………（七五）
本会報告
　　本部―台湾支部―東海支部―爪哇支部―新嘉坡商品陳列所―新入会員―本部備付図書………（八〇）

口絵
　□椰子と海―□比律賓ダバオに於けるマニラ麻精製作業

◆『南洋協会雑誌』第十五巻第十二号（［昭和四年］十二月一日発行）
　本会の趣旨………（一）
論説
　我国と仏領印度支那との経済関係を好転せしめよ………（二）
説苑
　南洋の鉄、錫及び木材（三）………石原産業海運合資会社々長　石原廣一郎………（五）
資料
　蘭領印度市場に於ける陶磁器取引状況（三）………本会スラバヤ商品陳列所………（九）
　暹羅に於ける共同信用組合運動に就いて（二）………外務省嘱託　杉田祥夫………（二一）
　一九二九年度のマニラ麻概況………太田興業株式会社神戸出張所　増田　齊………（二九）
　本年上半期に於ける米国護謨製造業の情勢………佐藤惣三郎………（三九）
　英領馬来に於ける漁業（二）………本会新嘉坡商品陳列所………（四三）
雑録
　南洋奇聞（七三）………三吉香馬………（五四）
　南洋各地商況………（六一）
　近事一束………（七〇）
本会報告
　本部―スラバヤ商品陳列所―新嘉坡商品陳列所―関西支部―南洋群島支部―馬尼剌支部―爪哇支部―スマトラ支部―新入会員―本部備付図書………（七六）
口絵
　□十月五日開所式を挙げたる本会スラバヤ商品陳列所スマトラ出張員事務所全景―□同開所式ニュース
第十五巻総目次

◆『南洋協会雑誌』第十六巻第一号（［昭和五年］一月一日発行）
　本会の趣旨………（一）
論説
　昭和維新の完成………（二）
説苑
　南遊雑感………本会幹事　飯泉良三………（五）
資料
　蘭領印度市場に於ける陶磁器取引状況（四）………本会スラバヤ商品陳列所………（一〇）

172　Ⅱ．南洋協会発行雑誌　総目録

　　英領馬来に於ける漁業（三）………本会新嘉坡商品陳列所………（二一）
　　和蘭の提案に係る護謨価格調節………（三二）
　　蘭領印度に於ける絹織物取引状況………本会スラバヤ商品陳列所………（三五）
　　護謨事業と余剰製品と帝国主義………佐藤惣三郎………（四一）
　　仏領印度支那に於ける仏国人及び外国人入国並に居住規則………本会仏領印度支那地方調査嘱託
　　　　塩田谷五郎………（四七）
　　セレベスの籐に就て………（五三）
　　緬甸に於けるチーク及び米に就て………蘭貢にて　中農顕三………（五八）
雑録
　　南洋奇聞（七四）………三吉香馬………（六二）
　　南洋の嫁盗み………ハルマヘラ島にて　江川俊治………（六五）
　　南洋各地商況………（六九）
　　スマトラ東海岸州に於ける人造肥料の需要………（七五）
　　近事一束………（七七）
本会報告
　　本部―関西支部―新嘉坡商品陳列所―爪哇支部―ダバオ支部―新入会員―本部備付図書………
　　　　（八二）
口絵
　　□海辺の巌―□日本趣味を凝らせるスラバヤ年市余興場の盛況―□本会スラバヤ商品陳列所に於け
　　　る名古屋南洋巡回見本市一行―□同上見本市

◆『南洋協会雑誌』第十六巻第二号（［昭和五年］二月一日発行）
　　本会の趣旨………（一）
論説
　　護謨市価低落と企業合同………（二）
説苑
　　南遊雑感（二）………本会幹事　飯泉良三………（五）
　　蘭領東印度の現状………本会爪哇支部長駐バタビア総領事　三宅哲一郎………（八）
資料
　　英領馬来に於ける電気事業………本会新嘉坡商品陳列所………（一四）
　　蘭領印度に於ける絹織物取引状況（二）………本会スラバヤ商品陳列所………（一九）
　　和蘭の提案に係る護謨価格調節（二）………本会スラバヤ商品陳列所………（二六）
　　英領馬来に於ける漁業（四）………本会新嘉坡商品陳列所………（三二）
　　大阪商船のスマトラ直通航路に就て………本会スラバヤ商品陳列所スマトラ出張員事務所主任　柴

田権次郎………（四三）

　ソヴイエット聯邦政府農業政策の一端たる動力事業の創設と生護謨消費の増進………佐藤惣三郎
　　………（四九）

　統計—蘭領印度陶磁器輸入数量………本会スラバヤ商品陳列所………（五七）

　一九二八年度仏領印度支那水運及貿易年報………（六六）

雑録

　南洋奇聞（七五）………三吉香馬………（七一）

　南洋の百姓生活と其食物………本会モロツカス群島地方調査嘱託　江川俊治………（七六）

　南洋各地商況………（八二）

　近事一束………（九二）

本会報告

　本部—新嘉坡商品陳列所—本会スラバヤ商品陳列所スマトラ出張員事務所—爪哇支部—新入会員—
　　本部備付図書………（九八）

口絵

　□巌と椰子—□サイゴン埠頭—□安南の絹糸紡績工場

◆『南洋協会雑誌』第十六巻第三号（［昭和五年］三月一日発行）

　本会の趣旨………（一）

論説

　俵商相の『産業合理化』を読む（一）………（二）

説苑

　蘭領東印度の現状（二）………本会爪哇支部長駐バタビア総領事　三宅哲一郎………（五）

　蘭領東印度に於ける農企業の将来………南国産業株式会社取締役兼スラバヤ出張所長　有村貫一
　　………（八）

資料

　蘭印市場に於けるメリヤス製品の取引状況………本会スラバヤ商品陳列所………（一六）

　英領馬来に於ける電気事業（二）………本会新嘉坡商品陳列所………（二一）

　英領馬来に於ける主要木材………新嘉坡　百姓会………（三一）

　蘭領印度に於ける絹織物取引状況（三）………本会スラバヤ商品陳列所………（四二）

　大阪商船のスマトラ直通航路に就て（二）………本会スラバヤ商品陳列所スマトラ出張員事務所主
　　任　柴田権次郎………（四九）

　護謨其他の世界的過剰生産と加奈陀小麦のプール………佐藤惣三郎………（五四）

　蘭領印度鉱業法………本会爪哇支部訳………（五八）

雑録

174　Ⅱ．南洋協会発行雑誌　総目録

　　南洋奇聞（七六）………三吉香馬………（六三）

　　南洋の百姓生活と其食物（二）………本会モロツカス群島地方調査嘱託　江川俊治………（六七）

　　南洋各地商況………（七三）

　　近事一束………（八三）

本会報告

　　本部―新嘉坡商品陳列所―スラバヤ商品陳列所―本会スラバヤ商品陳列所スマトラ出張員事務所―爪哇支部―ダバオ支部―新入会員―本部備付図書………（九〇）

口絵

　　□ミナンカボウ族の家―□スマトラ西海岸パガンバルーの港及町―□ボルネオ島ナガラの町―□物産市―□バンジヤルマシンの町―□ダイヤ族

◆『南洋協会雑誌』第十六巻第四号（［昭和五年］四月一日発行）

　　本会の趣旨………（一）

論説

　　俵商相の『産業合理化』を読む（二）………（二）

説苑

　　大戦後に於ける欧州人の海外移住と日本………井上雅二………（五）

　　蘭領東印度に於ける農企業の将来（二）………南国産業株式会社取締役兼スラバヤ出張所長　有村貫一………（八）

　　南洋と印度………千田商会主　千田牟婁太郎………（一四）

資料

　　蘭印市場に於けるメリヤス製品の取引状況（二）………本会スラバヤ商品陳列所………（二〇）

　　英領馬来に於ける主要木材（二）………新嘉坡　百姓会………（三二）

　　一九三〇年に於ける護謨界の大勢………佐藤惣三郎………（四三）

　　蘭領印度に於ける絹織物取引状況（四）………本会スラバヤ商品陳列所………（四八）

　　比律賓に於ける陶磁器………マニラ　榎本信一………（五七）

　　蘭領印度鉱業法（二）………本会爪哇支部訳………（六四）

　　比律賓に於ける生野菜の需要………（七一）

　　ダバオ港の貿易と其推移………太田興業株式会社代理店部長　岡本耿介………（七六）

　　統計―蘭領印度陶磁器輸入数量（二）………本会スラバヤ商品陳列所………（七九）

雑録

　　南洋奇聞（七七）………三吉香馬………（八五）

　　南洋の百姓生活と其食物（三）………本会モルツカス群島地方調査嘱託　江川俊治………（九〇）

　　布哇雑感………麗欄生………（九八）

南洋各地商況………（一〇〇）

　　南洋協会ダバオ支部総会の一日………正木黒潮………（一一一）

　　近事一束………（一一一）

本会報告

　　本部―新嘉坡商品陳列所―スラバヤ商品陳列所―スマトラ出張員事務所―台湾支部―南洋群島支部―爪哇支部―スマトラ支部―新入会員―本部備付図書………（一一八）

口絵

　　□本会スマトラ支部第一回総会―□東南ボルネオ・バンジヤルマシン付近のパサル日―□同バンジヤルマシン付近の猿島

◆『南洋協会雑誌』第十六巻第五号（[昭和五年] 五月一日発行）

　　本会の趣旨………（一）

論説

　　俵商相の『産業合理化』を読む（三）………（二）

説苑

　　南洋と印度（二）………千田商会主　千田牟婁太郎………（五）

　　我国と仏領印度支那との経済的関係………本会仏領印度支那地方調査嘱託　横山正脩………（一一）

資料

　　我国と南洋貿易企業………本会新嘉坡商品陳列所長事務取扱　増淵佐平………（一七）

　　蘭印市場に於けるメリヤス製品の取引状況（三）………本会スラバヤ商品陳列所………（二六）

　　世界運送大路の建設と護謨消費の増進………佐藤惣三郎………（三六）

　　水平溝と地被植栽に就て………三五公司　小田　修………（四一）

　　南洋材に就て………東京南洋材組合主任　谷口虎雄………（四六）

　　一九二九年度スマトラ東海岸州貿易の概況………本会スラバヤ商品陳列所スマトラ出張員事務所………（五六）

　　蘭印市場に於ける玩具の取引に就て………本会スラバヤ商品陳列所………（六五）

　　蘭領印度世襲借地条例………本会スラバヤ商品陳列所スマトラ出張員事務所訳………（七〇）

　　最近五ヶ年間に於ける仏領印度支那貿易額………本会仏領印度支那地方調査嘱託　塩田谷五郎………（八〇）

雑録

　　南洋奇聞（七八）………三吉香馬………（八四）

　　ティモール島のカトリックの遺物………台北帝国大学教授理学博士　早坂一郎………（八九）

　　南洋の百姓生活と其食物（四）………本会モルツカス群島地方調査嘱託　江川俊治………（九三）

　　桑港雑感………麗蘭生………（一〇〇）

176　Ⅱ．南洋協会発行雑誌　総目録

　　南洋各地商況………（一〇二）

　　近事一束………（一一四）

本会報告

　　本部―新嘉坡商品陳列所―スラバヤ商品陳列所―スマトラ出張員事務所―爪哇支部―新入会員―本部備付図書………（一二〇）

口絵

　　□スメロ火山（爪哇）―□パカンバルー（スマトラ）

◆『南洋協会雑誌』第十六巻第六号（［昭和五年］六月一日発行）

　　本会の趣旨………（一）

論説

　　世界の平和と資源の公平なる分配………（二）

説苑

　　我国対蘭印貿易とその促進策………本会スラバヤ商品陳列所長　小原友吉………（五）

　　スマトラより帰りて………本会スマトラ支部評議員スマトラ日本人会長　生木久三郎………（一〇）

資料

　　蘭印市場に於ける玩具の取引状況に就て（二）………本会スラバヤ商品陳列所………（一三）

　　我国と南洋貿易企業（二）………本会新嘉坡商品陳列所長　増淵佐平………（二一）

　　比律賓の竹………マニラ　榎本信一………（三六）

　　間伐と護謨産出数量との関係………佐藤惣三郎訳………（四〇）

　　スマトラ煙草に就て………本会スラバヤ商品陳列所スマトラ出張員事務所………（四七）

　　一九二九年中に於ける蘭領印度の綿糸布類輸入状況………本会スラバヤ商品陳列所………（五二）

　　南洋材に就て（二）………東京南洋材組合主任　谷口虎雄………（五六）

　　蘭領印度世襲借地條例（二）………本会スラバヤ商品陳列所スマトラ出張員事務所………（八三）

　　急速に発展するダバオ………（八六）

雑録

　　南洋の百姓生活と其食物（五）………本会モルツカス群島地方調査嘱託　江川俊治………（九〇）

　　ロスアンゼルスより………麗蘭生………（九七）

　　南洋各地商況………（一〇〇）

　　近事一束………（一〇八）

本会報告

　　本部―新嘉坡商品陳列所―スラバヤ商品陳列所―スマトラ出張員事務所―爪哇支部―馬尼剌支部―新入会員―本部備付図書………（一一二）

口絵

□本会爪哇支部第九回定時総会—□本会スラバヤ商品陳列所に新設の工業試験室

◆『南洋協会雑誌』第十六巻第七号（［昭和五年］七月一日）

　本会の趣旨………（一）

論説

　経済国難と海外移住………（二）

説苑

　我国対蘭印貿易とその促進策（二）………本会スラバヤ日本商品陳列所長　小原友吉………（五）

　比律賓の現状………本会マニラ支部評議員太田興業株式会社々長　諸隈彌策………（一〇）

資料

　蘭印市場に於ける玩具の取引状況に就て（三）………本会スラバヤ商品陳列所………（一五）

　南洋材に就て（三）………東京南洋材組合主任　谷口虎雄………（二四）

　北米に於けるグアユール護謨灌木栽培の近状………佐藤惣三郎………（三〇）

　蘭領東印度工場保安條令………野村東印度殖産株式会社取締役　三竹勇馬………（三五）

　比律賓に於ける缶詰の需要………（四一）

　スマトラ東海岸州ベラワン港の概況………（五一）

雑録

　南洋奇聞（七九）………三吉香馬………（五九）

　南洋の百姓生活と其食物（六）………本会モルツカス群島地方調査嘱託　江川俊治………（六五）

　カリフオルニヤより………麗蘭生………（七〇）

　南洋群島パラオ島の気象………（七三）

　南洋各地商況………（七八）

　スマトラ東海岸州の景気と不景気………（八五）

　最近の英領北ボルネオ………（八八）

　近事一束………（九〇）

本会報告

　本部—新嘉坡商品陳列所—スラバヤ商品陳列所—スマトラ出張員事務所—新嘉坡支部—爪哇支部—馬尼剌支部—新入会員—本部備付図書………（九七）

口絵

　□本会新嘉坡支部昭和五年度定時総会—□ラングーンの大震災

◆『南洋協会雑誌』第十六巻第八号（［昭和五年］八月一日発行）

　本会の趣旨………（一）

論説

　今日の問題………（二）

178　Ⅱ．南洋協会発行雑誌　総目録

説苑

　比律賓の現状（二）………本会マニラ支部評議員太田興業株式会社々長　諸隈彌策………（五）

　南洋協会の使命………本会専務理事海外興業株式会社々長　井上雅二………（一三）

資料

　爪哇に於ける綿ポプリンに就いて………本会スラバヤ商品陳列所………（二〇）

　英領馬来に於ける絹織物の需要………本会新嘉坡商品陳列所………（三四）

　スマトラに於ける電気事業の概況………本会スラバヤ商品陳列所スマトラ出張員事務所………（四六）

　一九二九年に於ける蘭領印度の対独逸貿易に就いて………本会スラバヤ商品陳列所………（五二）

　暹羅に於て著目すべき事業………（五七）

　タイヤ製造と生護謨の消費………サイミントン・シンクレア商会主　ハーリー・サイミントン述
　　佐藤惣三郎訳補………（六八）

　スマトラ、メダン常設委員会の一九三〇年に於ける苦力條令改正案に対するアフロスの回答………
　　（八一）

雑録

　南洋奇聞（八〇）………三吉香馬………（九九）

　アルゼンチンより………麗蘭生………（一〇五）

　蘭領印度に於ける商標登録に要する手続と費用………本会爪哇支部………（一〇八）

　南洋各地商況………（一一一）

　近事一束………（一一七）

本会報告

　本部―台湾支部―爪哇支部―新嘉坡商品陳列所―スラバヤ商品陳列所―スマトラ出張員事務所―新
　　入会員―本部備付図書………（一二三）

口絵

　□本会第二十二回定時総会晩餐会―□新に発見された馬来の沃野キヤメロン高原

◆『南洋協会雑誌』第十六巻第九号〔［昭和五年］九月一日発行）

　本会の趣旨………（一）

論説

　明治創業の精神に還れ………（二）

説苑

　南洋に於ける栽培企業の将来………本会嘱託　多湖実敬………（七）

　南洋に於ける華僑………本会嘱託経済学博士　木村増太郎………（一九）

資料

　前途有望なる人造絹糸応用織物について………本会スラバヤ商品陳列所………（三三）

英領馬来に輸入せらるゝ硝子及同製品………本会新嘉坡商品陳列所………（四四）

スマトラに於ける電球の需要………本会スラバヤ商品陳列所スマトラ出張員事務所………（五一）

最近のサイゴン米取引事情………本会仏領印度支那地方調査嘱託　塩田谷五郎………（五六）

護謨界の実相と護謨会社株式の前途………佐藤惣三郎………（六二）

雑録

南洋奇聞（八一）………三吉香馬………（六七）

ブラジルより………麗蘭生………（七三）

南洋各地商況………（七八）

最近の蘭領印度経済界………（八五）

英領馬来に於ける紙及び紙製品の需要増加………（八八）

北部スマトラ生産品に対する需要増加………（八九）

近事一束………（九一）

本会報告

本部―台湾支部―新嘉坡支部―馬尼剌支部―新嘉坡商品陳列所―スラバヤ商品陳列所―スマトラ出張員事務所―バタビヤ出張員事務所―新入会員―本部備付図書………（九六）

口絵

　□タワオの埠頭―□英領北ボルネオ政庁―□ジヤバの紅茶

◆『南洋協会雑誌』第十六巻第十号（［昭和五年］十月一日発行）

本会の趣旨………（一）

論説

日本蘭領印度協会の成立………（二）

説苑

暹羅国事情………前暹羅公使館在勤領事　郡司喜一………（五）

資料

英領馬来に輸入せらるゝ硝子及同製品（二）………本会新嘉坡商品陳列所………（一九）

蘭領印度に於ける人造絹糸織物の一考察………本会スラバヤ商品陳列所………（三二）

爪哇に於ける水産物類缶詰の需要………本会スラバヤ商品陳列所………（四五）

スマトラに於ける自転車の需要状況………本会スラバヤ商品陳列所スマトラ出張員事務所………（五四）

護謨中心地の還元と日本護謨靴の圧倒的進出………竹村生………（五九）

雑録

南洋奇聞（八二）………三吉香馬………（六三）

いたましいメキシコ………麗蘭生………（六八）

南洋各地商況………（七〇）

　　英領馬来に於ける革製品市場………（七七）

　　英領馬来上半期貿易の萎縮………（七八）

　　馬来半島に於ける護謨樹の落葉病………（八〇）

　　近事一束………（八二）

本会報告

　　本部―新嘉坡商品陳列所―スマトラ出張員事務所―バタビヤ出張員事務所―新入会員―本部備付図書………（八七）

口絵

　　□バンコックを貫流するメナム河　□シヤムのチーク材の搬出　□シヤム米の収穫

◆『南洋協会雑誌』第十六巻第十一号（［昭和五年］十一月一日発行）

　　本会の趣旨………（一）

論説

　　南洋の政治的安定………（二）

説苑

　　領内南洋事情………本会南洋群島支部長南洋庁長官　横田郷助………（五）

　　比律賓群島事情………本会嘱託海外興業会社南洋主任　鵜飼恒一………（一五）

資料

　　蘭領印度に於ける陶磁器、硝子並にエナメル製品の需要………本会スラバヤ商品陳列所………（二四）

　　護謨の前途と重切付法………（三〇）

　　英領馬来に於けるメリヤス製品の需要状況………本会新嘉坡商品陳列所………（三五）

　　蘭領印度に於ける蚊帳地カイン・クランブに就て………本会スラバヤ商品陳列所………（四四）

　　スマトラ茶に就て………本会スラバヤ商品陳列所スマトラ出張員事務所………（四八）

　　蘭領印度苦力條例懲罰法縮少案………（五二）

　　我国民の好発展地仏領老檛………本会仏領印度支那調査嘱託　横山正脩………（六二）

雑録

　　大南洋旅行記………内田嘉吉………（七五）

　　南洋奇聞（八三）………三吉香馬………（八二）

　　アマゾン河畔より（前篇）………麗蘭生………（八八）

　　対南洋無線通信設備に就て………日本無線電信会社　白石源吉………（九二）

　　南洋各地商況………（九四）

　　蘭領印度に於ける玉蜀黍の栽培と輸出………（一〇〇）

　　スマトラに於ける小型発動機の需要………（一〇二）

近事一束………（一〇四）

本会報告

　　本部―新嘉坡商品陳列所―バタビヤ出張員事務所―スマトラ出張員事務所―マニラ支部―爪哇支部
　　―新入会員―本部備付図書………（一〇七）

口絵

　　□南洋群島サイパン小学校、サイパン医院、サイパン製糖所、カナカ族の婦人　□比律賓ダバオの
　　マニラ麻の成熟、麻倉庫、パルプ工場、タロモ桟橋

◆『南洋協会雑誌』第十六巻第十二号（[昭和五年]十二月一日発行）

　　田会頭追悼録………（一～五九）

説苑

　　領内南洋事情（二）………本会南洋群島支部長南洋庁長官　横田郷助………（一）

　　蘭領印度の印象………向田金一………（一〇）

資料

　　新嘉坡市場に於ける琺瑯鉄器………本会新嘉坡商品陳列所………（　八）

　　爪哇に於ける衣服の色に就て………本会スラバヤ商品陳列所………（二三）

　　英領馬来に対する農産物の輸出状況に就いて………本会新嘉坡商品陳列所………（三〇）

　　蘭領印度のコパル輸出状況………本会スラバヤ商品陳列所………（三九）

　　育種作業の一考察………（四五）

雑録

　　大南洋旅行記（二）………内田嘉吉………（四九）

　　南洋奇聞（八四）………三吉香馬………（五七）

　　南洋各地商況………（六五）

本会報告

　　本部―新嘉坡商品陳列所―スラバヤ商品陳列所―バタビヤ出張員事務所―スマトラ出張員事務所―
　　スマトラ支部―新入会員―本部備付図書………（六九）

◆『南洋協会雑誌』第十七巻一号（[昭和六年]一月一日発行）

　　本会の趣旨………一

論説

　　南洋に於ける邦人の活躍………二

説苑

　　世界的不景気に就て………本会嘱託経済学博士　木村増太郎………五

　　南米談………拓務省管理局第一課長　北島謙次郎………一七

　　蘭領東印度の企業………本会爪哇支部長駐バタビヤ総領事　三宅哲一郎………三〇

資料
　　爪哇に於ける綿フランネル………本会スラバヤ商品陳列所………四二
　　最近三ヶ年間英領馬来に於ける生果、玉葱、馬鈴薯の需要………本会新嘉坡商品陳列所………五〇
　　爪哇に於ける本邦製レーヨン織物の需給状況と将来………本会スラバヤ商品陳列所バタビヤ出張員事務所………五六
　　パパヤとパパイン………六五
　　一九三〇年上半期に於けるスマトラ東海岸州の経済状況………本会スラバヤ商品陳列所スマトラ出張員事務所………七一
　　我国の貿易上より見たる最近の比律賓市場………本会マニラ支部幹事　渡辺　薫………七九
雑録
　　大南洋旅行記（三）………内田嘉吉………八五
　　南洋奇聞（八五）………三吉香馬………九四
　　過去に於ける仏領印度支那の対日本問題を論じ将来に及ぶ………レオン・アルシームボー………一〇一
　　南洋各地商況………一〇七
　　近事一束………一一二
本会報告
　　本部―新嘉坡商品陳列所―スラバヤ商品陳列所―スマトラ出張員事務所―バタビヤ出張員事務所―爪哇支部―新入会員………一一六
口絵
　　□プロモの噴煙―□馬来半島ジョホール州スリメダンの鉄鉱山、同上鉱石搬出用桟橋―□本会スマトラ支部臨時総会晩餐会―□本会バタビヤ出張員事務所開所披露午餐会

◆『南洋協会雑誌』第十七巻二号（[昭和六年]二月一日発行）
　　本会の趣旨………一
論説
　　再び護謨栽培会社の合同に就て………二
説苑
　　南洋に対する我が国策………本会理事　鶴見左吉雄………五
　　南洋の鉱業………石原産業海運合資会社々長　石原廣一郎………一三
資料
　　英領馬来市場に於ける自転車及び同付属品の取引状況………本会新嘉坡商品陳列所………一九
　　蘭領印度市場に於ける自転車の取引状況………本会スラバヤ商品陳列所………三〇
　　護謨栽培と硫安施肥に就て………三六

爪哇に於ける縞三綾及び捺染ジェーンスに就て………本会スラバヤ商品陳列所………四一

我国の貿易上より見たる最近の比律賓市場（二）………本会マニラ支部幹事　渡辺　薫………四九

カカオに就て………五六

雑録

大南洋旅行記（四）………内田嘉吉………六〇

南洋奇聞（八六）………三吉香馬………七七

過去に於ける仏領印度支那の対日本問題を論じ将来に及ぶ（二）………レオン・アルシムボー………八〇

南洋各地商況………八九

一九二九年に於けるマカツサの貝殻取引状況………九四

最近三ヶ年間の情勢より見たる一九三一年度の護謨市価………佐藤惣三郎………九五

北部スマトラに於ける不景気と金融逼迫………九七

近事一束………九九

本会報告

本部―新嘉坡商品陳列所―スマトラ出張員事務所―バタビヤ出張員事務所―台湾支部―新入会員………一〇三

口絵

□爪哇メラピー火山の大爆発

◆『南洋協会雑誌』第十七巻三号（［昭和六年］三月一日発行）

本会の趣旨………一

論説

我国の対南進展の一大福音………二

説苑

英領馬来事情………本会嘱託台湾拓殖株式会社支配人　納富準一………五

我国対蘭印貿易事情………本会スラバヤ商品陳列所々長　小原友吉………一六

我国の経済と南洋………本会副会頭　内田嘉吉………二五

資料

蘭領印度市場に於ける自転車の取引状況（二）………本会スラバヤ商品陳列所………三五

英領馬来市場に於ける自転車及び同付属品の取引状況(二)………本会新嘉坡商品陳列所………四五

世界的に注目されてゐるスマトラ産オイルパーム………本会スラバヤ商品陳列所スマトラ出張員事務所………五〇

アフロス試験場技師コルトレーヴ氏の土壌反応がヘベアの発育に及ぼす影響に就ての研究………五六

爪哇に於ける縞三綾及び捺染ジェーンスに就て（二）………本会スラバヤ商品陳列所………六二

護謨新生産制限法………佐藤惣三郎………六八

　　蘭領印度に於ける醬油の需要………本会スラバヤ商品陳列所………七四

　　我国の貿易上より見たる最近の比律賓市場（三）………本会マニラ支部幹事　渡辺　薫………八一

雑録

　　大南洋旅行記（五）………内田嘉吉………九一

　　南洋奇聞（八七）………三吉香馬………一〇八

　　暹羅の迦楼羅雑考………松尾蠹明………一一〇

　　馬来半島を縦断して白象王国に入る………奥村幸二郎………一一四

　　南洋各地商況………一一八

　　近事一束………一二二

本会報告

　　本部―新嘉坡商品陳列所―スラバヤ商品陳列所―スマトラ出張員事務所―バタビヤ出張員事務所―
　　　新入会員………一二六

口絵

　　□南洋の漁業―□シヤコ貝とその真珠

◆『南洋協会雑誌』第十七巻四号（[昭和六年] 四月一日発行）

　　本会の趣旨………一

論説

　　石塚太田両旧新総督を送迎す………二

　　新会頭を迎ふ………三

説苑

　　南遊雑感………坂本龍起………五

　　南洋漁業の実際………原　耕………一八

資料

　　英領馬来市場に於ける自転車及び同付属品の取引状況（三）………本会新嘉坡商品陳列所………二八

　　爪哇のカカオ栽培………大村貞一………三三

　　護謨界過去数年間の実相と一九三一年度の予想………佐藤惣三郎………三九

　　爪哇に於ける縞三綾及び捺染ジエーンスに就て（三）………本会スラバヤ商品陳列所………四五

　　トバ・ルートに就て………本会新嘉坡商品陳列所………五三

　　蘭領印度市場に於ける自転車の取引状況（三）………本会スラバヤ商品陳列所………五九

雑録

　　南洋奇聞（八八）………三吉香馬………六六

　　プロムブナン秘話………井手諦一郎………七二

比律賓群島に於ける一九三〇年の日本人問題………正木吉右衛門………八一

極楽鳥狩獵（第一信）………本会ニユーギニア地方調査嘱託　和田儀太郎………八八

シヤム王国の象徴白象を見る………奥村幸二郎………九三

南洋各地商況………一〇一

セレベスの黒檀………緒方惟一………一〇六

英領馬来に於ける紙製品市場………一一〇

一九三〇年度に於ける比島マニラ麻界の状況………一一三

近事一束………一一五

本会報告

　本部─新嘉坡商品陳列所─スラバヤ商品陳列所─スマトラ出張員事務所─バタビヤ出張員事務所─ダバオ支部─新入会員─本部備付図書………一一九

口絵

　□新本会々頭侯爵蜂須賀正韶閣下─□本会臨時総会晩餐会

◆『南洋協会雑誌』第十七巻五号（［昭和六年］五月一日発行）

本会の趣旨………一

論説

　暹羅皇帝皇后両陛下御来朝………二

　桜内新商相と原新拓相とを迎へて………三

説苑

　暹羅事情………暹羅駐劄特命全権公使　谷田部保吉………五

資料

　爪哇のカカオ栽培（二）………大村貞一………一三

　護謨の新用途パラグツタ………佐藤惣三郎………二八

　英領馬来に於ける漁具と其需給………本会新嘉坡商品陳列所………三三

　爪哇に於けるゴム靴の需給状況………本会スラバヤ商品陳列所………四一

　英領馬来市場に於ける護謨底キヤンバス靴の需給状況………本会新嘉坡商品陳列所………四七

　スマトラ東海岸州に於ける日本製キヤンバス靴の需要………本会スラバヤ商品陳列所　スマトラ出張員事務所………五三

　一九三〇年度ダバオ港貿易の概況………ダバオ　岡本耿介………五五

　ロシア綿布の新嘉坡市場進出………本会新嘉坡商品陳列所………六〇

　南洋群島移住農業者に対する注意………六三

雑録

　南洋奇聞（八九）………三吉香馬………六七

186　Ⅱ．南洋協会発行雑誌　総目録

　　プロムブナン秘話（二）………井手諦一郎………七三
　　極楽鳥狩獵（第二信）………本会ニューギニア地方調査嘱託　和田儀太郎………八四
　　南洋各地商況………八八
　　一九三〇年の英領馬来貿易………九四
　　蘭印の道路の発達と自動車………九六
　　近事一束………九八
本会報告
　　本部―新嘉坡商品陳列所―スラバヤ商品陳列所―スマトラ出張員事務所―バタビヤ出張員事務所―台湾支部―新入会員―本部備付図書………一〇二
口絵
　　□暹羅国皇帝皇后両陛下御来朝―□暹羅国チヤツクリー宮殿―□暹羅プラパトムの仏塔―□暹羅の古代劇

◆『南洋協会雑誌』第十七巻六号（［昭和六年］六月一日発行）
　　本会の趣旨………一
論説
　　蘭領印度貿易の現状と日本の地位………二
説苑
　　暹羅事情（二）………暹羅駐剳特命全権公使　谷田部保吉………五
資料
　　新嘉坡に於けるセメントの近況………本会新嘉坡商品陳列所………一四
　　蘭印市場に現れたロシア捺染綿布………本会スラバヤ商品陳列所………一九
　　一九三〇年スマトラ東海岸州経済事情………本会スラバヤ商品陳列所スマトラ出張員事務所………二七
　　産米政策と小麦の列国会議………佐藤惣三郎………三五
　　新嘉坡市場のトマト・サーデン………本会新嘉坡商品陳列所………四二
　　カルスの研究………四七
　　栽培業の強敵うどんこ病………四九
　　世界に於ける植物油の現状………本会新嘉坡商品陳列所………五一
　　英領馬来の自動車部分品及付属品………五六
雑録
　　南洋奇聞（九〇）………三吉香馬………六三
　　ラグナ清遊………本会マニラ支部幹事　渡辺　薫………六八
　　南洋各地商況………七一

暹羅に於ける食料品市況………八四

　　被南に於ける建築材料市況………八六

　　マカツサの海草………マカツサにて　緒方惟一………八八

　　近事一束………九〇

本会報告

　　本部―新嘉坡商品陳列所―スラバヤ商品陳列所―スマトラ出張員事務所―バタビヤ出張員事務所―
　　　爪哇支部―新入会員―本部備付図書………九六

口絵

　　□爪哇産カカオ　□南洋群島

◆『南洋協会雑誌』第十七巻七号（［昭和六年］七月一日発行）

　　本会の趣旨………一

論説

　　関税引上と貿易調節………二

説苑

　　南洋各地を歴訪して………比律賓総督　ダヴイット・デヴイス………五

資料

　　過去十ヶ年間に於ける英領馬来貿易………本会新嘉坡商品陳列所長　増淵佐平………一九

　　護謨市価の大暴落と護謨会社の営業政策………佐藤惣三郎………四〇

　　護謨園地方挽回策………四八

雑録

　　南洋奇聞（九一）………三吉香馬………五六

　　極楽鳥狩獵（第三信）………本会ニユーギニア地方調査嘱託　和田儀太郎………六一

　　南洋各地商況………六五

本会報告

　　本部―爪哇支部―新嘉坡商品陳列所―スマトラ出張員事務所―バタビヤ出張員事務所―新入会員―
　　　本部備付図書………七〇

南洋協会第二十三回定時総会事業会計報告　昭和五年度（自昭和五年四月一日至昭和六年三月三十一
　　日）………一～九四

口絵

　　△本会第二十三回定時総会晩餐会　△本会爪哇支部第十回定時総会

◆『南洋協会雑誌』第十七巻八号（［昭和六年］八月一日発行）

　　本会の趣旨………一

論説

海外移住の重要性と国民の認識不足………二

説苑

蘭領印度の現状と将来………バタビヤ駐在帝国副領事　小谷淡雲………七

マニラ麻とダバオの日本人………本会ダバオ支部専任幹事　正木吉右衛門………一二

資料

仏領印度支那米産の将来………本会仏領印度支那地方調査嘱託　横山正脩………一七

蘭領印度織物市場に於ける日、英、蘭三国の競争………本会スラバヤ商品陳列所………二七

爪哇の邦人漁業と漁網、漁具の需要状況………本会スラバヤ商品陳列所バタビヤ出張員事務所主任　多賀正作………三八

粗製品供給に対する人為的箝制の研究………英国王室経済協会友　ゼー・ダブリウ・エフ・ロー　佐藤惣三郎抄訳………四二

護謨園地方増進作………五六

英領馬来市場に於ける刃物………本会新嘉坡商品陳列所………五九

比島向輸出商品のインボイス作製の注意………六〇

蘭領印度輸入品評定価格の改正と日本品………六三

雑録

南洋奇聞（九二）………三吉香馬………六九

極楽鳥狩獵（四）………本会ニユーギニア地方調査嘱託　和田儀太郎………七四

南洋各地商況………八一

英領馬来の塩干魚市況………九一

メダンに於ける最近の食料品市価………九三

近事一束………九五

本会報告

本部―台湾支部―マニラ支部―新嘉坡支部―新嘉坡商品陳列所―スマトラ出張員事務所―バタビヤ出張員事務所―新入会員―本部備付図書………九八

口絵

□爪哇華僑商業視察団歓迎晩餐会　□本会新嘉坡支部昭和六年度定時総会　□南洋群島民内地観光団歓迎会

◆『南洋協会雑誌』第十七巻九号（［昭和六年］九月一日発行）

本会の趣旨………一

論説

海外事情に対する誤解を去れ………二

説苑

蘭領印度の現状と将来（二）………バタビヤ駐在帝国副領事　小谷淡雲………五
エステート護謨と土人護謨の将来………南亜公司常務取締役　松本三郎………一六

資料

英領馬来市場に於ける乾電池及び蓄電池の需要………本会新嘉坡商品陳列所………二三
粗製品供給に対する人為的箝制の研究（二）………英国王室経済協会友　ゼー・ダブリウ・エフ・ロー　佐藤惣三郎抄訳………二八
蘭領印度織物市場に於ける日、英、蘭三国の競争（二）………本会スラバヤ商品陳列所………四三
新嘉坡に於ける綿毛布の需要………本会新嘉坡商品陳列所………四八
仏領印度支那米産の将来（二）………本会仏領印度支那地方調査嘱託　横山正脩………五三
蘭領印度に於ける商標登録手続に就て………本会爪哇支部………六二
北スマトラに於ける石油生産品の輸出………本会スラバヤ商品陳列所スマトラ出張員事務所………六五

雑録

南洋奇聞（九三）………三吉香馬………六八
極楽鳥狩獵（五）………本会ニユーギニア地方調査嘱託　和田儀太郎………七三
南洋各地商況………八〇
一九三一年一月より三月に至る爪哇及マドラ物産市況………八五
近事一束………九五

本会報告

本部―新嘉坡商品陳列所―スラバヤ商品陳列所―スマトラ出張員事務所―バタビヤ出張員事務所―新入会員―本部備付図書………一〇一

口絵

□バリ島土人風景　□ダバオの開墾

◆『南洋協会雑誌』第十七巻十号　〔昭和六年〕十月一日発行）

本会の趣旨………一

論説

対支関係の紛糾と南洋に於ける日貨排斥………二

説苑

蘭領印度の現状と将来（三）………バタビヤ駐在帝国副領事　小谷淡雲………五

資料

英領馬来に於ける護謨製品の現状………本会新嘉坡商品陳列所………一四
蘭領印度織物市場に於ける日、英、蘭三国の競争（三）………本会スラバヤ商品陳列所………二五
スマトラ島に於ける綿毛布需給状況………本会スラバヤ商品陳列所スマトラ出張員事務所………三五

爪哇に於ける綿毛布需給状況………本会スラバヤ商品陳列所バタビヤ出張員事務所………三七
仏領印度支那米産の将来（三）………本会仏領印度支那地方調査嘱託　横山正脩………四一
一九三一年上半期に於ける蘭領印度陶磁器硝子エナメル器市況………本会スラバヤ商品陳列所………四八
粗製品供給に対する人為的箝制の研究（三）………英国王室経済協会友　ゼー・ダブリウ・エフ・ロー　佐藤惣三郎抄訳………五三

雑録

南洋奇聞（九四）………三吉香馬………七六
極楽鳥狩獵（六）………本会ニユーギニア地方調査嘱託　和田儀太郎………八一
南洋各地商況………九一
近事一束………九六

本会報告

本部―スマトラ支部―新嘉坡商品陳列所―スラバヤ商品陳列所―スマトラ出張員事務所―バタビヤ出張員事務所―新入会員―本部備付図書………一〇〇

口絵

□とりいれ　□マドラの競牛

◆『南洋協会雑誌』第十七巻十一号（［昭和六年］十一月一日発行）

本会の趣旨………一

論説

一九三〇年―三一年の世界錫鉱業の現状………二

説苑

人口過剰と海外移民………前伯林大学教授　パウル・ロールバツハ博士述　森　孝三訳………五
英領馬来事情………本会新嘉坡商品陳列所長　増淵佐平………一四
蘭領東印度事情………本会スラバヤ商品陳列所長　小原友吉………二一

資料

新嘉坡に於ける印刷機械及印刷インキ需給状況………本会新嘉坡商品陳列所………二九
蘭領印度市場に於ける石鹸類の需給状況………本会スラバヤ商品陳列所………三三
スマトラ東海岸州綿糸布需給状況………本会スラバヤ商品陳列所スマトラ出張員事務所………四一
英領馬来に於ける莫蓙及筵需給状況………本会新嘉坡商品陳列所………四五
粗製品供給に対する人為的箝制の研究（四）………英国王室経済協会友　ゼー・ダブリウ・エフ・ロー　佐藤惣三郎抄訳………五一
爪哇更紗に就て………六二

雑録

南洋奇聞（九五）………三吉香馬………六九

　　　極楽鳥狩獵（七）………本会ニユーギニア地方調査嘱託　和田儀太郎………七四

　　　南洋各地商況………八三

　　　海峡植民地各地小売物価一覧表………九一

　　　一九三一年七月に於ける英領馬来対日並に対外貿易統計………九三

　　　近事一束………九九

　本会報告

　　　本部—新嘉坡商品陳列所—スラバヤ商品陳列所—スマトラ出張員事務所—バタビヤ出張員事務所—

　　　　新入会員—本部備付図書………一〇六

　口絵

　　　□爪哇更紗

◆『南洋協会雑誌』第十七巻十二号（[昭和六年] 十二月一日発行）

　　本会の趣旨………一

　論説

　　　昭和六年に於ける我対南貿易の概況を顧みて………二

　説苑

　　　南洋に於ける邦人と事業………拓務省拓務局第三課長　一番ヶ瀬佳雄………五

　　　蘭領印度の産業………南国産業株式会社取締役　有村貫一………一九

　資料

　　　爪哇市場に於ける織物概況（一）………本会スラバヤ商品陳列所………三〇

　　　新嘉坡に於けるラヂオ及部分品………本会新嘉坡商品陳列所………四四

　　　爪哇に於ける麦酒の需給状況………本会スラバヤ商品陳列所バタビヤ出張員事務所………五一

　　　護謨樹に対する肥料反応に就て………五三

　　　粗製品供給に対する人為的箝制の研究（五）………英国王室経済協会友　ゼー・ダブリウ・エフ・

　　　　ロー　佐藤惣三郎抄訳………五七

　　　スマトラ東海岸州に於けるベニア・チエストの需要………本会スラバヤ商品陳列所スマトラ出張員

　　　　事務所………六七

　雑録

　　　南洋奇聞（九六）………三吉香馬………六九

　　　極楽鳥狩獵（八）………本会ニユーギニア地方調査嘱託　和田儀太郎………七五

　　　南洋各地商況………八二

　　　近事一束………八九

　本会報告

本部―ダバオ支部―新嘉坡商品陳列所―スラバヤ商品陳列所―スマトラ出張員事務所―バタビヤ出張員事務所―新入会員―本部備付図書………九三

口絵

　□ダマルの採取　□メダンの市街（スマトラ）　□アフロス試験所（メダン）

南洋協会雑誌第十七巻総目次

南洋協会会員名簿（昭和六年八月一日現在）………一～七〇

◆『南洋協会雑誌』第十八巻第一号（［昭和七年］一月一日発行）

　本会の趣旨………一

論説

　世界恐慌の深化と当協会の使命………本会幹事　飯泉良三………二

説苑

　比律賓の産業貿易………太田興業株式会社重役　正木吉右衛門………五

　南洋企業の将来………スマトラ興業株式会社常務取締役　岩田喜雄………一六

資料

　爪哇市場に於ける織物概況（二）………本会スラバヤ商品陳列所………二四

　北米合衆国に於ける生ゴムの自給とグアイユール灌木………佐藤惣三郎………二九

　馬来聯邦州新輸入税に対する考察………本会新嘉坡商品陳列所………三四

　蘭印市場に於ける自動車タイヤー需給状況………三九

　一九三一年上半期スマトラ東海岸州経済状況………本会スラバヤ商品陳列所スマトラ出張員事務所………四二

　蘭領印度に於ける蓄音機並にレコードの輸入状況………本会爪哇支部………五四

　蘭領印度輸出入貿易の消長………五七

雑録

　南洋奇聞（九七）………三吉香馬………六〇

　暹羅通事森田長助………松尾蠹明………六五

　極楽鳥狩獵（九）………本会ニューギニア地方調査嘱託　和田儀太郎………七〇

　南洋各地商況………七八

　近事一束………八四

本会報告

　本部―南洋群島支部―新嘉坡商品陳列所―スラバヤ商品陳列所―スマトラ出張員事務所―バタビヤ出張員事務所―新入会員―本部備付図書………九〇

口絵

　□バリ島のある漁村　□田舎道

◆『南洋協会雑誌』第十八巻第二号（［昭和七年］二月一日発行）
　本会の趣旨………一
論説
　海外発展に関する我国官民の認識不足………本会幹事　飯泉良三………二
説苑
　蘭領印度に於ける邦人発展の実相（一）………スラバヤ駐在帝国領事　姉歯準平………五
資料
　蘭印市場に於ける履物類取引状況………本会スラバヤ商品陳列所………一二
　英領馬来に於けるサロンの需給状況………本会新嘉坡商品陳列所………三四
　護謨園更新に対する方策………三七
　合成ゴムの発明ニユーブランド神父………佐藤惣三郎………四六
　蘭領印度に於ける日本製晒綿布の進出………本会爪哇支部………四九
　爪哇市場に於ける織物概況（三）………本会スラバヤ商品陳列所………五三
　スマトラ東海岸州に於けるトマト清鰯缶詰需給状況………本会スラバヤ商品陳列所スマトラ出張員事務所………七〇
雑録
　南洋奇聞（九八）………三吉香馬………七二
　極楽鳥狩獵（十）………本会ニユーギニア地方調査嘱託　和田儀太郎………七六
　南洋各地商況………八四
　一九三二年第一期蘭領印度輸出統計税評定価格………九〇
　一九三一年十月に於ける爪哇及マドラ綿布人絹布輸入統計………九四
　一九三一年九月の爪哇対日本並に爪哇対諸外国貿易統計………九六
　最近の蘭領印度、仏領印度支那間の貿易………一〇五
　日本綿布及人絹布商況（新嘉坡）………一〇七
　近事一束………一一二
本会報告
　本部—台湾支部—ダバオ支部—新嘉坡商品陳列所—スラバヤ商品陳列所—スマトラ出張員事務所—バタビヤ出張員事務所—新入会員—本部備付図書………一一九
口絵
　□本会ダバオ支部臨時総会　□比律賓風景

◆『南洋協会雑誌』第十八巻第三号（［昭和七年］三月一日発行）
　本会の趣旨………一
論説

対支問題と海外発展………本会幹事　飯泉良三………二
説苑
　蘭領印度に於ける邦人発展の実相（二）………スラバヤ駐在帝国領事　姉歯準平………四
資料
　英領馬来に於ける履物（一）………本会新嘉坡商品陳列所………八
　護謨栽培界の恩人A・W・スチール氏を追憶す………佐藤惣三郎………三四
　護謨園の森林施業化と地被としての荳科植物の価値………三八
　英領馬来の人絹布の今昔………本会新嘉坡商品陳列所………四四
　蘭領印度に於ける繊維工業………本会スラバヤ商品陳列所………四八
　英領馬来の蚊取線香と香水………本会新嘉坡商品陳列所………五四
　蘭領東印度栽培業其他に於ける列国投資概況………五七
　蘭領印度に於ける個人諸税………五九
雑録
　南洋奇聞（九九）………三吉香馬………六三
　比律賓ミンダナオ島の蕃人………本会ダバオ支部評議員　児島宇一………六六
　極楽鳥狩獵（十一）………本会ニユーギニア地方調査嘱託　和田儀太郎………六八
　南洋各地商況………七五
　一九三一年十月中爪哇の対日本並に対諸外国貿易統計………八三
　一九三一年十一月中英領馬来の対日並に対諸外国貿易統計………九二
　近事一束………九六
本会報告
　本部―台湾支部―南洋群島支部―新嘉坡商品陳列所―スラバヤ商品陳列所―スマトラ出張員事務所
　　　―バタビヤ出張員事務所―新入会員―本部備付図書………一〇〇
口絵
　□モロ族と漁夫とカヌー　□タンジヨンパガー停車場（新嘉坡製造品展覧会場）

◆『南洋協会雑誌』第十八巻第四号（［昭和七年］四月一日発行）
　本会の趣旨………一
論説
　排日運動と在南支那人の動向………本会幹事　飯泉良三………二
説苑
　比律賓に於ける一九三一年の日本人問題………本会ダバオ支部専任幹事　正木吉右衛門………四
資料
　英領馬来に於ける履物（二）………本会新嘉坡商品陳列所………一六

馬来半島護謨巡礼………岡部常太郎………四六

中華民国に於けるタイヤ取引と大満洲の将来………佐藤惣三郎………六二

仏領印度支那に於ける魚醬油製造及取締規則（一）………本会仏領印度支那地方調査嘱託　塩田啓人………六七

スマトラ東海岸州に於ける中折帽子の需要………本会スラバヤ商品陳列所スマトラ出張員事務所………八九

護謨森林造園法………本会新嘉坡商品陳列所………九二

乾期に直面して再びうどんこ病を語る………九五

雑録

南洋奇聞（一〇〇）………三吉香馬………九七

極楽鳥狩獵（十二）………本会ニユーギニア地方調査嘱託　和田儀太郎………一〇二

噫々柳原隆人君………本会ダバオ支部専任幹事　正木吉右衛門………一〇八

南洋各地商況………一一一

メダンの食料品物価………一一九

一九三一年十一月中爪哇の対日本並に対諸外国貿易統計………一二一

一九三一年十二月中英領馬来の対日並に対諸外国貿易統計………一三〇

最近三ヶ年間仏領印度支那対外貿易統計………一三四

近事一束―馬来聯邦州で輸入税引上げ・馬来聯邦州輸出税に関する査定額改正・錫崙に於ける商標登録手続・盤谷向輸出業者に対する注意・など………一三五

本会報告

本部―マニラ支部―ダバオ支部―新嘉坡商品陳列所―スラバヤ商品陳列所―スマトラ出張員事務所―バタビヤ出張員事務所―新入会員―本部備付図書………一四〇

口絵

□護謨園森林化　□仏領印度支那に於ける魚醬油製造

◆『南洋協会雑誌』第十八巻第五号（［昭和七年］五月一日発行）

本会の趣旨………一

論説

南洋市場の確保に専念せよ………本会幹事　飯泉良三………二

資料

護謨園森林化の批判と行き方………小田　修………四

一九三一年度護謨生産状況と其の将来………佐藤惣三郎………一〇

仏領印度支那に於ける魚醬油製造及取締規則（二）………本会仏領印度支那地方調査嘱託　塩田啓人………一六

比律賓に於ける蘭々油事業に就て………本会マニラ支部幹事　渡辺　薫………三一

一九三一年爪哇及マドラの外国貿易………本会スラバヤ商品陳列所………三五

一九三一年スマトラ東海岸州経済事情………本会スラバヤ商品陳列所スマトラ出張員事務所………三九

ダバオに於ける日本人の近況と同港の貿易概況………岡本耿介………五〇

一九三〇年馬来護謨産業概況………五七

雑録

　南洋奇聞（一〇一）………三吉香馬………六四

　極楽鳥狩獵（十三）………本会ニユーギニア地方調査嘱託　和田儀太郎………六九

　南洋各地商況………七八

　一九三一年十二月中爪哇の対日本並に対諸外国貿易統計………八五

　最近スマトラ東海岸州港別輸出入統計………九四

　一九三一年中英領馬来の対日並に対諸外国貿易統計………九六

　一九三二年一月中英領馬来の対日並に対諸外国貿易統計………一〇五

　近事一束………一〇九

本会報告

　本部―新嘉坡商品陳列所―スラバヤ商品陳列所―スマトラ出張員事務所―バタビヤ出張員事務所―新入会員―本部備付図書………一一五

口絵

　□珍花アモルフオフアルス

◆『南洋協会雑誌』第十八巻第六号（［昭和七年］六月一日発行）

　本会の趣旨………一

論説

　護謨栽培業の危機………本会幹事　飯泉良三………二

説苑

　満洲新国家の将来と我国………経済学博士　木村増太郎………四

資料

　一九三一年蘭領印度経済界の推移と我国の貿易………本会爪哇支部………一四

　フオレストリー・メソツドに就て………川上寅二………二三

　森林化に関聯する二、三の問題………小田　修………三一

　仏領印度支那に於ける魚醤油製造及取締規則（三）………本会仏領印度支那地方調査嘱託　塩田啓人………三五

　コプランド博士の椰子生産消費論解明………佐藤惣三郎………四七

仏領印度支那の輸入税低下問題に就て………海防　水谷乙吉………五三

　英領馬来に於ける印刷紙………本会新嘉坡商品陳列所………五七

　縞サロンに就て………本会新嘉坡商品陳列所………六二

　蘭領東印度に於ける不況と綿布の需給状況………本会スラバヤ商品陳列所スマトラ出張員事務所
　　………六五

雑録

　南洋奇聞（一〇二）………三吉香馬………六七

　極楽鳥狩猟（十四）………本会ニューギニア地方調査嘱託　和田儀太郎………七二

　南洋各地商況………八〇

　一九三一年中爪哇及マドラ物産市況………八六

　近事一束―蘭領印度輸入税付加税引上――一九三二年第三期蘭領印度物産輸出税――一九三一年の蘭領
　　土人護謨輸出量―など………九四

本会報告

　本部―南洋群島支部―新嘉坡商品陳列所―スラバヤ商品陳列所―スマトラ出張員事務所―バタビヤ
　　出張員事務所―新入会員―本部備付図書………九七

口絵

　□中部爪哇の或町　□東京旅商団見本市

◆『南洋協会雑誌』第十八巻第七号（［昭和七年］七月一日発行）

　本会の趣旨………一

論説

　再び満蒙問題と南洋問題について………本会幹事　飯泉良三………二

説苑

　満洲新国家の将来と我国（二）………経済学博士　木村増太郎………四

資料

　一九三一年度の蘭領印度経済事情………本会スラバヤ商品陳列所………一三

　英領馬来対支那塩干魚及鱶鰭貿易事情………本会新嘉坡商品陳列所………二三

　比律賓新産業規那の栽培に就て………本会マニラ支部幹事　渡辺　薫………三七

　自然力か？人力か？放任主義と森林作業化………富樫孝之助………四〇

　英領馬来の工業中枢点として見たる新嘉坡………本会新嘉坡商品陳列所………四五

　スマトラ東海岸州に於けるバンド需給状況………本会スラバヤ商品陳列所スマトラ出張員事務所
　　………五二

　馬来半島に於ける日本電球の将来………本会新嘉坡商品陳列所………五四

　海峡植民地消費組合法………五七

II．南洋協会発行雑誌　総目録

雑録

　「馬来半島事情」の著者故二宮峰男君を憶ふ………佐藤惣三郎………七一

　南洋奇聞（一〇三）………三吉香馬………七八

　極楽鳥狩獵（十五）………和田儀太郎………八四

　北呂宋の旅（一）………渡辺　薫………九二

　南洋各地商況………九六

　近事一束―蘭領印度金融救済銀行の設立・暹羅金本位停止に関するコムミユニケ・暹羅の平価切下の影響・蘭印ゴム園タツピング停止・蘭領印度のカカオ栽培・新嘉坡英国品週間開催・など………一〇五

本会報告

　本部―新嘉坡商品陳列所―スラバヤ商品陳列所―スマトラ出張員事務所―バタビヤ出張員事務所―新入会員―本部備付図書………一一一

口絵

　□スラバヤ郊外の土人部落―□ニユーギニア土人のカヌー

◆『南洋協会雑誌』第十八巻第八号（［昭和七年］八月一日発行）

　本会の趣旨………一

論説

　海外新市場の獲得………本会幹事　飯泉良三………二

説苑

　満洲の産業開発と南洋………満洲農事協会理事　千葉豊治………四

資料

　新嘉坡市場に於ける麦酒………本会新嘉坡商品陳列所………一二

　スマトラ東海岸州洋紙輸入状況………本会スラバヤ商品陳列所スマトラ出張員事務所………二六

　統計上より見たる護謨の需給概要と感想………本会新嘉坡支部長　宇尾栄次郎………三一

　仏領印度支那の過観途聴記………佐藤惣三郎………四三

　英領馬来に於ける自転車付属品………本会新嘉坡商品陳列所………五一

　蘭領印度に於ける有望商品に就て………本会スラバヤ商品陳列所長　小原友吉………五六

雑録

　南洋奇聞（一〇四）………三吉香馬………七〇

　極楽鳥狩獵（十六）………和田儀太郎………七四

　北呂宋の旅（二）………渡辺　薫………八二

　マラリヤの特効薬プラスモヒン………江川俊治………八七

　南洋各地商況………八九

本会報告

　本部―新嘉坡商品陳列所―スラバヤ商品陳列所―スマトラ出張員事務所―バタビヤ出張員事務所―新入会員―本部備付図書………九五

南洋協会第二十四回定時総会事業会計報告　昭和六年度（自昭和六年四月一日至昭和七年三月三十一日）………一〜一一〇

口絵

　□本会第二十四回定時総会晩餐会　□南洋群島民観光団歓迎茶話会

◆『南洋協会雑誌』第十八巻第九号（［昭和七年］九月一日発行）

　本会の趣旨………一

論説

　南洋に於ける其後の日貨排斥………本会幹事　飯泉良三………二

説苑

　革命後の暹羅と日本………天田一閑………四

資料

　爪哇市場に於ける織物概況（四）………本会スラバヤ商品陳列所………一一

　スマトラ東海岸州に於けるベニヤ・チエスト需給状況………本会スラバヤ商品陳列所スマトラ出張員事務所………二四

　新嘉坡に於けるアルミニユーム製品………本会新嘉坡商品陳列所………二七

　ガムビルに就て………本会スラバヤ商品陳列所………三四

　海峡植民地「外国人法」………本会新嘉坡商品陳列所………五九

　マニラ麻市況並ダヴアオ麻耕地状況………六三

雑録

　南洋奇聞（一〇五）………三吉香馬………六六

　北呂宋の旅（三）………渡辺　薫………六九

　極楽鳥狩獵（十七）………和田儀太郎………八〇

　南洋各地商況………八七

　昭和七年度上半期陶磁器市況………九三

　近事一束………ジヨホール州でも地租軽減・和蘭の護謨粉末発明・蘭領印度に於ける綿布輸入割当問題・護謨園のタツピング停止状態・新嘉坡三大華僑銀行の合併・馬来聯邦州関税法改正・馬来聯邦州輸出税に関する査定額改正・蘭印物産輸出税・蘭印輸出統計税評定価格・スマトラ東海岸州重要物産・馬来聯邦州輸入品倉敷料・など………九七

本会報告

　本部―新嘉坡商品陳列所―スラバヤ商品陳列所―スマトラ出張員事務所―バタビヤ出張員事務所―

新入会員………一一〇
口絵
　　□ニツパ椰子（比律賓）―□比律賓土人の浮橋―□比律賓ボントツク族の寝宿―□比律賓カリンガ族の乙女

◆『南洋協会雑誌』第十八巻第十号（［昭和七年］十月一日発行）
　　本会の趣旨………一
論説
　　益々多望なる我が海外移民の前途………二
説苑
　　暹羅農民の経済生活………天田一閑………五
資料
　　比律賓に於ける華僑排日貨の影響と邦商の現況に就て………本会マニラ支部幹事　渡辺　薫………一二
　　英領馬来に於ける莫大小シヤツの需給状況………本会新嘉坡商品陳列所………二四
　　爪哇に於けるカルシユーム・カーバイド需給状況………本会スラバヤ商品陳列所バタビヤ出張員事務所………二七
　　パダン・セメントに就て………本会スラバヤ商品陳列所スマトラ出張員事務所………三一
　　最近新嘉坡市場に於ける紙製品………本会新嘉坡商品陳列所………三七
　　護謨生産統制と事業の整理………佐藤惣三郎………五四
　　一九三一年度に於ける英領馬来の護謨事業………本会新嘉坡商品陳列所………六〇
雑録
　　南洋奇聞（一〇六）………三吉香馬………六九
　　北呂宋の旅（五）………渡辺　薫………七三
　　極楽鳥狩獵（十八）………和田儀太郎………七六
　　南洋各地商況………八三
　　スマトラ東海岸州食料品輸入状況………九三
　　スマトラ東海岸州に於ける洋酒輸入状況………九四
　　昭和七年上半期に於ける蘭領印度の亜鉛板輸入状況………九六
　　近事一束―馬来聯邦州関税法一部改正・馬来聯邦州輸出税に関する査定額改正・馬来聯邦州燐寸消費税改正・一九三二年六月末の蘭領印度護謨園のタツピング停止状態・蘭領印度ヘヴエア護謨輸出評定価格………九七
本会報告
　　本部―新嘉坡商品陳列所―スラバヤ商品陳列所―スマトラ出張員事務所―バタビヤ出張員事務所―

新入会員—本部備付図書………一〇一
口絵
　　□イポー市街—□支那人人力車夫の昼食（新嘉坡）—□コーランポ市の盛り場—□馬来半島のジヤクン族—□サカイ族の樹上家屋

◆『南洋協会雑誌』第十八巻第十一号（[昭和七年]十一月一日発行）
　　本会の趣旨………一
論説
　　オツタワ協定の成立………二
資料
　　英領馬来に於けるゴム底キヤンバス靴………本会新嘉坡商品陳列所………五
　　スマトラ、アチエー州物産輸出状況………本会スラバヤ商品陳列所スマトラ出張員事務所………九
　　オツタワ経済会議と護謨業界に及ぼす影響………佐藤惣三郎………一二
　　暹羅市場に於ける日本品の地位（一）………二〇
　　スマトラ東海岸州に於る綿布輸入状況………本会スラバヤ商品陳列所スマトラ出張員事務所………三三
　　仏領印度支那に於ける日本セメント輸入税引上の真相………本会仏領印度支那地方調査嘱託　塩田啓人………三九
　　英領馬来に於ける野菜類需給状況………本会新嘉坡商品陳列所………四一
　　英領馬来に於ける関税率………四八
雑録
　　南洋奇聞（一〇七）………三吉香馬………六三
　　北呂宋の旅（六）………渡辺　薫………七〇
　　極楽鳥狩獵（十九）………和田儀太郎………七四
　　南洋各地商況………八一
　　日本綿布及人絹布（新嘉坡）………八七
　　スマトラ東海岸州麻類輸出状況………九〇
　　スマトラ東海岸州仕出国別輸入貿易額………九二
　　蘭領印度爪哇に於ける各年上半期の織物類輸入統計表………九四
　　各年上半期蘭領印度外部諸州に於ける織物類輸入統計………九六
　　各年上半期に於ける蘭領印度織物類輸入統計………九八
　　各年上半期に於ける蘭領印度綿布類輸入統計………九九
　　近事一束—蘭印で郵便小包の航空輸送開始せらる・スマトラ魚類塩蔵加業用塩の値下げ・一九三二年七月末の蘭領印度護謨園「タツピング」停止状態・馬来聯邦州輸出税に関する査定額改正・爪

II. 南洋協会発行雑誌　総目録

　　　哇に於てグリユコーズ製造さる………一〇〇

本会報告

　　本部―台湾支部―新嘉坡商品陳列所―スマトラ出張員事務所―バタビヤ出張員事務所―新入会員―
　　　本部備付図書………一〇五

口絵

　　□スマトラ島パレンバン市　□スマトラ島サバン港

◆『南洋協会雑誌』第十八巻第十二号（［昭和七年］十二月一日発行）

　　本会の趣旨………一

論説

　　躍進する対南輸出貿易………本会幹事　飯泉良三………二

説苑

　　ニウギニアと蘭領印度………本会評議員南洋興発会社々長　松江春次………四
　　比律賓群島ミンダナオ島の土人調査委員とその動静………本会ダバオ支部専任幹事　正木吉右衛門
　　　………一二

資料

　　蘭領印度に於ける晒綿布の輸入情勢より見たる輸入貿易政策の将来………本会スラバヤ商品陳列所
　　　………一八
　　世界自動車生産概況………佐藤惣三郎………二八
　　蘭領印度に於けるアルミニユーム取引状況………本会スラバヤ商品陳列所………三三
　　暹羅市場に於ける日本品の地位（二）………五三
　　蘭印向け電球輸出警戒を要す―特許侵害問題―………本会スラバヤ商品陳列所………六七
　　護謨園森林施業化………七〇
　　護謨の生産と消費………本会スラバヤ商品陳列所スマトラ出張員事務所………七三

雑録

　　南洋奇聞（一〇八）………三吉香馬………七六
　　極楽鳥狩獵（二〇）………和田儀太郎………八二
　　南洋各地商況………八九
　　蘭領印度一九三二年第四・四半期輸出入商品評定価格表………九八
　　近事一束―蘭領印度茶栽培業者聯合会設立―爪哇の産糖大制限―馬来諸州協会創立―新しい爪哇時
　　　間―蘭領印度コプラ、胡椒、椰子油輸出税―蘭領印度ヘヴエア護謨輸出評定価格―蘭領印度一九
　　　三二年第四・四半期輸入統計税評定価格―爪哇一九三二年糖収穫高―バタビヤ最近の市場平均値
　　　段………一〇四

本会報告

本部―新嘉坡支部―スマトラ支部―スマトラ出張員事務所―新嘉坡商品陳列所―スラバヤ商品陳列所―バタビヤ出張員事務所―新入会員………一〇九

□第十八巻総目次

口絵

　□本会新嘉坡支部昭和七年度定時総会　□本会スマトラ支部第三回定時総会　□前会頭故田男爵追悼会

◆『南洋協会雑誌』第十九巻第一号（［昭和八年］一月一日発行）

　本会の趣旨………一

論説

　貿易助長実務機関急設の要………本会幹事　飯泉良三………二

説苑

　ニウギニアと蘭領印度（二）………本会評議員南洋興発会社々長　松江春次………四

　最近の蘭領印度経済事情（一）………本会幹事　飯泉良三………一一

資料

　蘭領印度に於ける晒綿布と輸入情勢より見たる輸入貿易政策の将来（二）………本会スラバヤ商品陳列所………一六

　蘭領印度に於ける自転車取引状況………本会スラバヤ商品陳列所………三〇

　暹羅市場に於ける日本品の地位（三）………四四

　オッタワ経済会議と英帝国各領土の現況………佐藤惣三郎………七四

雑録

　南洋奇聞（一〇九）………三吉香馬………七八

　極楽鳥狩獵（二一）………和田儀太郎………八六

　南洋各地商況………九〇

　爪哇亜鉛板市況（十月）………九六

　日本綿布及人絹布市況―新嘉坡………九八

　新嘉坡の日常生活と最近の物価………一〇一

　スマトラ東海岸州織物輸入統計………一〇六

　スマトラ東海岸州自動車輸入統計………一〇七

　一九三二年九月中英領馬来対日本並に対諸外国貿易統計………一〇八

　近事一束―スマトラ方面の農園苦力大減少・海峡植民地酒、煙草輸入特恵税率変更・馬来聯邦州輸出税に関する査定額改正・新嘉坡に英国商品陳列館新設さる・馬来聯邦州輸出税に関する査定額改正・蘭領印度ヘヴエア護謨輸出評定価格・蘭領印度一九三三年第一四半期輸出統計税評定価格・東部爪哇州庁舎新築・蘭領印度一九三三年休日表………一一三

本会報告
　本部—新嘉坡商品陳列所—スラバヤ商品陳列所—バタビヤ出張員事務所—新入会員—新備付図書
　　　………一二五
口絵
　　□メラピ火山（中部爪哇）　□新築された東部爪哇州庁舎　□スマトラの避暑地ブラスタギ

◆『南洋協会雑誌』第十九巻第二号（[昭和八年] 二月一日発行）
蜂須賀、内田正副会頭追悼号
　口絵　□故本会々頭侯爵蜂須賀正韶君□同幼少時代□同祭壇
　　　　□故本会副会頭内田嘉吉君□同祭壇
　蜂須賀、内田正副会頭を悼む………一
　蜂須賀会頭の発病より葬儀まで………四
　内田副会頭の発病より葬儀まで………七
　追悼詩………犀東　国府種穂………一〇
　　　　　　　悟堂　井上雅二………一一
　追悼談
　　蜂須賀侯を悼む………本会副会頭　藤山雷太………一二
　　蜂須賀、内田正副両会頭を悼みて………専務理事　井上雅二………一四
　　責任観念の強い蜂須賀公爵………本会理事　井上敬次郎………一八
　　蜂須賀侯と硯………浅野長之………二〇
　　敬虔な蜂須賀侯と精力的な事務家内田さん………男爵　松岡均平………二三
　　幼少時代の蜂須賀侯爵………山本栄夫………二五
　　蜂須賀侯への追憶………福間　士………二八
　　　南洋協会々頭就任と満洲視察………二八
　　　屋上遙拝場………三一
　　　仏間………三二
　　　趣味………三三
　　蜂須賀侯を偲ぶ………蒲田梅屋敷聖蹟保存会常務理事　守武幾太郎………三四
　　　蒲田梅屋敷………三四
　　　皇太后陛下へ最後の御別れ………三五
　　　青山会館………三五
　　　令嗣と飛行機………三六
　　内田嘉吉君を悼む………本会副会頭　藤田雷太………三七
　　故内田氏と台湾………赤石定蔵………四〇

南洋開発と内田さん………東郷　実………四三

　　台湾民政長官時代の内田さん………賀来佐賀太郎………四六

　　南洋開拓の先覚者内田君………本会理事　井上敬次郎………四八

　　内田さんに関する思ひ出………高木友枝………五〇

　　内田嘉吉氏と我国の交通通信事業………本会理事日本無線電信株式会社常務取締役　東郷　安………五三

　　内田嘉吉君を憶ふ………中松盛雄………五七

　　思ひ出多かりし内田君………下村海南………六二

　　蜂須賀侯爵を偲ぶ………佐藤鉄太郎………六三

　蜂須賀会頭略歴………六六

　内田副会頭略歴………七一

説苑

　最近の蘭領印度経済事情（二）………本会幹事　飯泉良三………一

資料

　爪哇市場に於ける売薬需給情況………本会スラバヤ商品陳列所バタビヤ出張員事務所………五

　オッタワ経済会議と英帝国各領土の現況（二）………佐藤惣三郎………一九

　爪哇バタビヤ市場に於ける燐寸需給状況………本会スラバヤ商品陳列所バタビヤ出張員事務所………二八

　蘭領印度に於ける金銀の出入………本会スラバヤ商品陳列所………三三

　蘭領印度経済界の近況と対我が国貿易事情………本会スラバヤ商品陳列所バタビヤ出張員事務所………三六

　ゴム生産制限の新運動と森林化問題の表裏………佐藤惣三郎………五八

雑録

　南洋奇聞（一一〇）………三吉香馬………四一

　蘭領アロー島概観（一）………和田儀太郎………四八

　南洋各地商況………五一

　爪哇亜鉛板市況（昭和七年十一月中）………五六

本会報告

　本部―マニラ支部―新嘉坡商品陳列所―スラバヤ商品陳列所―バタビヤ出張員事務所―新入会員………六〇

◆『南洋協会雑誌』第十九巻第三号（[昭和八年]三月一日発行）

　本会の趣旨………（一）

論説

新会頭を迎ふ………（二）

説苑

　最近の蘭領印度経済事情（三）………本会幹事　飯泉良三………（四）

　英領馬来に於けるゴム製品………本会新嘉坡商品陳列所長　増淵佐平………（九）

資料

　爪哇に於ける紙及紙製品の需給状況………本会スラバヤ商品陳列所………（一八）

　蘭領印度の工業所有権に就て………本会爪哇支部………（三六）

　爪哇バタビヤ市場に於ける紙製品需給状況………本会スラバヤ商品陳列所バタビヤ出張員事務所………（四五）

　オツタワ経済会議と英帝国各領土の現況（三）………佐藤惣三郎………（五二）

　一九三二年度英領馬来貿易概況………本会新嘉坡商品陳列所………（六二）

　爪哇人絹輸入統計（一九三二年十一月）………（六五）

　スマトラ東海岸州織物類輸入情況………本会スラバヤ商品陳列所スマトラ出張員事務所………（六七）

　一九三二年中英領馬来三大市場食料品物価………（七〇）

　メダン市食料品物価………（七三）

雑録

　蜂須賀侯を憶ふ………佐藤恒丸………（七五）

　比律賓の女性と日本の女性………渡辺　薫………（七七）

　南洋奇聞（一一一）………三吉香馬………（八三）

　蘭領アロー島概観（二）………和田儀太郎………（九〇）

　南洋各地商況………（九三）

　爪哇亜鉛板市況………（九八）

　近事一束—海峡植民地外国人法立法会議通過実現さる・サラワック王国新輸入税・英領馬来不景気の実情・蘭領印度コプラ、胡椒、椰子油輸出税・蘭領印度ヘヴエア護謨輸出評定価格・新嘉坡にラヂオ放送局設置・一九三三年海峡植民地公休及銀行法定休業日・細谷十太郎翁逝去………（一〇〇）

本会報告

　本部—新嘉坡支部—爪哇支部—新嘉坡商品陳列所—スラバヤ商品陳列所—スマトラ出張員事務所—バタビヤ出張員事務所—新入会員………（一〇六）

口絵

　□新本会々頭公爵近衛文麿君　□前和蘭東印度艦隊司令官海軍少将イエー・ボスマ氏歓迎会

◆『南洋協会雑誌』第十九巻第四号〔昭和八年〕四月一日発行）

　本会の趣旨………一

論説

一九三二年の護謨界一瞥………本会幹事　飯泉良三………二
説苑
　　満洲問題を中心として見たる世界の対日感情………鶴見祐輔………四
　　我国貿易の将来とその條約関係………希臘駐剳特命全権公使　川島信太郎………五
　　関税協定成立に依つて見直されたる仏領印度支那………西貢駐在商工省貿易通信員　加藤俊雄………
　　　三〇
資料
　　コプラに就て………鈴木留吉………四一
　　フオレストリ・メソツドの狙ひ処………六四
　　オツタワ経済会議と英帝国各領土の現況（四）………佐藤惣三郎………六八
雑録
　　南洋奇聞（一一二）………イヴアン・エフ・チヤムピオン　三吉香馬訳………七六
　　蘭領アロー島概観（三）………和田儀太郎………八二
　　南洋各地商況………八四
　　爪哇亜鉛板市況………九〇
　　国際経済事情—仏領印度支那・蘭領印度・暹羅………九二
　　近事一束—蘭領印度輸入税引上げに就いて・蘭領印度ヘヴエア護謨輸出評定価格・馬来聯邦州護謨
　　　輸出付加税低下・日本税関提出仕入書々式変更・海峡植民地外国人入国規則改正・新嘉坡市場人
　　　気落着・船賃より高い比島の入国税
本会報告
　　本部—マニラ支部—新嘉坡商品陳列所—スラバヤ商品陳列所—スマトラ出張員事務所—バタビヤ出
　　　張員事務所—新入会員—新備付図書………九九
口絵
　　□本会臨時総会晩餐会　□スラバヤ邦商の大売出自動車宣伝隊

◆『南洋協会雑誌』第十九巻第五号（［昭和八年］五月一日発行）
　　本会の趣旨………一
論説
　　日蘭仲裁々判條約の成立………本会幹事　飯泉良三………二
説苑
　　満洲問題を中心として見たる世界の対日感情（二）………鶴見祐輔………四
資料
　　爪哇に於ける万年筆………本会スラバヤ商品陳列所………一九
　　新嘉坡に於ける燐寸需給近況………本会新嘉坡商品陳列所………三六

208　Ⅱ．南洋協会発行雑誌　総目録

　　蘭印市場に於ける我国電球の取引状況（一）………本会スラバヤ商品陳列所………四五
　　外国貿易と英国人の共同組合運動………佐藤惣三郎………六〇
　　比律賓に於ける硝子製造………本会マニラ支部幹事　渡辺　薫………六六
　　一九三二年英領馬来対日本並に対諸外国貿易統計………六八
　　一九三二年爪哇対日本並に対諸外国貿易統計………七八
　　爪哇人絹輸入統計………八三
　　一九三三年護謨生産消費予想………八五
雑録
　　南洋奇聞（一―三）………イヴアン・エフ・チヤムピオン　三吉香馬訳………八八
　　南洋各地商況………九四
　　爪哇亜鉛板市況………九九
　　近事一束―海峡植民地食糧品及薬剤のレベルに関する規定改正・蘭領印度ヘヴエア護謨輸出評定価
　　　格・馬来聯邦州輸出税に関する査定額改正・馬来聯邦州輸入税改正・蘭領印度一九三三年第二、
　　　四半期輸出統計税評定価格・蘭領印度一九三三年第二、四半期輸入統計評定価格・蘭領印度一九
　　　三三年第二、四半期輸出入商品評定価格表………一〇一
本会報告
　　本部―新嘉坡商品陳列所―スラバヤ商品陳列所―スマトラ出張員事務所―バタビヤ出張員事務所―
　　　新入会員―新備付図書………一一〇
口絵
　　□スマトラ、メダンの新設中央市場　□前　同

◆『南洋協会雑誌』第十九巻第六号〔［昭和八年］六月一日発行〕
　　本会の趣旨………一
論説
　　蘭領印度経済界最近の趨勢………本会幹事　飯泉良三………二
説苑
　　馬来半島の錫及未着手の鉱業………早稲田大学講師　神島満足………四
資料
　　蘭領印度に於ける大豆栽培並に輸入状況………本会スラバヤ商品陳列所………二〇
　　一九三二年中英領馬来の米作並に米穀需給状況………本会新嘉坡商品陳列所………三四
　　蘭印市場に於ける我国電球の取引状況（二）………本会スラバヤ商品陳列所………三八
　　護謨樹の乳液産出作用の原理に就て………五四
　　比律賓議会に於ける日本品と日本人問題………本会ダバオ支部専任幹事　正木吉右衛門………六四
　　護謨老木の更生策並一九三一年末世界護謨植付総面積と生産額………佐藤惣三郎………七四

雑録

　南洋奇聞（一一四）………イヴアン・エフ・チヤムピオン　三吉香馬訳………七九

　先人努力の跡（一）………江川俊治………八五

　スラバヤのビジネス・センター、ジヨンバタン・メラ（赤橋）………九〇

　南洋各地商況………九二

　爪哇亜鉛板市況（一九三三年三月中）………九七

　爪哇人絹輸入統計（一九三三年二月）………九九

　近事一束─比島への輸入品に米藁の包装は禁物・爪哇新嘉坡間航空連絡改善・柔仏州ミルク輸入税引上げらる・蘭領印度コプラ・胡椒・椰子油輸出税・蘭領印度ヘヴエア護謨輸出評定価格・蘭領印度一九三三年第三、四半期輸出統計税評定価格………一〇一

本会報告

　本部─南洋群島支部─台湾支部─新嘉坡商品陳列所─スラバヤ商品陳列所─スマトラ出張員事務所─バタビヤ出張員事務所─新入会員─新備付図書………一〇六

口絵

　□馬来の錫鉱業　□スラバヤのジヨンバタン・メラ　□海峡植民地水産局長バートウツセル氏歓迎会

◆『南洋協会雑誌』第十九巻第七号（［昭和八年］七月一日発行）

　本会の趣旨………一

論説

　比律賓総督の新任………本会幹事　飯泉良三………二

資料

　蘭領印度に於ける織物類………本会スラバヤ商品陳列所………四

　英領馬来に於ける本邦繊維工業品………本会新嘉坡商品陳列所………二二

　スマトラ東海岸州ビール輸入情況………本会スラバヤ商品陳列所スマトラ出張員事務所………四〇

　英領馬来に於ける縞サロン………本会新嘉坡商品陳列所………四五

　護謨園植生概観………五〇

　護謨栽培事業の起源（一）………佐藤惣三郎………五五

　英領馬来に於ける馬鈴薯………本会新嘉坡商品陳列所………六六

　護謨樹更生策の再吟味………佐藤惣三郎………六八

雑録

　南洋奇聞（一一五）………イヴアン・エフ・チヤムピオン　三吉香馬訳………七二

　南洋各地商況………八一

　爪哇亜鉛板市況（一九三三年四月中）………八六

　爪哇人絹輸入統計（一九三二年十二月）………八八

II．南洋協会発行雑誌　総目録

　　一九三二年度スマトラ東海岸州輸入概況………九〇

　　近事一束―一九三二年度スマトラ東海岸州内破産統計・馬来聯邦州輸出税に関する査定額改正・馬来地方分権政策に関するウイルソン報告書・豪州物産及商品見本市船来星・新嘉坡市に於ける広告法に就て・蘭領印度ヘヴエア護謨輸出評定価格・馬来聯邦州税に関する査定額改正………九三

本会報告

　　本部―台湾支部―新嘉坡商品陳列所―スラバヤ商品陳列所―スマトラ出張員事務所―バタビヤ出張員事務所―新入会員―新備付図書………一〇一

口絵

　　□コーラカングサの浮橋　□馬来半島の漁村　□野菜をひさぐ馬来の女　□馬来人の魚売り

◆『南洋協会雑誌』第十九巻第八号（［昭和八年］八月一日発行）

　　本会の趣旨………一

論説

　　対外貿易の難局と之に処するの途………本会幹事　飯泉良三………二

説苑

　　国際政局の動きに就て………特命全権公使法学博士　杉村陽太郎………四

資料

　　英領馬来に於ける電球………本会新嘉坡商品陳列所………一〇

　　蘭領印度に於けるメリヤス製品の概況………本会スラバヤ商品陳列所………三一

　　英領馬来に於ける本邦繊維工業品（二）………本会新嘉坡商品陳列所………四三

　　護謨栽培事業の起源（二）………佐藤惣三郎………六五

　　比島内ビール醸造業に就て………本会マニラ支部常任幹事　渡辺　薫………七六

　　一九三三年自一月至三月英領馬来対日本並対諸外国貿易統計………七九

　　一九三二年自一月至三月爪哇対日本並対諸外国貿易統計………八七

雑録

　　南洋奇聞（一―六）………イヴアン・エフ・チヤムピオン　三吉香馬訳………九二

　　南洋各地商況………九九

　　爪哇亜鉛板市況（昭和八年五月中）………一〇六

　　爪哇人絹輸入統計（一九三三年四月）………一〇八

　　日本綿布市況（新嘉坡）………一一〇

　　新嘉坡に於ける陶磁器、硝子製品及琺瑯鉄器市況………一一三

　　近事一束―日本より蘭領印度外領向貨物積換費用改正・馬来聯邦州織物及衣服類輸入税率改正・馬来聯邦州金属及鉱石類輸出税率改正・柔仏州関税法改正・新嘉坡に於ける英国貿易博覧会………一一七

本会報告

　本部―新嘉坡商品陳列所―スラバヤ商品陳列所―バタビヤ出張員事務所―新入会員―新備付図書
　　　………一二五

南洋協会第二十五回定時総会事業会計報告　昭和七年度………一〜九二

昭和七年度南洋協会々計報告………一〜六

口絵

　□本会第二十五回定時総会晩餐会

◆『南洋協会雑誌』第十九巻第九号（［昭和八年］九月一日発行）

　本会の趣旨………一

論説

　蘭領印度の工業………二

説苑

　国際政局の動きに就て（二）………特命全権公使法学博士　杉村陽太郎………四

資料

　英領馬来に於ける電球（二）………本会新嘉坡商品陳列所………一二

　蘭領印度に於ける我国貝釦の取引状況………本会スラバヤ商品陳列所………三四

　英領馬来に於ける本邦繊維工業品（三）………本会新嘉坡商品陳列所………四五

　日比貿易の起源と其経過………本会マニラ支部幹事　渡辺　薫………六四

　護謨栽培事業の起源（三）………佐藤惣三郎………六八

　新嘉坡に於ける皮革製品………本会新嘉坡商品陳列所………七四

雑録

　南洋奇聞（一一七）………イヴアン・エフ・チヤムピオン　三吉香馬訳………八六

　南洋各地商況………九二

　爪哇亜鉛板市況（昭和八年六月）………九五

　爪哇人絹輸入統計（一九三三年五月）………九七

　日本綿布市況（新嘉坡）………九九

　海陸物産市況（新嘉坡）………一〇一

　近事一束―新嘉坡の電気蓄音機・柔仏州土地法改正・バタビアに織布工場設立・蘭領印度で会社税付加税十割に引上げ案提出さる・一九三四年の蘭領印度休日表・マニラ麻輸出額の消長・麻及椰子の生産制限に対する比島政府の対策・馬来聯邦州輸出税に関する査定額改正・蘭領印度一九三三年第四、四半期輸出統計税評定価格・蘭領印度ヘヴエア護謨輸出評定価格………一〇三

本会報告

　本部―新嘉坡商品陳列所―スラバヤ商品陳列所―バタビヤ出張員事務所―新入会員―新備付図書

口絵
　□駐日和蘭公使パブスト氏歓迎午餐会　□仏領印度支那の風景

◆『南洋協会雑誌』第十九巻第十号（［昭和八年］十月一日発行）
　本会の趣旨………一
論説
　日蘭国交親善と新外相………二
説苑
　国際政局の動きに就て（三）………特命全権公使法学博士　杉村陽太郎………四
資料
　爪哇に於ける本邦皮革製品の需給状況………本会スラバヤ商品陳列所………一三
　英領馬来に於ける本邦繊維工業品（四）………本会新嘉坡商品陳列所………二七
　蘭領印度に於けるメリヤス製品の概況（二）………本会スラバヤ商品陳列所………四〇
　蘭領印度に於ける貝殻………本会スラバヤ商品陳列所………五二
　護謨栽培事業の起源（四）………佐藤惣三郎………六三
雑録
　南洋奇聞（一一八）………イヴァン・エフ・チヤムピオン　三吉香馬訳………七〇
　先人努力の跡（二）………江川俊治………七七
　南洋各地商況………八二
　爪哇亜鉛板市況（昭和八年七月中）………八七
　爪哇人絹輸入統計（一九三三年六月）………八九
　新嘉坡に於ける日本製ラヂオ受信機………九一
　近事一束―蘭領印度向粗製邦品輸入と契約不履行に対する注意・蘭領印度緊急輸入制限令可決さる・ジヨホール州の綿布輸入税改正さる・蘭領印度緊急輸出総督令案可決さる・蘭印ビール輸入税並に国産税引上げに就て・蘭領印度ヘヴエア護謨輸出評定価格・本年一月―七月英領馬来の護謨生産量・最近の盤谷商況・蘭印側の護謨制限案………九三
本会報告
　本部―新嘉坡商品陳列所―スラバヤ商品陳列所―スマトラ出張員事務所―バタビヤ出張員事務所―新入会員―新備付図書………九八
口絵
　□仏領印度支那の風景

◆『南洋協会雑誌』第十九巻第十一号（［昭和八年］十一月一日発行）
　本会の趣旨………一

論説

　総て互恵的精神に立て………本会幹事　飯泉良三………二

説苑

　最近の暹羅に於ける一般情勢………暹羅国駐剳特命全権公使　谷田部保吉………四

資料

　南洋群島に於ける民族資料から得た移植物の考察（一）………パラオ島　岡本象三………一三

　新嘉坡に於ける繊維工業品………本会新嘉坡商品陳列所………二八

　ファルクアーソン氏の護謨園森林撫育法に就いて………四三

　暹羅国の近況………佐藤惣三郎………四八

　爪哇に於ける糸及織物類輸入統計（自一九二八年至一九三二年）………五三

　英領馬来に於ける我国鰯缶詰需給近況………本会新嘉坡商品陳列所………六〇

　一九三三年上半期英領馬来貿易状況………六四

　一九三二年自一月至六月爪哇の対日本並諸外国貿易統計………六六

　一九三二年度の比律賓対外貿易………七一

雑録

　南洋奇聞（一一九）………イヴァン・エフ・チヤムピオン　三吉香馬訳………七四

　先人努力の跡（三）………江川俊治………八一

　南洋各地商況………八七

　爪哇亜鉛板市況（昭和八年八月中）………九七

　日本綿布市況―新嘉坡―（八月）………九九

　新嘉坡綿タオル市況………一〇一

　新嘉坡市場に於ける本邦人絹の地位と其将来………一〇五

　近事一束―暹羅セメント輸入税引上・蘭印セメント輸入制限数量改正・蘭領印度に於ける中小事業保健政策・新嘉坡ラヂオ商は十月より販売鑑札を必要とす・蘭領印度一九三三年第四期輸出入商品評定価格表・海峡植民地外国人法改正さる・馬来聯邦州倉敷料改正・馬来聯邦州輸出税に関する査定額改正・本年八月迄の馬来輸出入貿易………一〇九

本会報告

　本部―新嘉坡支部―スマトラ支部―新嘉坡商品陳列所―スラバヤ商品陳列所―バタビア出張員事務所―新入会員―新備付図書………一一九

口絵

　□本会新嘉坡支部定時総会□蘭領印度国民参議会議員エツチ・カン氏歓迎午餐会□暹羅の日本人村遺跡□スマトラ東海岸州ラウトカワル湖

◆『南洋協会雑誌』第十九巻第十二号（[昭和八年]十二月一日発行）

　本会の趣旨………一

論説

　飛躍する我が輸出貿易………本会幹事　飯泉良三………二

説苑

　最近の暹羅に於ける一般情勢（二）………暹羅国駐剳特命全権公使　谷田部保吉………四

資料

　最近蘭領印度の経済情勢………本会スラバヤ商品陳列所………一一

　南洋群島に於ける民族資料から得た移植物の考察（二）……パラオ島　岡本象三………二三

　植生と土壌………三〇

　新嘉坡を中心としたる漁業界近況………本会新嘉坡商品陳列所………三六

　近事護謨界の真相………佐藤惣三郎………四七

　馬来聯邦州コーランポに於ける日常食糧品物価………五四

　新嘉坡市場に於けるティンプレート屑………本会新嘉坡商品陳列所………五八

　一九三三年自一月至七月英領馬来の対日本並諸外国貿易統計………六一

　仏領印度支那貿易統計（自一九三〇年至一九三二年）………八〇

　仏領印度支那対日本貿易統計（自一九三〇年至一九三二年）………八四

　南洋各地在留邦人数（昭和七年十月現在）………八五

　爪哇亜鉛板市況（昭和八年九月）………一〇一

　爪哇人絹輸入統計（一九三三年八月）………一〇三

　新嘉坡綿布市況（一九三三年八月）………一〇五

雑録

　南洋奇聞（一二〇）………イヴアン・エフ・チヤムピオン　三吉香馬訳………八六

　先人努力の跡（四）………江川俊治………九三

　南洋各地商況………九八

　近事一束—馬来聯邦州関税法改正・暹羅国関税法改正・馬来聯邦州輸出税に関する査定額改正・馬来聯邦州輸入米に課税。ポートスキツテンハム港々費改正・待望の新嘉坡放送局出現か・前爪哇銀行総裁サイリンハ氏逝去………一〇七

本会報告

　本部—爪哇支部—スマトラ支部—マニラ支部—ダバオ支部—南洋群島支部—新嘉坡商品陳列所—スラバヤ商品陳列所—バタビア出張員事務所—新入会員—新備付図書………一二五

口絵

　□本会スマトラ支部第四回定時総会　□本会スラバヤ商品陳列所

◆『南洋協会雑誌』第二十巻第一号（[昭和九年] 一月一日発行）

 本会の趣旨………一

論説

 年頭所感………本会幹事　飯泉良三………二

説苑

 世界経済会議より帰りて（一）………外務書記官　宇佐美珍彦………四

資料

 爪哇に於ける本邦皮革製品の需給状況（二）………本会スラバヤ商品陳列所………一二

 英領馬来に於ける自動車の需給状況………本会新嘉坡商品陳列所………二三

 一九三三・四年度南洋三大輸出品の動き………佐藤惣三郎………二六

 爪哇に於ける寒天の取引状況（一）………堀内雅一………三八

 英領印度に於けるゴム製品の輸入状況………四七

 独逸に於けるゴム工業の統制………五一

 暹羅に於ける化粧石鹸並洗濯石鹸の輸入状況………七五

 暹羅の関税引上と同国向本邦セメントの将来………七七

 暹羅に於ける七、八、九月中に於ける洋灰輸入状況………七九

 蘭領印度一九三四年第一期輸出統計税評定価格………八〇

 爪哇亜鉛板市況（昭和八年十月）………八四

 ゴム底靴消費市場としての比律賓………本会マニラ支部常任幹事　渡辺　薫………八六

 爪哇人絹輸入統計（一九三三年九月）………三六

 暹羅国主要品別貿易統計（最近五ヶ年比較）………九〇

 暹羅国仕出国別貿易統計（最近二ヶ年比較）………九一

雑録

 南洋奇聞（一二一）………イヴァン・エフ・チヤムピオン　三吉香馬訳………五三

 樹脂コーパル業の視察………江川俊治………六一

 南洋各地商況………六九

 近事一束―蘭領印度ビール輸入割当実施・蘭領印度領内産麦酒国産税引上げ実施延期か・英領北ボルネオ関税率改正・馬来聯邦州輸出税率改正さる・馬来聯邦州輸出税に関する査定額改正・バイテンゾルグにシガレット工場設置さる・ペカロンガン港貨物税引上か・爪哇支部日本汽船日本航路に増配・日本力行会の海外発展短期講習会………九二

本会報告

 本部―スマトラ出張員事務所―新嘉坡商品陳列所―新入会員―新備付図書………九八

口絵

 □キヤメロン高原タナラタのレストハウスと広場　□野に戯れる水牛の母子（暹羅アエチヤ郊外）

◆『南洋協会雑誌』第二十巻第二号（[昭和九年] 二月一日発行）

　本会の趣旨………一

論説

　国際難局と国民の態度………本会幹事　飯泉良三………二

説苑

　世界経済会議より帰りて（二）………外務書記官　宇佐美珍彦………四

資料

　馬来聯邦州一九三二年度貿易概況………本会新嘉坡商品陳列所………一〇

　南洋群島に於ける民族資料から得た移植物の考察（三）……パラオ島　岡本象三………二〇

　新嘉坡に於ける最近のメリヤスシヤツ需給状況………本会新嘉坡商品陳列所………二八

　爪哇に於けるキヤンブリックとサロン………本会スラバヤ商品陳列所………三四

　護謨生産制限問題は何処に行く………佐藤惣三郎………三八

　バタビア市場に於ける日本製護謨玩具………本会スラバヤ商品陳列所バタビア出張員事務所………
　　四三

　国際錫生産制限新協定の成立と馬来聯邦州錫輸出税の改正………本会新嘉坡商品陳列所………五〇

　爪哇に於ける寒天の取引状況（二）………堀内雅一………五四

　馬来聯邦州スレンバン市に於ける一九三三年十二月中の日常食糧品物価………五八

　爪哇人絹輸入統計（一九三三年十月）………六二

　一九三三年自一月至九月爪哇の対日本並に対諸外国貿易統計………六四

　一九三三年自一月至九月英領馬来の対日本並対諸外国貿易統計………七〇

　一九三四年第一期蘭領印度輸出入商品評定価格表………本会スラバヤ商品陳列所………八一

雑録

　南洋奇聞（一二二）………イヴアン・エフ・チヤムピオン　三吉香馬訳………九六

　南洋各地商況………一〇三

　爪哇亜鉛板市況（昭和八年十一月）………一〇九

　近事一束―柔仏国輸入禁止品官報で布告さる・柔仏国地租引上げらる・馬来聯邦州輸出税に関する
　　査定額改正・一九三四年海峡植民地公休及銀行法定休業日・蘭領印度に於けるチエツコ国商品・
　　不良織物の輸入………一一一

本会報告

　本部―新嘉坡商品陳列所―スラバヤ商品陳列所―バタビア出張員事務所―新入会員―新備付図書
　　………一一五

口絵

　□本会マニラ支部総会　□緬甸女の水浴

◆『南洋協会雑誌』第二十巻第三号（[昭和九年]三月一日発行）

　本会の趣旨………一

論説

　蘭領印度の輸入制限と蘭字新聞の論調………二

説苑

　南遊諸感（一）………本会幹事　飯泉良三………四

資料

　一九三三年度英領馬来に於ける米輸入並に生産状況………本会新嘉坡商品陳列所………一〇

　南洋群島に於ける民族資料から得た移植物の考察（四）……パラオ島　岡本象三………一九

　バタビア市場に於けるタオル需給状況………本会スラバヤ商品陳列所バタビア出張員事務所………二六

　世界護謨製品最近の発達………佐藤惣三郎………三〇

　蘭領印度繊維工業品輸入税率表………三七

　爪哇に於ける糸並織物輸入統計抄………五一

　爪哇人絹輸入統計（一九三三年十一月）………五二

　新嘉坡及馬来半島より諸外国向小包料金………五四

　馬来聯邦州スレンバン市に於ける日常食糧品物価比較………本会新嘉坡商品陳列所………六七

雑録

　南洋奇聞（一二三）………イヴアン・エフ・チヤムピオン　三吉香馬訳………七一

　南洋一過（一）………江川俊治………七七

　南洋各地商況………八二

　新嘉坡綿布市況………八五

　新嘉坡塩干魚市況………九二

　爪哇亜鉛板市況（昭和八年十二月）………九八

　セレベス、マカツサルのロタン市況………一〇〇

　近事一束―蘭領印度に於けるサロン輸入制限実施・蘭領印度改正入国令の実施・ジヨホール国サルタン殿下夫妻御来朝・暹羅に麦酒及煙草の二大会社出現・マニラ日本人商業会議所設立・バタビアに日本人商業協会設立さる・一九三四年新嘉坡市車馬家畜税・馬来聯邦州護謨輸出付加税更に低下さる・新嘉坡市燐寸貯蔵並に製造規定細則・馬来聯邦州護謨輸出税率改正・海峡植民地外国人入国制限法・海峡植民地植物検査並に燻蒸消毒手数料・一九三二年中新嘉坡の破産件数・バタビア最近の市場平均値段………一〇一

本会報告

　本部―新嘉坡商品陳列所―スラバヤ商品陳列所―バタビア出張員事務所―新入会員―新備付図書………一一四

口絵

　□水郷パラオ内港　□パラオ島民の子供

◆『南洋協会雑誌』第二十巻第四号（［昭和九年］四月一日発行）

　本会の趣旨………一

論説

　昭和八年の各国輸出貿易と日本品抑圧………本会幹事　飯泉良三………二

説苑

　南遊諸感（二）………本会幹事　飯泉良三………四

資料

　一九三三年度英領馬来貿易概況………本会新嘉坡商品陳列所………九

　海外に於ける商業的地盤の開拓と国家観念………渡辺　薫………一五

　蘭領印度に於ける織物類新関税に就て………本会スラバヤ商品陳列所………二七

　南洋群島に於ける民族資料から得た移植物の考察（五）………パラオ島　岡本象三………三〇

　新嘉坡市場に於ける最近のゴム底キヤンバス靴………本会新嘉坡商品陳列所………三七

　一九三三年度爪哇及マドラ輸出入貿易………本会爪哇支部………四八

　護謨園の天然下種更新に就て………小田　脩………五四

　印度に於ける綿紡織業の現況と日本織物に対する英人の扼腕………佐藤惣三郎………五八

　新嘉坡に於ける洗濯石鹸………本会新嘉坡商品陳列所………六六

　比島に於ける採金事業の現在及将来………本会マニラ支部常任幹事　渡辺　薫………七三

　一九三三年中英領馬来三大市場食糧品物価………七六

　爪哇人絹輸入統計（一九三三年十二月）………七九

　蘭領印度輸入制限令（サロン、米穀、晒綿布）………一〇三

雑録

　南洋奇聞（一二四）………イヴアン・エフ・チヤムピオン　三吉香馬訳………八一

　南洋一過（二）………江川俊治………九〇

　南洋各地商況………九六

　近事一束―蘭領印度の麦酒新輸入制限令・爪哇に染料製造工場の設立計画・馬来聯邦州に於ける日常食糧品物価・馬来聯邦州輸出税に関する査定額改正・一九三三年度印度支那主要物産輸出状況………一一三

本会報告

　本部―台湾支部―新嘉坡商品陳列所―スラバヤ商品陳列所―バタビア出張員事務所―新入会員―新備付図書………一一八

口絵

□ヤツプ島の石貨　　□ヤツプ島民集会所

◆『南洋協会雑誌』第二十巻第五号（[昭和九年] 五月一日発行）
　本会の趣旨………一
説苑
　南米視察より帰りて………拓務書記官　一番ヶ瀬佳雄………二
資料
　蘭領印度に於ける晒綿布………本会スラバヤ商品陳列所………八
　蘭領印度に於ける晒綿布類の輸入制限………本会スラバヤ商品陳列所………三八
　一九三三年爪哇に於ける糸及織物類の輸入状況………本会スラバヤ商品陳列所………四五
　英国人の観たる日本経済の発展と亜細亜政策………ジー・シー・アルレン述　佐藤惣三郎訳補………
　　五二
　最近英領馬来の日本商品輸入概況………本会新嘉坡商品陳列所………六五
　海峡植民地輸出入登録に関する改正法令………六七
　海峡植民地旅行免状一般規定………七一
　一九三三年英領馬来の対日本並対諸外国貿易統計………七三
　一九三三年度爪哇の対日本並に対諸外国貿易統計………八四
　最近三ヶ年蘭領印度輸出入統計表………九〇
雑録
　南洋奇聞（一二五）………イヴアン・エフ・チヤムピオン　三吉香馬訳………九四
　比律賓、サント・トーマス山の征服………本会マニラ支部常任幹事　渡辺　薫………一〇一
　南洋各地商況………一〇七
　近事一束―蘭領印度セメント輸入制限延長・蘭印晒綿布輸入許可の割合・蘭印に於ける砂糖輸入制
　　限令発布・爪哇銀行総裁重任・爪哇に染料製造工場の設立計画・護謨減産協定成立・ジヨホール
　　でアレカナツト輸出税改正・馬来聯邦州礦石輸出税改正・馬来、爪哇間無線通話開始さる・馬来
　　聯邦州輸出税に関する査定額改正・比律賓で包装用に米藁使用禁止・比律賓群島政府農務富源部
　　植産局省令・蘭印の茶輸出制限・蘭印の大豆輸入許可料金・蘭印の味噌、醤油輸入制限・蘭印の
　　大豆輸出制限・南洋問題座談会・人事消息………一二一
本会報告
　本部―爪哇支部―新嘉坡商品陳列所―スラバヤ商品陳列所―バタビア出張員事務所―新入会員―新
　　備付図書………一二九
口絵
　□藤山本会副会頭に於けるジヨホール王妃殿下歓迎午餐会　　□彼南市役所

◆『南洋協会雑誌』第二十巻第六号（［昭和九年］六月一日発行）
　本会の趣旨………一
説苑
　南米視察より帰りて（二）………拓務書記官　一番ヶ瀬佳雄………二
資料
　一九三三年度蘭領印度財政経済事情（一）………本会スラバヤ商品陳列所………八
　蘭領印度の縞綿布………本会スラバヤ商品陳列所………三三
　蘭領印度に於けるサロン………本会スラバヤ商品陳列所………四六
　蘭領印度に於ける未晒綿布………本会スラバヤ商品陳列所………五六
　新嘉坡市場に於ける日本品の現在と将来（一）………本会新嘉坡商品陳列所………七三
　英国人の観たる日本経済の発展と亜細亜政策（二）………ジー・シー・アルレン述　佐藤惣三郎訳補………八三
雑録
　南洋奇聞（一二六）………イヴアン・エフ・チヤムピオン　三吉香馬訳………九二
　南洋各地商況………一〇一
　近事一束―蘭領印度サロン輸入制限令延長さる・蘭領印度一九三四年第三期輸出統計税評定価格表・馬来聯邦州輸出税に関する査定額改正・ジョホールで護謨輸出税率改正・一九三四年海峡植民地々租英反二弗と決定す………一〇九
本会報告
　本部―新嘉坡商品陳列所―スラバヤ商品陳列所―スマトラ出張員事務所―バタビア出張員事務所―新入会員―新備付図書………一一四
口絵
　□ペラ河の渡船　□ペラ州在留邦人のピックニック

◆『南洋協会雑誌』第二十巻第七号（［昭和九年］七月一日発行）
　本会の趣旨………一
資料
　一九三三年度蘭領印度財政経済事情（二）………本会スラバヤ商品陳列所………二
　一九三三年蘭領印度貿易事情………本会スラバヤ商品陳列所バタビア出張員事務所調査………二二
　新嘉坡市場に於ける日本品の現在と将来（二）………本会新嘉坡商品陳列所調査………二七
　盤谷に於ける玩具需給状況………三九
　盤谷に於ける楽器需給状況………四一
　熱帯農産品供給国としての蘭領東印度の地位………在バヤヴイア越田総領事報告………四三
　護謨の生産制限と消費量………佐藤惣三郎………五一

最近世界護謨事情………五七

日本対諸外国通商條約関係類別………六〇

海峡植民地輸出入申告取締新規定………六八

馬来聯邦州輸出税に関する査定額改正………七〇

最近四ヶ年蘭領印度に於ける日本品輸入額………本会スラバヤ商品陳列所調査………七二

蘭領印度重要物産輸出統計………九九

蘭領印度に於けるサロン・カインパンジヤン・カインカパラ類輸入統計………一〇三

爪哇人絹輸入統計（一九三四年自一月至三月）………一〇五

雑録

　南洋奇聞（一二七）………イヴアン・エフ・チヤムピオン　三吉香馬訳………一〇七

　南洋各地商況………一一六

　近事一束―砂糖の輸入禁止・仏領印度支那果実輸入取締規則改正・仏領印度支那に於ける鰯缶詰の標記文字・仏領印度支那関税改正・馬来聯邦州に於ける自転車輸入税の引上・蘭領印度の大豆輸入手数料・爪哇陶磁器輸入商組合の設立・織物輸出検査につき要望・電球の蘭印輸入は絶望か・バタビア物産相場………一二三

本会報告

　本部―新嘉坡商品陳列所―スラバヤ商品陳列所―スマトラ出張員事務所―バタビヤ出張員事務所―新入会員―新備付図書………一二七

口絵

　□日蘭会商帝国代表一行送別午餐会　□ボロブドール仏蹟の一部

◆『南洋協会雑誌』第二十巻第八号（［昭和九年］八月一日発行）

　本会の趣旨………一

説苑

　六年振りに祖国を離れて（第一信）………本会専務理事　井上雅二………二

資料

　縞サロン並に特殊縞綿布類等の第二次輸入制限に就いて………本会スラバヤ商品陳列所調査………八

　比律賓の独立と独立後の経済観………本会マニラ支部常任幹事　渡辺　薫………一四

　比律賓の椰子油事業………六二

　海峡植民地外国織物輸入制限法………二五

　馬来織物輸入制限法施行細則大要………三〇

　国際護謨限産協定案要項………三二

　護謨乳液凝固用としての硫酸………ゼー・エル・ウキルトシヤー述　徳重和夫訳………三七

　英領馬来鉱産物最近の状況………本会新嘉坡商品陳列所調査………六九

II. 南洋協会発行雑誌　総目録

　　一九三三年スマトラ東海岸州に於ける糸及織物類の輸入状況………本会スラバヤ商品陳列所スマトラ出張員事務所調査………六六
　　一九三四年自一月至三月英領馬来の対日本並対諸外国貿易統計………四五
　　一九三四年自一月至三月爪哇対日本並対に諸外国貿易統計………五四
　　蘭領印度に於ける織物類輸入統計抄………五九
　　蘭印のサロン・カインパンジヤン・カインカパラ類輸入統計………六一
雑録
　　南洋奇聞（一二八）………イヴアン・エフ・チヤムピオン　三吉香馬訳………七三
　　ミナハサ遊記（一）………江川俊治………七九
　　南洋各地商況………八四
　　マニラに於ける北海道巡回見本市と東京商品見本市………マニラ　渡辺　薫………九一
　　近事一束―馬来聯邦州輸出税に関する査定額改正・蘭印ビール輸入制限令延長さる・英領馬来に於ける輸入綿布人絹割当実施・馬来栽培界に労力払底・キヤンバス沓用甲皮生地に対する比島関税規約適用変更………九四
本会報告
　　本部―スマトラ支部―新嘉坡商品陳列所―スラバヤ商品陳列所―バタビア出張員事務所―新入会員―新備付図書………九九
南洋協会第二十六回定時総会事業会計報告　昭和八年度………一〜一〇三
昭和八年度南洋協会会計報告………一〜六
口絵
　　□本会第二十六回定時総会晩餐会　□日蘭会商画報

◆『南洋協会雑誌』第二十巻第九号（[昭和九年]九月一日発行）
　　本会の趣旨………一
説苑
　　太平洋上の十日間（第二信）………本会専務理事　井上雅二………二
資料
　　馬来半島に於ける生物分布状態に就て………大内　恒………七
　　一九三三年柔仏王国事情………本会新嘉坡商品陳列所………一七
　　世界製油界と椰子の栽培………佐藤惣三郎………三九
　　新嘉坡に於ける陶磁器、硝子器、琺瑯鉄器需給近況………本会新嘉坡商品陳列所調………四五
　　蘭領印度護謨制限令………四九
　　蘭印のサロン、カインパンジヤン・カインカパラ類輸入統計………五八
　　蘭領印度一九三四年第三期輸出入商品評定価格表………五九

雑録

　南洋奇聞（一二九）………イヴァン・エフ・チヤムピオン　三吉香馬訳………六三

　ミナハサ遊記（二）………江川俊治………七一

　南洋各地商況………七七

　近事一束―蘭領印度陶磁器輸入制限実施・蘭領印度セメント輸入制限令更新・商品見本は織布制限令より除外さる（英領馬来）・馬来聯邦州コヽナツト及コプラ輸出税撤廃・海峡植民地の一領土デイン・デイン、ペラ国へ譲渡さる………八七

本会報告

　本部―マニラ支部―新嘉坡商品陳列所―スラバヤ商品陳列所―バタビア出張員事務所――新備付図書………九〇

口絵

　シボルガ港の遠望（スマトラ）　□スマトラ風景

付録　南洋協会会員名簿（昭和九年八月二十五日現在）………一～六八

◆『**南洋協会雑誌**』**第二十巻第十号**（［昭和九年］十月一日発行）

　本会の趣旨………一

説苑

　シアトルより紐育へリオへ………本会専務理事　井上雅二………二

資料

　蘭領印度の財政経済と施政………九

　馬来半島に於ける生物分布状態に就て（二）………大内　恒………二一

　南洋群島に於ける民族資料から得た移入植物の考察（六）………岡本象三………三二

　盤谷に於ける乾電池及蓄電池需給状況並に電線輸入状況………四〇

　比律賓に於ける日米綿布輸入高比較………四二

　蘭領印度護謨制限令（二）………四五

　柔仏国一九三四年護謨輸出制限規定………六五

　柔仏国一九三四年護謨限産條例………七〇

　護謨の生産制限と関係各地方の与論………佐藤惣三郎………八四

　新嘉坡に於ける最近ラヂオ事情………本会新嘉坡商品陳列所………九三

雑録

　南洋奇聞（一三〇）………イヴァン・エフ・チヤムピオン　三吉香馬訳………九六

　南スマトラの首都パレンバン市………一〇六

　南洋各地商況………一〇八

　近事一束―馬来及英領ボルネオに於ける綿布人絹布割当制・国際汽船海峡―紐育航路開設・爪哇糖

224　Ⅱ．南洋協会発行雑誌　総目録

　　　在庫高と本年度生産高予想・一九三五年海峡植民地公休日・一九三五年蘭領印度公休日・蘭印新
　　　経済省長官・爪哇の大豆自給自足か………一二二
本会報告
　　　本部―台湾支部―新嘉坡商品陳列所―スラバヤ商品陳列所―バタビア出張員事務所―スマトラ出張
　　　員事務所―新入会員―新備付図書………一二五
口絵
　　　□スマトラ、パレンバンの風光

◆『南洋協会雑誌』第二十巻第十一号（［昭和九年］十一月一日発行）
　　　本会の趣旨………一
説苑
　　　ブラジルの首都を離んとして………本会専務理事　井上雅二………二
資料
　　　馬来半島に於ける生物分布状態に就て（三）………大内　恒………二四
　　　南洋群島に於ける民族資料から得た移入植物の考察（七）………岡本象三………三四
　　　蘭領印度護謨制限令（三）………四二
　　　蘭印の工業化と関税政策………本会スラバヤ商品陳列所バタビヤ出張員事務所………五三
　　　錫生産制限と蘭領印度バンカ錫………本会スラバヤ商品陳列所バタビヤ出張員事務所………五六
　　　英領馬来に於ける日本製亜鉛板に就いて………本会新嘉坡商品陳列所………六三
　　　一九三三年仏領印度支那貿易概況………六七
　　　一九三四年自一月至六月英領馬来の対日本並対諸外国貿易統計………七〇
　　　一九三四年自一月至六月爪哇対日本並に対諸外国貿易統計………八一
　　　蘭印のサロン、カインパンジヤン、カインカパラ類輸入統計………八七
　　　仏領印度支那最近三ヶ年国別貿易額………八八
　　　仏領印度支那最近五ヶ年品別貿易額………九〇
雑録
　　　南洋奇聞（一三一）………イヴァン・エフ・チヤムピオン　三吉香馬訳………九五
　　　マカツサと南セレベス………一〇二
　　　南洋各地商況………一〇四
　　　近事一束―新嘉坡港大拡張・蘭領印度土人護謨特別輸出税引上・蘭領印度で甘蔗植付材料輸出禁
　　　止・蘭領ニウギネア石油探査会社の出資割当決定・サラワクに入国税設定さる・東京旅商印度
　　　へ・蘭領印度営業制限令実施………一一三
本会報告
　　　本部―新嘉坡商品陳列所―スラバヤ商品陳列所―バタビア出張員事務所―スマトラ出張員事務所―

新入会員―新備付図書………一一六

口絵

　□マカツサと南セレベスの風景

◆『南洋協会雑誌』第二十巻第十二号（［昭和九年］十二月一日発行）

　本会の趣旨………一

説苑

　マイアミよりワシントンへ（第七信）………本会専務理事　井上雅二………二

資料

　馬来半島に於ける生物分布状態に就て（四）………大内　恒………二三

　南洋群島に於ける民族資料から得た移入植物の考察（八）………岡本象三………二九

　暹羅新国務院総理の施政方針演説………三四

　一九三三年度蘭領印度輸出入貿易………スラバヤ商品陳列所バタビア出張員事務所………三九

　一九三三年爪哇に於ける土人農業の概況………本会スラバヤ商品陳列所バタビア出張員事務所………四四

　一九三三年比律賓外国貿易状況………五〇

　護謨生産界の側面史………栽培通信員述　佐藤惣三郎訳………五八

　新嘉坡の時計………本会新嘉坡商品陳列所………六五

　新嘉坡に於ける加糖煉乳………本会新嘉坡商品陳列所………七四

　蘭印のサロン、カインパンジヤン、カインカパラ類輸入統計………七八

　蘭領東印度輸入卸商組合（NIVIG）定款案摘訳………八〇

　蘭領東印度輸入卸商組合内部規則………八六

　世界ゴム生産消費一覧………九〇

雑録

　南洋奇聞（一三二）………イヴアン・エフ・チヤムピオン　三吉香馬訳………九一

　南洋各地商況………九九

　近事一束―蘭印のカポツク樹及同種子輸出禁止・蘭領印度鉄鍋制限令実施・蘭印セメント輸入制限令更新・爪哇のサロン工場生産能力増大・比島関税引上法案撤回・デ・ヨング蘭印総督一行バンジヤルマシンの野村護謨精製工場を巡視・マラヤン・コンマーシヤル・レビユー創刊………一〇九

本会報告

　本部―スマトラ支部―新嘉坡商品陳列所―スラバヤ商品陳列所―バタビア出張員事務所―新入会員―新備付図書―新備付標本………一一一

口絵

　□デ・ヨング蘭印総督バンジヤルマシンの野村ゴム工場巡視　□比律賓ダバオ風景　□比律賓ザン

ボアンガ風景

◆『南洋協会雑誌』第二十一巻第一号（［昭和十年］一月一日発行）

本会の趣旨………一

説苑

新に南北米より帰りて………本会専務理事　井上雅二………二

日蘭会商の経過に就て………日本蘭印貿易協会々長　有馬彦吉………一二

資料

一九三三年英領馬来外国貿易………本会新嘉坡商品陳列所………二四

南洋群島に於ける民族資料から得た移入植物の考察（九）………岡本象三………三六

蘭領印度の林相と木材資源………本会スラバヤ商品陳列所バタビア出張員事務所………四二

馬来半島に於ける生物分布状態に就て（五）………大内　恒………五二

比島に於ける関税問題を繞つて………本会マニラ支部常任幹事　渡辺　薫………六六

スマトラ油椰子栽培事業の将来………七〇

日本綿糸布業の前途………佐藤惣三郎………七五

蘭印のサロン、カインパンジヤン、カインカパラ類輸入統計………八一

比律賓一九三四年上半期貿易概況………八二

世界ゴム生産消費一覧………八五

世界ゴム在庫高表………八六

雑録

南洋奇聞（一三三）………イヴァン・エフ・チヤムピオン　三吉香馬訳………八七

パダンとパダン高原………九六

南洋各地商況………九九

近事一束―マニラ麻生産制限委員会組織・サラワク国漁業保存令公布・暹羅製紙会社正式に創立・馬来聯邦州輸出税改正さる・馬来聯邦州関税法追加・蘭領印度土人護謨輸出税改正・蘭印規那輸出制限・英領馬来領に於ける一九三五年度織物輸入割当・和蘭国債支払統制法に関する件・比律賓シブ港に於ける船員同盟罷業・新嘉坡に印度人デパート開店・蘭印のサロン輸入許可数量………一一〇

本会報告

本部―新嘉坡商品陳列所―スラバヤ商品陳列所―新入会員―新備付図書………一一八

口絵

□パダンとその付近

◆『南洋協会雑誌』第二十一巻第二号（［昭和十年］二月一日発行）

本会の趣旨………一

説苑

　日蘭会商の経過に就て（二）………日本蘭印貿易協会々長　有馬彦吉………二

資料

　蘭印に於ける縞サロン並に特殊縞綿布類等の第三次輸入制限に就て………本会バタビア出張員事務所………一〇

　英領馬来に於ける日本キヤンバス、幌布及帆布………本会新嘉坡商品陳列所………二一

　英領馬来蓄音機需給状況………本会新嘉坡商品陳列所………二五

　ジヨホール国一九三四年会社法………三六

　英領馬来に於ける絹及綿手巾の需給状況………本会新嘉坡商品陳列所………三八

　一九三三年度馬来護謨栽培状況………四五

　護謨園の雑草と灌木（一）………照屋全昌………四九

　英領馬来に於ける毛織物需給状況………本会新嘉坡商品陳列所………六二

　再生ゴムと国民経済（一）………パオル・アレキサンダー　佐藤惣三郎訳………六九

　現行サラワツク国関税率………本会新嘉坡商品陳列所………七五

　一九三五年馬来織物輸入割当数量………本会新嘉坡商品陳列所………八三

　蘭領印度鋳鉄製鍋類輸入統計………八六

　蘭印のサロン、カインパンジヤン、カインカパラ類輸入統計………八八

雑録

　南洋奇聞（一三四）………イヴアン・エフ・チヤムピオン　三吉香馬訳………九〇

　南洋各地商況………九六

　近事一束―蘭印輸入許可申請様式改正・蘭印領海及要塞地帯條令案注目さる・一九三五年蘭印歳出入予算・蘭領印度土人護謨輸出税改正・蘭印新所得税・ジヨホール農作地租改正・仏領印度支那で茶の関税引上実施・仏領印度支那で天然保蔵のパインアツプル関税引上・比島産丸太及角材に一噸二ペソの桟橋税課徴案提議・一九三四年度英国貿易額………一〇四

本会報告

　本部―新嘉坡支部―新嘉坡商品陳列所―スラバヤ商品陳列所―バタビア出張員事務所―新入会員―新備付図書………一〇九

口絵

　□ボルネオの林業　□ダイヤ族

◆『南洋協会雑誌』第二十一巻第三号（[昭和十年] 三月一日発行）

　本会の趣旨………一

説苑

　日蘭会商より帰りて………特命全権大使　長岡春一………二

228　Ⅱ．南洋協会発行雑誌　総目録

資料

　　蘭領ニウギニア経済事情………本会スラバヤ商品陳列所………六

　　馬来対英本国及英領貿易の近状………本会新嘉坡商品陳列所………一四

　　馬来領の漁業状況………二七

　　護謨園の雑草と灌木（二）………照屋全昌………二九

　　馬来電気事業の現勢………本会新嘉坡商品陳列所………三九

　　新嘉坡に於けるチヨーク需給状況………本会新嘉坡商品陳列所………四五

　　再生ゴムと国民経済（二）………パオル・アレキサンダー　佐藤惣三郎訳………四八

　　一九三四年自一月至九月英領馬来の対日本並対諸外国貿易統計………五四

　　一九三四年自一月至九月爪哇対日本並に対諸外国貿易統計………六六

　　一九三四年度に於ける英領馬来の米穀に就て………本会新嘉坡商品陳列所………七二

　　ソヴエート・ロシアのゴム栽培事業………七七

　　世界ゴム生産消費一覧………七九

雑録

　　国々の鳥と獣………安本重治………八〇

　　南洋奇聞（一三五）………イヴアン・エフ・チヤムピオン　三吉香馬訳………八六

　　南洋各地商況………九二

　　近事一束―蘭印日本人商業協会聯合会近く成立・蘭印第二次晒綿布輸入制限令公布さる・蘭印新輸入制限・蘭印で印刷、牛乳、織布、煙草業に営業制限実施か・ジヤワ糖大減産・比島砂糖消費税課税範囲拡大問題・海峡植民地輸入食糧品の原産国名記載規定・一九三五年度馬来織布輸入割当更に七品目追加・ジヨホール農作地租改正………一〇八

本会報告

　　本部―新嘉坡支部―ダバオ支部―新嘉坡商品陳列所―スラバヤ商品陳列所―新入会員―新備付図書………一一四

口絵

　　□日蘭会商代表長岡大使一行歓迎午餐会　□本会新嘉坡支部昭和九年度定時総会

◆『南洋協会雑誌』第二十一巻第四号（［昭和十年］四月一日発行）

本会の趣旨………一

資料

　　蘭領印度通商政策より観たる海運の重要性………本会スラバヤ商品陳列所バタビア出張員事務所………二

　　比島市場に於ける本邦綿布の将来（一）………本会マニラ支部常任幹事　渡辺　薫………四五

　　蘭領印度営業制限條令………本会スラバヤ商品陳列所………一三

英領馬来に於ける自転車及び部分品（一）………本会新嘉坡商品陳列所………五二

蘭領ニウギニア経済事情（二）………本会スラバヤ商品陳列所………三八

蘭領印度に於ける窓硝子、コップ、封度壜、ランプ火屋、琺瑯鉄器、自転車及部分品の輸入制限に就いて………本会スラバヤ商品陳列所バタビア出張員事務所………五九

南洋群島に於ける民族資料から得た移入植物の考察（十）………岡本象三………七一

一九三四年上半期に於ける爪哇の貿易………本会スラバヤ商品陳列所バタビア出張員事務所………七八

蘭領印度に於ける貨物の輸入割当制限及特許制実施………六九

ゴムと菓子………佐藤惣三郎………八六

護謨園の雑草と灌木（三）………照屋全昌………九〇

蘭印のサロン・カインパンジヤン・カインカパラ類輸入統計………九五

一九三四年度護謨生産高………九七

雑録

南洋奇聞（一三六）………イヴアン・エフ・チヤムピオン　三吉香馬訳………九八

蘭領印度の民族………一〇五

南洋各地商況………一〇七

近事一束―京浜南洋雑貨輸出組合・蘭印で電球輸入制限実施・蘭印更に雑商品輸入制限実施・一九三四年中蘭印への邦人移民数・一九三五年度蘭印入国移民割当数決定・ガロー日本人会成立・一九三四年度爪哇糖実収高・一九三四年爪哇糖輸出高・一月一日現在爪哇糖ストック・国産護謨減産率決定・英領馬来現行織布割当制限は英国に不利・英領馬来に於ける綿ベルト地は割当令の適用を受けず・蘭印で輸入諮問委員会設置………一一四

本会報告

本部―南洋群島支部―爪哇支部―新嘉坡商品陳列所―スラバヤ商品陳列所―バタビア出張員事務所―新入会員―新備付図書………一一九

口絵

　□蘭領印度の民族

◆『南洋協会雑誌』第二十一巻第五号（［昭和十年］五月一日発行）

　本会の趣旨………一

論説

　台湾の震災

説苑

　南洋視察より帰りて………南洋興発株式会社長　松江春次………二

資料

230　Ⅱ．南洋協会発行雑誌　総目録

　　蘭領ニウギニア経済事情（三）………本会スラバヤ商品陳列所………五
　　比島市場に於ける本邦綿布の将来（二）………本会マニラ支部常任幹事　渡辺　薫………一七
　　南洋群島に於ける民族資料から得た移入植物の考察（十一）………岡本象三………三五
　　英領馬来に於ける自転車及同部分品（二）………本会新嘉坡商品陳列所………四五
　　香港の一九三四年対外貿易………五六
　　新嘉坡欧米商社の本邦商品取扱急増………本会新嘉坡商品陳列所………六二
　　蘭印に於ける自転車及部分品に対する輸入特許制と本邦製品………本会スラバヤ商品陳列所………
　　　六六
　　熱帯農業―天水と土壌………佐藤惣三郎………九四
　　護謨園の雑草と灌木（四）………照屋全昌………七二
　　一九三四年英領馬来の対日本並対諸外国貿易統計………七五
　　一九三四年爪哇対日本並に対諸外国貿易統計………八八
雑録
　　南洋奇聞（一三七）………イヴアン・エフ・チヤムピオン　三吉香馬訳………九九
　　南洋各地商況………一〇七
　　近事一束―蘭印で日本語講習所設置さる・蘭印セメント輸入制限更新・蘭領印度に於ける各種品目輸入制限・蘭印で郵便物電信電話検閲條例公布・蘭領印度一九三四年主要輸出農業物産生産高・海峡で有害着色剤使用のグリーンピース缶詰発売禁止………一一六
本会報告
　　本部―爪哇支部―新嘉坡商品陳列所―スラバヤ商品陳列所―バタビア出張員事務所―新入会員―新備付図書………一一九
口絵
　　□サカイ族の女　□水浴するサカイ族の母と子

◆『南洋協会雑誌』第二十一巻第六号（［昭和十年］六月一日発行）
　　本会の趣旨………一
資料
　　一九三四年度蘭領印度輸出入貿易………本会スラバヤ商品陳列所バタビア出張員事務所………二
　　蘭領ニウギニア経済事情（四）………本会スラバヤ商品陳列所………六
　　英領馬来絹織物需給近況………本会新嘉坡商品陳列所………一九
　　一九三四年英領馬来の対日本貿易概況………本会新嘉坡商品陳列所………二五
　　南洋群島に於ける民族資料から得た移入植物の考察（十二）………岡本象三………三〇
　　新嘉坡放送局と日本製ラヂオセット………本会新嘉坡商品陳列所………三七
　　一九三五年蘭印倉庫営業制限令………本会スラバヤ商品陳列所バタビア出張員事務所………四一

一九三五年蘭印印刷営業制限令………本会スラバヤ商品陳列所バタビア出張員事務所………四五

一九三五年蘭印搾乳業制限令………本会スラバヤ商品陳列所バタビア出張員事務所………四八

蘭領印度に於ける規那の栽培並に輸出條令………本会スラバヤ商品陳列所………五〇

一九三四年仏領印度支那重要品別貿易統計………六二

一九三五年蘭印通信及運輸業務検閲條令………本会スラバヤ商品陳列所バタビア出張員事務所………六五

新嘉坡に於ける釘需給状況………本会新嘉坡商品陳列所………六八

一九三四年中英領馬来主要物産平均市価表………七四

一九三四年中英領馬来食料品物価………七六

一九三四年十二月現在英領馬来人口表………七八

雑録

南洋奇聞（一三八）………イヴアン・エフ・チヤムピオン　三吉香馬訳………八〇

南洋各地商況………八七

近事一束―糖業聯合会の改称・蘭印航空会社新航空路開設・蘭印人造肥料の輸入制限・蘭印セメント輸入制限期間の延長・蘭印ホテル業組合より営業制限実施方請願・蘭印土人織布業組合の結成・蘭印に於ける電球の輸入制限・スラバヤ付近に織布工場設立さる・パダンに椰子油会社設立さる・K・P・M汽船の太平洋新航路・蘭印に於けるナイフ、歯刷子等の輸入制限・爪哇糖新建相場・新嘉坡実業同志会役員改選・蘭印政府の綿布及綿製品輸入制限新法令・暹羅の地方自治制愈々実施・蘭印の未晒綿布輸入制限令継続・蘭印の麦酒輸入制限令継続………九五

本会報告

本部―マニラ支部―新嘉坡商品陳列所―スラバヤ商品陳列所―バタビア出張員事務所―新入会員―新備付図書………九九

口絵

□暹羅議員団歓迎茶会　□比律賓学生観光団歓迎茶会

◆『南洋協会雑誌』第二十一巻第七号（［昭和十年］七月一日発行）

本会の趣旨………一

説苑

其後の蘭印貿易………本会スラバヤ商品陳列所長　小原友吉………二

資料

蘭領印度に於ける綿タオルの取扱状況………本会スラバヤ商品陳列所………一〇

蘭印の綿毛布、タオルの輸入制限について………本会スラバヤ商品陳列所バタビア出張員事務所………一八

英領馬来に於ける護謨産業………本会新嘉坡商品陳列所………二七

爪哇に於ける円形金網張篩の需給状況………本会スラバヤ商品陳列所………三一

蘭印の第五次麦酒輸入制限に就いて………本会バタビア出張員事務所………三四

英領馬来に於ける錫鉱業………本会新嘉坡商品陳列所………三九

馬来サラワク織物輸入割当制限の作用及効果に関する政府報告書（一）………本会新嘉坡商品陳列所………四五

蘭印の綿布、綿製品、綿莫大小襯衣の輸入制限について………本会スラバヤ商品陳列所バタビア出張員事務所………六六

法、ベルガ、ギルダーの相関関係………佐藤惣三郎………八六

暹羅に於ける自転車需給状況………一〇一

一九三五年三月中外国割当織物馬来輸入数量………本会新嘉坡商品陳列所………一〇六

雑録

南洋奇聞（一三九）………イヴァン・エフ・チヤムピオン　三吉香馬訳………一一〇

南洋各地商況………一一七

近事一束―パブスト和蘭公使賜暇離任・山路外務事務官渡南・松島巡閲使出発・衆議院議員の南洋方面視察・日産護謨移転・南洋向自転車に輸出組合法適用・蘭印の衛生陶磁器輸入制限・蘭印経済省長官輸入制限に関し新に権限を付与さる・蘭印国民参議会に市価統制條令案提出さる・蘭印の織布新輸入制限・京浜南洋雑貨輸出組合成立・バタビアに土人硝子工場設置・蘭印第二期土人ゴム輸出許可量・蘭印領内旅客飛行料金引下げ・蘭印陶器工業の発展・蘭印経済省組織改革………一二七

本会報告

本部―新嘉坡支部―新嘉坡商品陳列所―スラバヤ商品陳列所―バタビア出張員事務所―新入会員―新備付図書………一三〇

口絵

□ダバオ観光団歓迎晩餐会　□ダバオ三景

◆『南洋協会雑誌』第二十一巻第八号（[昭和十年] 八月一日）

本会の趣旨………一

説苑

南洋旅行談………東拓鉱業会社専務取締役　中島清一郎………二

暹羅、仏領印度支那、英領印度地方に旅行して………本会評議員本会東海支部長　伊藤次郎左衛門………一三

資料

一九三三年及一九三四年度に於ける蘭領印度主要国別貿易に就いて………本会スラバヤ商品陳列所………一八

蘭印に於ける未晒綿布の第二次輸入制限………本会スラバヤ商品陳列所バタビア出張員事務所………二七

比律賓に工業化………三五

一九三四年度スマトラ東海岸州経済状況………四〇

馬来及サラワク織物輸入割当制限の作用及効果に関する政府報告書（二）………本会新嘉坡商品陳列所………四六

国際ゴム協定実施一周年の成績………四八

蘭領印度現行輸入制限品一覧………本会スラバヤ商品陳列所バタビア出張員事務所………五一

蘭印の衛生陶器輸入制限に就いて………本会スラバヤ商品陳列所バタビア出張員事務所………五八

蘭印に於ける包装條令………本会スラバヤ商品陳列所………六四

蘭印輸入貨物の強制的蘭船積載に関する規定………六七

雑録

　南洋奇聞（一四〇）………イヴァン・エフ・チヤムピオン　三吉香馬訳………六九

　南洋各地商況………七四

　近事一束―南洋派遣学徒研究団出発・サラワクに日本人会生る・新嘉坡放送局事業開始遅延・蘭印機週二回就航・蘭印インターナショナル織布工場の拡張・バタビアに懐中電灯電池工場新設・爪哇スカブミ地方に織布工場設立か・バタビアの石鹸工場拡張・バタビアに石鹸工場新設・蘭印への支那人入国数・在神戸和蘭国総領事館副領事着任・蘭印石油に輸出税賦課案審議中・ソ聯綿製品蘭印へ進出・スマトラ、アチエ地方の織布業、バンカ島錫鉱山閉鎖か・蘭印新官吏月俸二割減・蘭印陶磁器輸入制限・海峡植民地及馬来聯邦州護謨輸出課税額低下さる・馬来聯邦州新輸入税賦課・馬来聯邦州輸出税に関する査定額改正・比島議会彙報………八四

本会報告

　本部―ダバオ支部―新嘉坡商品陳列所―スラバヤ商品陳列所―バタビア出張員事務所―新入会員―新備付図書………九〇

南洋協会第二十七回定時総会事業会計報告　昭和九年度………一～一〇五

昭和九年度南洋協会会計報告………一～六

口絵

　□本会第二十七回定時総会晩餐会　□ボルネオ・サンクリランの林業

◆『南洋協会雑誌』第二十一巻第九号（［昭和十年］九月一日発行）

本会の趣旨………一

説苑

　暹羅・仏領印度・英領印度地方に旅行して（二）………本会評議員本会東海支部長　伊藤次郎左衛門………二

資料

    蘭印に於ける家庭用陶磁器製品の輸入制限………本会バタビア出張員事務所………一〇

    一九三四年度蘭印市場に於ける主要輸入品の概況………本会スラバヤ商品陳列所………二〇

    一九三四年度蘭印の工場………本会スラバヤ商品陳列所………二五

    比律賓ダバオ事情………本会ダバオ支部………三〇

    一九三四年ダバオ、ホロ及サンボアンガ各港貿易状況………三五

    比律賓に於ける綿布国別輸入統計（一九三二―三四年）………三九

    一九三四年度蘭印鉱業概況………本会スラバヤ商品陳列所………四二

    一九三四年度仏領印度支那本邦品輸入統計………四七

    オツタワ経済会議に基く英国輸出貿易の好転………佐藤惣三郎………五三

    蘭印に於ける毛織物、絹織物、人絹織物、麻織物、毛布、手巾、天鵞絨の輸入制限に就いて………本会バタビア出張員事務所………五八

    蘭印に於ける縞サロン並綿布等の第五次輸入制限に就いて………本会バタビア出張員事務所………六四

    一九三五年自七月至九月蘭領印度輸出入商品評価表………七〇

    一九三五年自一月至三月英領馬来の対日本並対諸外国貿易統計………八五

    一九三五年自一月至三月爪哇対日本並に対諸外国貿易統計………九五

    新嘉坡より各地向航空発着時間並郵便物料金表………一〇一

雑録

    南洋奇聞（一四一）………イヴアン・エフ・チヤムピオン　三吉香馬訳………一〇三

    南洋各地商況………一〇七

    近事一束―スラバヤ付近に織布大工場創立・爪哇バイテンゾルグのグツドイヤー工場作業開始・蘭印麦酒消費税引上か・飛行機製作所並飛行学校スマランに設立計画・蘭印国民参議会に商取引取締條令案上提さる・バンジヤルマシン―マルタプーラ間航空路近く開設・蘭印に於ける金物輸入制限・蘭印に於ける入国制限・蘭印に於けるカポツク輸出統制・一九三四年海峡植民地出入船舶数………一一六

本会報告

    本部―爪哇支部―新嘉坡商品陳列所―スラバヤ商品陳列所―バタビア出張員事務所―新入会員―新備付図書………一一九

口絵

    □本会爪哇支部総会　□ダバオ、ミンタル病院　□ダバオ、ミンタル河の鰻

◆『南洋協会雑誌』第二十一巻第十号（［昭和十年］十月一日発行）

    本会の趣旨………一

説苑

暹羅・仏領印度支那・英領印度地方に旅行して（三）………本会評議員本会東海支部長伊藤次郎左衛門………二

比律賓蛮族の実生活（一）………本会嘱託　三吉朋十………一二

資料

日本と蘭領印度の工業化………H・ローズ　本会スラバヤ商品陳列所訳………二三

比律賓に於ける棉花の栽培………本会マニラ支部常任幹事　渡辺　薫………四三

英領馬来植物油界現勢………本会新嘉坡商品陳列所………四九

蘭領印度一九三六年度予算案………五五

一九三四年度蘭領印度国際収支………五八

一九三六年度生護謨生産の予想………佐藤惣三郎………六五

世界糖界の現勢………七二

蘭印商取引取締條令案………本会スラバヤ商品陳列所バタビア出張員事務所………七六

蘭領印度に於ける欧州人………本会スラバヤ商品陳列所………八〇

一九三五年七月中英領馬来食料品物価………八六

本年度英領馬来上半期貿易………本会新嘉坡商品陳列所………八九

雑録

南洋奇聞（一四二）………イヴァン・エフ・チヤムピオン　三吉香馬訳………九三

南洋各地商況………九九

近事一束―比律賓協会設立・南洋海運株式会社事業開始・貴族院議員南洋視察団出発・台湾博覧会・名古屋市に於いて汎太平洋平和博覧会開催準備中・蘭印政府綿製縫糸の輸入制限令公布・蘭印政府の石鹸輸入制限令・蘭印沿岸に於ける外国船の寄港地限定・蘭印輸入包装紙制限令・南海開拓の雄永野角十氏逝く・一九三六年蘭領印度公休日表・和蘭本国機業の蘭印移転案中止か………一〇七

本会報告

本部―新嘉坡支部―マニラ支部―新嘉坡商品陳列所―スラバヤ商品陳列所―バタビア出張員事務所―新入会員―新備付図書………一一二

口絵

□比律賓蛮族の生活

◆『南洋協会雑誌』第二十一巻第十一号（［昭和十年］十一月一日発行）

本会の趣旨………一

説苑

比律賓蛮族の実生活（二）………本会嘱託　三吉朋十………二

236　Ⅱ．南洋協会発行雑誌　総目録

資料
　　一九三四年英領馬来外国貿易………一四
　　蘭領印度に於ける支那人及其他の東洋人………本会スラバヤ商品陳列所………二三
　　英領馬来に於ける日本製トランプ………本会新嘉坡商品陳列所………三一
　　一九三四年英領北ボルネオ経済概況………三四
　　海峡植民地輸出入申告規定………本会新嘉坡商品陳列所………三六
　　暹羅一九三四―五年外国貿易………四〇
　　英領馬来輸出入関税率表………四三
　　一九三五年上半期英領馬来対日本並対諸外国貿易統計………六一
　　一九三五年上半期爪哇対日本並対諸外国貿易統計………七三
　　英領北ボルネオ農事概要………七九
　　土人ゴムの調節と生産制限の考課………佐藤惣三郎………八六

雑録
　　南洋奇聞（一四三）………三吉香馬………九三
　　南洋各地商況………一〇一
　　近事一束―熱帯産業調査会開催・本邦・新西蘭直航路開設・紀元二千六百年記念日本万国博覧会開設・蘭印の失業者・爪哇糖工場の操業開始数・バタビアのレフナルト塗料工場・ジヨクジヤの靴紐工場・ニユーギニアの金採掘・蘭印紡績工業とバチツク工業・蘭印機業の大計画・蘭印に於ける紙巻煙草製造業者の営業制限・蘭印物産相場・馬来聯邦州関税法改正・海峡植民地織物輸入（割当）法施行細則下の布告・新嘉坡市役所三輪自動車税引上げ・柔仏国一九三五年（農園）護謨統計規定・馬来聯邦州輸出税に関する査定額改正・英領北ボルネオ関税一部改正………一一三

本会報告
　　本部―新嘉坡商品陳列所―スラバヤ商品陳列所―バタビア出張員事務所―新入会員―新備付図書………一二〇

口絵
　　□比律賓探訪の三吉氏の同氏面談の要人

付録　南洋協会会員名簿（昭和十年十月二十五日現在）………一〜六六

◆『南洋協会雑誌』第二十一巻第十二号（[昭和十年] 十二月一日発行）
　　本会二十周年記念特輯………一〜一七
　　本会の趣旨………一

論説
　　創立二十周年を迎へて………本会理事兼幹事　飯泉良三………二

説苑

比律賓蛮族の実生活（三）………本会嘱託　三吉朋十………四

資料

一九三五年第四、四半期国際護謨制限率引上げと国際市況………一六

九二四年蘭領印度に於けるコプラの輸出と消費………本会スラバヤ商品陳列所………二四

蘭領印度商標條例解説………井手諦一郎………三一

仏領印度支那の棉花栽培状況………五一

仏領印度支那のカポツク栽培状況………五七

スマトラ東海岸州本邦品輸入統計………六一

蘭領印度のバナナ及柑橘産業概況………六四

雑録

南洋奇聞（一四四）………三吉香馬………七四

南洋各地商況………八六

近事一束―日本護謨輸入協会設立・一九三六年海峡植民地公休日・蘭印通商擁護法案国民参議会通過・蘭領ニユーギニア開発案・蘭印沿岸航路法案明年に持越し・爪哇支那日本汽船会社和蘭政府に融資懇請・爪哇よりスマトラへの大量移民・爪哇比律賓航空路近く完成・蘭印石油消費税引上・蘭印土人護謨の生産統制計画・蘭印冶金工業営業制限令公布さる・和蘭明年度歳入不足一億九百万盾・蘭印輸入統制局設置困難・蘭印チエリボンに白墨製造業計画・蘭印果物の海外へ新販路………九五

本会報告

本部―スマトラ支部―新嘉坡商品陳列所―スラバヤ商品陳列所―バタビア出張員事務所―新入会員………九九

口絵

□本会二十周年記念名士題字　□比島パラワン島二景とゴロテ族

◆『南洋協会雑誌』第二十二巻第一号（[昭和十一年]一月一日発行）

本会の趣旨………一

論説

昭和十一年を迎へて………二

説苑

台湾熱帯産業調査会に臨みて………本会専務理事　井上雅二………四

資料

対伊太利聯盟制裁の新嘉坡市場に及ぼす影響………本会新嘉坡商品陳列所………一九

海峡植民地に於ける対伊太利制裁に関する條例………本会新嘉坡商品陳列所………二五

比律賓の独立と砂糖問題………本会マニラ支部常任幹事　渡辺　薫………三一

蘭領印度に於ける茶の栽培………本会スラバヤ商品陳列所………三四

新嘉坡の輸入品取引事情………三九

海峡植民地輸出入登録規則………四四

馬来半島に於ける煙草生産及需給状況………四七

粗生原料品の分布………佐藤惣三郎………五一

蘭領印度に於ける曹達灰、苛性曹達、及晒粉………本会スラバヤ商品陳列所………五八

一九三四年比律賓対本邦貿易………六四

一九三四年比律賓の外国貿易………六九

比律賓に於ける果実蔬菜並同加工品輸入状況………七四

スマトラに於ける一九三五年上半期本邦品輸入状況………八四

雑録

南洋奇聞（一四五）………三吉香馬………九三

南洋各地商況………一〇〇

近事一束―中央爪哇の上半期破産数・蘭印領内産ビールの消費税引上げ・蘭印輸入割当超過量の契約破棄に関する政府取扱ひ・蘭印政府の対伊制裁・バンドン近郊の機業・爪哇カリヂヤチー飛行場付近に飛行機工場設立・スラバヤで紙製瓶の製造開始・スラバヤに自転車工場・バイテンゾルグに自転車タイヤ工場新設・ボルネオにタイヤ工場設立・中部爪哇に製陶業開始・ニユーギニア探検飛行機目的地へ・ニユーギニアに林業会社設立・ニユーギニアに第二回移民・ニユーギニア貿易会社設立・バタビアに支那商品進出策研究会開催・蘭印のラヂオ聴取料値下・ボルネオの航空路・蘭印の日用品市価値上り・馬来聯邦州輸出税に関する査定額改正・一九三六年柔仏国公休日………一〇八

本会報告

本部―新嘉坡商品陳列所―スラバヤ商品陳列所―バタビア出張員事務所―新入会員―新備付図書………一一三

口絵

□海上雲遠（彼南、タンジヨン・ブンガの絶景）　□海上雲遠（バリー島北岸の日之出）

◆『南洋協会雑誌』第二十二巻第二号（[昭和十一年] 二月一日発行）

本会の趣旨………一

論説

植民地再分配論と我国の対外政策………二

説苑

大南洋との経済的握手………本会専務理事　井上雅二………四

最近の比律賓に就て（一）………前在マニラ総領事前本会マニラ支部長　木村　惇………六

資料
　　一九三四年度馬来護謨産業………本会新嘉坡商品陳列所………一六
　　英領馬来に於ける人絹布………本会新嘉坡商品陳列所………二二
　　馬来市場に於ける缶詰食料品………本会新嘉坡商品陳列所………三八
　　一九三四年度印度支那外国貿易………六五
　　暹羅の一九三四―三五年外国貿易と日本品の地位………七三
　　一九二八年を基準とせる蘭領印度貿易指数………本会スラバヤ商品陳列所………七九
　　一九三五年自一月至九月英領馬来対日本並対諸外国貿易統計………八一
　　一九三五年自一月至九月爪哇対日本並対諸外国貿易統計………九四
雑録
　　南洋奇聞（一四六）………三吉香馬………一〇〇
　　ダバオ開拓の大恩人大城孝蔵氏を悼む………正木吉右衛門………一一三
　　南洋各地商況………一一五
　　近事一束―スマランにボタン製造工場・アチエの薄荷油工業・バタビアとスマランに硝子工場設立か・チラチヤップに椰子繊維工場の計画・バンドンにラテックス製造工場・爪哇機業漸次好転・爪哇糖産出の新レコード・バンドン近郊に於けるホップの栽培失敗・蘭領キサル島に良質の石灰と雲母発見さる・蘭印船舶法一部改正か・パダン―メダン間の航空路・蘭印の晒綿布及肥料輸入制限延長・蘭印に於ける諸輸入制限延長・馬来聯邦州輸出税に関する査定額改正………一二四
本会報告
　　本部―台湾支部―新嘉坡支部―新嘉坡商品陳列所―スラバヤ商品陳列所―バタビア出張員事務所―新入会員………一二九
口絵
　　□仏領印度支那のアロン湾　□仏領印度支那アロン湾のホンゲー・ホテル

◆『南洋協会雑誌』第二十二巻第三号（［昭和十一年］三月一日発行）
　本会の趣旨………一
論説
　遣暹経済使節を送る………二
説苑
　最近の比律賓に就て（二）………前在マニラ総領事前本会マニラ支部長　木村　惇………四
資料
　蘭領印度缶詰食料品需給状況………本会スラバヤ商品陳列所………一二
　新嘉坡市場毛織物取引事情………本会新嘉坡商品陳列所………三八
　一九三六年度の護謨………宇尾栄次郎………四六

Ⅱ．南洋協会発行雑誌　総目録

　　一九三五年第三四半期に於ける蘭領印度土人護謨の概況………本会スラバヤ商品陳列所………五五
　　蘭領印度輸入商品評価表………六一
雑録
　　南洋奇聞（一四七）………三吉香馬………八三
　　南洋各地商況………九二
　　近事一束―スラバヤに自転車製造所設立計画中・ジヨクジヤに陶器製造工場設立・東部爪哇で織布
　　　工養成・ニフアス販売組合長台湾糖支那糖の視察状況を語る・蘭印未晒綿布転売取締に関する懇
　　　談会開催・蘭印政府の暹羅砕米輸入………一〇二
本会報告
　　本部―ダバオ支部―新嘉坡商品陳列所―スラバヤ商品陳列所―バタビア出張員事務所―新入会員―
　　　新備付図書………一〇四
口絵
　　□バリーの踊り（ヂヤンゲル）　□バリーの女

◆『南洋協会雑誌』第二十二巻第四号（［昭和十一年］四月一日発行）
　　本会の趣旨………一
論説
　　南方に対する認識………二
説苑
　　最も邦人に適する南洋の高原地農業………本会理事兼幹事　飯泉良三………四
　　日比関係の現状………駐蘭貢領事前本会ダバオ支部長　金子豊治………七
資料
　　英領馬来工業概要………本会新嘉坡商品陳列所………一七
　　一九三四年度英領馬来農業概況………本会新嘉坡商品陳列所………四一
　　新嘉坡ラヂオ界近況………本会新嘉坡商品陳列所………六七
　　護謨園と労働者の所属国籍………エバーレツト・ジ・ホール述　佐藤惣三郎訳………七一
　　蘭印統制の形成と世界のゴム需給………八二
　　ニフアス無期延長と蘭印糖業統制の将来………八六
　　一九三五年上半期に於けるスマトラ東海岸州輸出統計………九〇
　　一九三五年中英領馬来主要物産平均市価表………九四
　　一九三三―三五年英領馬来鉱産物統計………九六
雑録
　　南洋奇聞（一四八）………三吉香馬………九八
　　南洋各地商況………一〇六

近事一束―爪哇島政府案可決・蘭印石油生産税・煙草の消費税引上、輸入税引下・蘭印電球輸入制限延長さる・蘭印麦酒輸入制限延長さる・歯刷子他十商品輸入制限延長さる・蘭印政府の斡旋にて土人工業協会設定か・蘭印政府工業統制法制定か・バタビア市工業地帯設定の計画・爪哇で棉花栽培試験・スマラン南方に於ける農村更生策として蜜蜂飼育・蘭印珈琲栽培救済策・パプア族の教化好成績・ニユーギニア島開発の蘭英合弁会社創立・和蘭晒綿布保護策・蘭印物産を先づ和蘭へ・蘭印工芸品の海外進出策・日本産業を研究せよ・ジヤバ、ボルネオ航空路開始・蘭印―マニラ間航空路実現困難・スラバヤ飛行場の大拡張・Ｋ・Ｐ・Ｍ社の新航路・蘭印住宅税引下・訪暹経済視察団出発………一一五

本会報告

本部―新嘉坡商品陳列所―スラバヤ商品陳列所―バタビア出張員事務所―新入会員………一二三

口絵

□遣暹経済使節一行の出発

◆『南洋協会雑誌』第二十二巻第五号（[昭和十一年]五月一日発行）

本会の趣旨………一

論説

誤解を去つて親善の大道を歩まん………二

説苑

日比関係の現状（二）………駐蘭貢領事前本会ダバオ支部長　金子豊治………四

資料

一九三五年英領馬来外国貿易展望………本会新嘉坡商品陳列所………一九

蘭印の輸入商品に及ぼせる不況の影響………本会スラバヤ商品陳列所………五一

一九三六年以降に於ける蘭印政府の糖業統制計画………本会スラバヤ商品陳列所………六七

英領馬来工業概要（二）………本会新嘉坡商品陳列所………七五

一九三五年中英領馬来に於ける米作産業………本会新嘉坡商品陳列所………八七

暹羅国スチツクラツクの養殖………佐藤惣三郎訳………九四

雑録

南洋奇聞（一四九）………三吉香馬………一〇四

南洋各地商況………一一六

近事一束―バタビアに硝子工場・チエリボンの電球製造工場・インドラマユの花莫蓙製造計画・蘭印の椰子繊維工業有望・蘭印玉蜀黍の日本輸出激増・蘭印果実の海外進出増加・蘭領ニユギニアの行政拡張計画・KPM爪支日西社合併計画・蘭印と仏領印度支那の空路計画・バタビア、スラバヤ夜行列車一週二回運転・蘭印産業博物館をスラバヤに設置・マニラ日本商業会議所陣容成る・新刊紹介………一二五

本会報告

　本部―新嘉坡商品陳列所―スラバヤ商品陳列所―バタビア出張員事務所―会員異動………一三〇

口絵

　□比律賓バギヲ風景

◆『南洋協会雑誌』第二十二巻第六号（［昭和十一年］六月一日発行）

　本会の趣旨………一

論説

　南方青年学徒等の朝宗と本会施設の拡充………二

説苑

　暹羅事情………本会新嘉坡商品陳列所長　小原友吉………四

資料

　国際生産制限令下にある護謨界近況………本会新嘉坡商品陳列所………一五

　比島の独立と当面の貿易産業問題………吉村敏夫………三〇

　一九三五年十二月中蘭領印度経済情勢………本会スラバヤ商品陳列所………三九

　パラオ島植物採集目録………吉岡護郎　岡本象三………五一

　苔接護謨苗木か選択実生苗木か………佐藤惣三郎………六一

　新嘉坡に於ける衣食住物価………本会新嘉坡商品陳列所………六八

　一九三五年英領馬来対日本並対諸外国貿易統計………七四

　一九三五年爪哇の対日本並対諸外国貿易統計………八九

　一九三五年蘭領印度主要国別輸出入統計表………九九

　一九三五年スマトラ東海岸州主要物産輸出統計………一〇一

　一九三五年中英領馬来食料品物価………一〇三

　英領馬来の総人口………一〇六

雑録

　南洋奇聞（一五〇）………三吉香馬………一〇八

　柔仏サルタン殿下御即位四十年記念奉祝と日本式庭園の献納………一二〇

　南洋各地商況………一二一

　近事一束―米垣メダン領事赴任・南洋航路株式会社の設立・三井物産船舶部の暹羅航路サービス・デ・ヨング蘭印総督植民相に就任か・蘭印に於ける操業開始の砂糖工場・蘭印に於ける小工場の進出・蘭印内廃校予定の小学校五十四に及ぶ・蘭印の全学校授業料引下か・蘭印電信電話料引下か・横浜の暹羅国領事館移転………一二八

本会報告

　本部―新嘉坡支部―新嘉坡商品陳列所―スラバヤ商品陳列所―バタビア出張員事務所―会員異動

………一三一

口絵

　□柔仏サルタン殿下へ献上の日本式庭園

◆『南洋協会雑誌』第二十二巻第七号（［昭和十一年］七月一日発行）

　本会の趣旨………一

論説

　日蘭海運新協定の成立………二

説苑

　最も邦人に適する南洋高原地農業（二）………本会理事兼幹事　飯泉良三………四

資料

　新嘉坡に於ける陶磁器、硝子製品、琺瑯鉄器需給状況………本会新嘉坡商品陳列所………九

　一九三五年馬来農産貿易………本会新嘉坡商品陳列所………二二

　パラオ島植物採集目録（二）………吉岡護郎　岡本象三………二八

　新嘉坡に於ける海陸産物近況………本会新嘉坡商品陳列所………四〇

　護謨対策………佐藤惣三郎………四六

　世界市場に於けるスマトラ煙草………本会調査部………五〇

　比律賓に於けるNEPA運動の真髄………本会マニラ支部常任幹事　渡辺　薫………五九

　暹羅政界の推移と日暹親善の新展開………吉村敏夫………七七

　国際ゴム制限状況………本会調査部………六六

　新嘉坡に於ける古金物輸出取引近況………本会新嘉坡商品陳列所………七〇

　一九三五年蘭領印度主要物産国別輸出統計………七二

　一九三五年蘭印外領の対日本主要品貿易統計………八六

　一九三五年蘭領印度輸入統計………九三

　一九三五年蘭領印度主要輸出品統計………九四

　日本対南洋重要商品別輸出入統計表………九五

　日本対南洋諸国輸出入額最近五ヶ年統計表………九六

雑録

　南洋奇聞（一五一）………三吉香馬………九七

　南洋各地商況………一〇七

　近事一束―爪哇・日本間航空郵便連絡開始・蘭領印度総督の更迭・日蘭海運協定の成立・蘭印硫酸第一鉄輸入制限令・海南産業株式会社東京事務所移転・蘭領リオウ島ボーキサイド採掘・タンジヨン・プリオーク船渠大拡張の計画・ランネフト氏近く辞任・蘭印に於ける葡萄栽培の奨励・スマトラの農作状態良好・葡萄牙領チモールの石油租借條件・スマトラの苦力條令修正問題・南スマ

トラへの爪哇移民成功・ボルネオ航空路タラカンへ延長・蘭印輸入制限令に関する質疑応答・新嘉坡放送局七月放送開始か・蘭印総督の国民参議会開院式演説・比律賓の木材租借権問題………一一二

本会報告

本部―台湾支部―新嘉坡支部―爪哇支部―新嘉坡商品陳列所―スラバヤ商品陳列所―バタビア出張員事務所―会員異動―新備付図書………一一七

口絵

　□本会新嘉坡支部総会　□ビルマ風景　□比律賓ケソン大統領ダバオ視察　□ダバオ画報

◆『南洋協会雑誌』第二十二巻第八号（[昭和十一年]八月一日発行）

本会の趣旨………一

論説

台拓南拓両会社の設立………二

説苑

最も邦人に適する南洋高原地農業（三）………本会理事兼幹事　飯泉良三………四

資料

一九三五年蘭領印度経済情勢………本会スラバヤ商品陳列所………七

一九三五年に於ける蘭印政府の財政………本会スラバヤ商品陳列所………一八

英領馬来に於ける金融界現況………本会新嘉坡商品陳列所………二四

蘭領印度に於けるシトロネラ油………本会スラバヤ商品陳列所………三二

海峡植民地一九三六年電球及電気器具取締法………本会新嘉坡商品陳列所………三六

和蘭の平価切下げとギルダーの行方………本会調査部訳………四〇

比律賓に於ける米の現況………農商務長官　ユーロギイ・ロドリゲス　佐藤惣三郎訳………四四

世界ゴム行脚（一）………E・A・ホーサー　本会調査部訳………五〇

一九三六年自一月至三月英領馬来対日本並対諸外国貿易統計………五七

一九三六年自一月至三月蘭領印度の対日本並対諸外国貿易統計………六七

雑録

南洋奇聞（一五二）………三吉香馬………九二

南洋各地商況………一〇二

近事一束―本年第一四半期の蘭印国庫収入増収・蘭印の失業及救済事業状態・蘭印国鉄減収を辿る・英国織物の対蘭印輸出激減・マドラ島の埋蔵石油調査・蘭印官吏恩給令改正・蘭印輸出石油に課税か・蘭印輸入印刷物取締強化・蘭印通商報復法の発令・爪哇糖在庫量・支那市場への爪哇糖輸出激減・スラバヤに電球工場設立・テガルに紡織会社設立・中華商品陳列所を爪哇に設置・日本・蘭印間無線電話料引下・蘭印で二邦人開業医試験に合格・暹羅室の創設・西貢・盤谷間無

線電話開通・マニラに邦人紡績工場設置か………一〇九
本会報告
　　本部─スマトラ支部─新嘉坡商品陳列所─スラバヤ商品陳列所─バタビア出張員事務所─会員異動
　　　………一一四
南洋協会第二十八回定時総会事業会計報告　昭和十年度………一〜一〇三
昭和十年度南洋協会会計報告………一〜六
口絵
　　□本会第二十八回定時総会午餐会　□飯泉理事訪問のプール氏と農園

◆『南洋協会雑誌』第二十二巻第九号（［昭和十一年］九月一日発行）
　　本会の趣旨………一
論説
　　我が南方国策の真意義………二
説苑
　　織物より観たる日蘭印貿易………本会スラバヤ商品陳列所技師　龍実　齊………四
資料
　　一九三五年蘭領印度鉱業の概況………本会スラバヤ商品陳列所………一一
　　熱帯各地の気候概説………南洋庁産業試験場　岡本象三………一六
　　蘭印に於ける外国為替・金融及株式市場情勢………本会スラバヤ商品陳列所………二四
　　護謨事業と統制の必要………ウォルター・エッチ・ヂッカーソン　佐藤惣三郎訳………三一
　　一九三五年蘭領印度主要国別貿易の概況………本会スラバヤ商品陳列所………四二
　　一九三五年蘭領印度国際収支………四九
　　比律賓独立略史考………本会編輯部………五九
　　世界ゴム行脚（二）………Ｅ・Ａ・ホーサー　本会調査部訳………七三
雑録
　　南洋奇聞（一五三）………三吉香馬………八四
　　南洋各地商況………九三
　　近事一束─南洋周航会の成立・ランネフト博士帰国・蘭領印度評議会副議長新任・蘭印商務官派遣
　　　案・スラバヤ市に経済省出張所の設置・ニユギニア鉱業会社設立法案・蘭印工業製品陳列館開
　　　設・蘭印の麦酒の藁苞生産増加・マドラの石油試掘失敗・ニユギニアの金鉱踏査着手・乳製品工
　　　業を爪哇に確立・バンドンの年市共進会開場・バタビア新飛行場準備・チモール島クパンに航空
　　　安全設備・スマラン新飛行場敷地買収・ホテル業会議をバタビアで開催・東印度国民党解散か・
　　　蘭印中央職場拡張・明年度蘭印予算案………九九
本会報告

本部―新嘉坡商品陳列所―スラバヤ商品陳列所―バタビア出張員事務所―会員異動………一〇三
口絵
　　□蘭領印度政府経済省総務部長フアン・モーク氏歓迎午餐会　□比律賓画報

◆『南洋協会雑誌』第二十二巻第十号（［昭和十一年］十月一日発行）
　　本会の趣旨………一
論説
　　台湾総督の更迭………二
説苑
　　栽培企業より観たる暹羅………スマトラ護謨拓植株式会社取締役　真崎正路………四
　　在南三十五年にして祖国に帰る………新嘉坡日本人会長　西村竹四郎………一六
資料
　　一九三五年蘭印工業の概況………本会スラバヤ商品陳列所………二一
　　最近の印度支那の貿易情勢………向井　章………二九
　　国際錫カルテルを廻る問題………本会新嘉坡商品陳列所………三六
　　比律賓ビーコル地方の産業視察………本会マニラ支部常任幹事　渡辺　薫………四二
　　柔仏の鉱業概況………本会新嘉坡商品陳列所………五五
　　一九三六年上半期英領馬来貿易概況………本会新嘉坡商品陳列所………五九
　　海峡植民地団体税法………本会新嘉坡商品陳列所………六一
　　世界の護謨事業………R・P・デインスモアー　佐藤惣三郎訳………六五
　　世界ゴム行脚………E・A・ホーサー　本会調査部訳………七四
雑録
　　南洋奇聞（一五四）………三吉香馬………八二
　　比律賓サムバレス紀行………本会マニラ支部常任幹事　渡辺　薫………九二
　　南洋各地商況………一〇三
　　近事一束―蘭印経済省に営業制限事務局新設・バタビアに独逸商業会議所設立・蘭印入国制限実施後の従業員入国数・スマランのボタン製造発展・蘭印の缶詰工業促進・一九三七年海峡植民地公休日・柔仏国輸出税査定額・暹羅に日本人商工会議所設立・仏領印度支那総督の更迭・一九三六年上半期蘭印石油産出高………一〇九
本会報告
　　本部―台湾支部―新嘉坡商品陳列所―スラバヤ商品陳列所―バタビア出張員事務所―会員異動―新備付図書………一一四
口絵
　　□駐暹羅国公使石射猪太郎氏送別午餐会　□比律賓ビコール地方画報

◆『南洋協会雑誌』第二十二巻第十一号（[昭和十一年]十一月一日発行）

　本会の趣旨………一

論説

　法と盾の低落………二

説苑

　船中「南方問題」を説く………本会専務理事　井上雅二………四

資料

　一九三六年上半期蘭領印度経済情勢………本会スラバヤ商品陳列所………九

　馬来に於ける織物集散現況………本会新嘉坡商品陳列所………一九

　世界市場に於ける爪哇煙草………本会調査部………二八

　蘭印に於けるカユプテ油生産状況………本会スラバヤ商品陳列所バタビア出張員事務所………三六

　彼南島占領一百五十年記念と中東英帝国建設の偉人………佐藤惣三郎………四〇

　新嘉坡に於ける自転車及三輪車取締法………本会新嘉坡商品陳列所………四七

　一九三五年馬来及サラワック綿布及人絹布輸入割当事務及其その影響………本会新嘉坡商品陳列所………七三

　一九三六年上半期英領馬来貿易統計………五一

　一九三六年上半期蘭領印度貿易統計………六三

雑録

　南洋奇聞（一五五）………三吉香馬………八二

　南洋各地商況………九二

　近事一束―プール大佐夫人逝去・井上本会専務理事暹羅訪問・蘭印東亜局拡充・モルツカ群島沿海の領海警備強化・ニユーギニア北沿岸開発会社設立・バンタムの金鉱開発着手・中部爪哇の新水力電気事業国営か民営か・蘭印工業電化調査委員会組織さる・バタビア華僑が硝子工場新設・蘭印のパーム油輸出増加・ニユーギニア移民評議会設置・一九三七年柔仏王国公休日・海峡植民地一九三五年度人口動態・海峡植民地会社登録現在数・新嘉坡海軍根拠地に更に重油タンク設置・比島非基督教地域に自治制布かれん・馬来に於いて馬来人漁業者の保護対策を講究・比律賓に於いて軍教問題論議さる・一九三六年前期蘭印政府歳入概況・仏領印度支那西貢、堤岸両市の人口………九八

本会報告

　本部―新嘉坡商品陳列所―スラバヤ商品陳列所―バタビア出張員事務所―会員異動―新備付図書………一〇五

口絵

　□蘭領印度総督府東亜事務局エル・カムペル氏歓迎午餐会　□仏領印度支那タンブール無煙炭坑

◆『南洋協会雑誌』第二十二巻第十二号（［昭和十一年］十二月一日発行）

　本会の趣旨………一

論説

　赤心を人の腹中に置く………二

説苑

　番加海峡を南しつゝ………本会専務理事　井上雅二………四

　英領馬来の近況………横浜正金銀行前新嘉坡支店長　海上　浩………一四

資料

　暹羅に於けるチーク材の生産状況と森林政策………二八

　護謨事業発展史………イー・ジー・ホルト　佐藤惣三郎訳………三九

　一九三六年上半期比律賓貿易………本会編輯部………四八

　一九三五年馬来及サラワック綿布及人絹布輸出入割当制限事務及其影響（二）………本会新嘉坡商品陳列所………五六

　比島コンモンウエルスの通商政策………本会編輯部………六五

　一九三五年スマトラ東海岸州経済状況………本会調査部………七一

雑録

　南洋奇聞（一五六）………三吉香馬………八四

　ビルマ概況………増淵佐平………九一

　南洋各地商況………九七

　近事一束―マニラの日本案内所で機関紙発行・西村ドクトル「在南三十五年」上梓・新嘉坡三輪車登記税並に鑑札税・海峡植民地綿布人絹布輸入割当・蘭印硝子・琺瑯鉄器・自転車類輸入制限令延長・蘭印新総督に対する土人新聞論調・和蘭通貨政策変更・蘭印民間の国防熱・蘭印セメント輸入制限令延長・蘭印の金輸禁に伴ふ物価高騰と押収條令発動・米価調節に蘭印政府米買上・蘭印政府ニューギニア開発に追加予算提出・蘭印技術者の移民奨励・蘭印金輸出禁止と各物産奔騰・会員消息………一〇五

本会報告

　本部―爪哇支部―新嘉坡商品陳列所―スラバヤ商品陳列所―バタビア出張員事務所―会員異動―新備付図書………一一三

口絵

　□本会爪哇支部定時総会　□ホテル・デサンに於ける井上専務理事主催の日蘭関係者招待午餐会　□バタビアよりスラバヤヘダグラス機にて飛来の井上本会専務理事　□ビルマ画報

□第二十二巻総目次

◆『南洋協会雑誌』第二十三巻第一号（[昭和十二年] 一月一日発行）

　本会の趣旨………一
論説
　国際親善と言論統制………二
説苑
　最近の蘭印事情………本会スラバヤ商品陳列所長事務取扱　藤沢亮三………四
資料
　コンモンウエルス始政一ヶ年の比律賓経済概況………本会編輯部………一七
　比律賓に於ける経済審議会の機能………本会編輯部………二三
　油椰子の近況………本会調査部………三一
　蘭領印度農業経済状況………本会調査部………三四
　護謨事業発展史（二）………イー・ジー・ホルト　佐藤惣三郎訳………四九
　一九三五年馬来及サラワック綿布及人絹布輸出入割当制限事務及其影響（三）………本会新嘉坡商品陳列所………五五
　最近五ヶ年間蘭領印度国別貿易統計………六〇
　比島に於ける棉花栽培に就て………本会マニラ支部常任幹事　渡辺　薫………六七
　ボルネオ、ブルネイ王国産業及貿易状況………七一
　蘭領印度輸入税率改訂令………七七
　一九三六年上半期蘭領印度繊維工業品輸入統計………八〇
雑録
　南洋奇聞（一五七）………三吉香馬………八五
　バリー島のフイルム『ルゴン』に就いて………九五
　昭和十二年一月中南洋向配船表………九八
　南洋各地商況………九九
　近事一束—蘭印既製衣類、肩掛、帽子輸入制限令延長・南洋庁熱帯産業研究所の設立・釜山—蘭印諸港向運賃変更・蘭印の国際商標協定離脱・蘭印通貨変動と諸株の値上り・蘭印物産宣伝費・蘭印林務局でパルプ材の植林計画・一九三七年度蘭印護謨制限緩和・蘭印農村各地でタピオカ粉製造増加・蘭印土人官吏登用拡大・爪哇夜行列車運転時間・蘭印失業者漸増・蘭印航空会社時間改正・蘭印・波斯間に直通の新航路・東印度国民党員各地で検挙・爪哇一九三六年産糖予想漸増・会員消息………一〇七
本会報告
　本部—新嘉坡商品陳列所—スラバヤ商品陳列所—バタビア出張員事務所—会員異動—新備付図書………一一二
口絵

□本会新嘉坡支部の井上専務理事歓迎晩餐会　□スマトラ・トバ湖畔のハランガオル村　□スマトラのシナブン山

◆『南洋協会雑誌』第二十三巻第二号（[昭和十二年]二月一日発行）

　本会の趣旨………一

説苑

　新に南洋を視察して………本会専務理事　井上雅二………二

資料

　英領馬来に於ける莫大小製品需給状況………本会新嘉坡商品陳列所………二三

　蘭領印度に於ける日本製玩具………本会スラバヤ商品陳列所………三六

　一九三五年英領北ボルネオ・農林業概説………四四

　比島コンモンウエルス当面の問題………本会編輯部………五五

　護謨事業発展史（三）………イー・ジー・ホルト　佐藤惣三郎訳………六三

　海峡植民地に於ける英帝戴冠式奉祝品法案………本会新嘉坡商品陳列所………六八

　蘭領印度繊維工業品輸入統計………七一

雑録

　南洋奇聞（一五八）………三吉香馬………七六

　南洋各地商況………八八

　近事一束―SS汽船座礁・新嘉坡市長邸宅新築反対論・国際錫カルテルの継続と馬来市場・英領馬来放送会社広告放送計画非難・錫制限第四半期クオーター〇五％と決定・馬来織物入札法案発表・馬来炭坑罷業・スランゴール駐剳英国理事官TSアダム氏ニゲリヤのチーフコムミッシオナーに栄転さる・馬来航空会社設立案・米国波止場ストライキの為め馬来生果市場打撃・英国戴冠式参列馬来サルタン諸侯・新嘉坡市役所土木課使役タミール人苦力罷業・馬来聯邦州ゴム輸出税査定額・柔仏国ゴム輸出税査定額・蘭印晒綿布、未晒綿布及人造肥料輸入制限延長・釜山―蘭印諸港向運賃改正・蘭印珈琲の海外宣伝委員会・盾下落後の食料品物価騰貴・蘭印護謨切付停止面積・中部爪哇の煙草業者消費税の撤廃を要求・蘭印栽培園最低賃金案中止・蘭印の塩生産高・ラムボン州への爪哇人の移民奨励、移民地の状態は成功・新刊紹介・会員消息………九五

本会報告

　本部―関西支部―台湾支部―南洋群島支部―新嘉坡商品陳列所―バタビア出張員事務所―会員異動―新備付図書………一〇二

口絵

　□本会第十四回蘭語・第四回馬来語講習会終了記念　□バタビアの魚市場の一部　□比島セブに在るマゼランの記念堂　□カメロン高原リーグレット村に於ける邦人蔬菜業者の新開墾地　□カメロン高原リーグレット村に於ける邦人蔬菜業者と井上専務理事　□タンジヨン・プリオク埠頭イ

ンドラプーラ号サロンに於ける井上専務理事と見送りの二氏

◆『南洋協会雑誌』第二十三巻第三号（［昭和十二年］三月一日発行）

　本会の趣旨………一

論説

　拓務省拡充論………二

説苑

　新興暹羅国事情………守屋精爾………四

資料

　一九三六年上半期蘭領印度国別貿易の概況………本会スラバヤ商品陳列所………二四

　躍進するチエツコ製品………本会新嘉坡商品陳列所………三三

　海峡植民地一九三七年国庫予算と其の解説………本会新嘉坡商品陳列所………三七

　蘭領印度沿岸航路法………本会スラバヤ商品陳列所………四〇

　一九三七年度護謨生産界の予想………佐藤惣三郎………四八

　一九三六年度に於ける暹羅の対外貿易………五二

　新放送局と新嘉坡ラヂオ界近況………本会新嘉坡商品陳列所………五七

　国際錫限産協定書の内容………本会新嘉坡商品陳列所………六〇

　英領馬来対手国別貿易統計（一九三四・五年）………六五

　一九三七年新嘉坡市役所諸税率………本会新嘉坡商品陳列所………六八

　一九三六年自一月至九月英領馬来対日本並対諸外国貿易統計………七〇

　一九三六年自一月至九月蘭領印度貿易統計………八三

雑録

　南洋奇聞（一五九）………三吉香馬………九四

　南洋各地商況………一〇〇

　近事一束—日大に拓殖科新設・南洋海運会社船ゼセルトンに寄港・一九三七年度錫制限率一〇〇％に決定・馬来護謨採液カツプ不足を来す・馬来外国割当織物輸入許可証発給六月迄とさる・新嘉坡市印度人苦力総罷業解決・馬来聯邦州ゴム園苦力罷業・馬来聯邦州輸入ウイスキーに関する規定・支那人馬来入国許可数月五千人に増加・馬来に於ける支那向軍資金の寄付金募集禁止・護謨価奔騰・蘭印に於ける電球輸入制限令延長・蘭印に於ける物価取締規定撤回・蘭印の硫酸アンモニア及ビ蟻酸輸入制限実施・蘭印経済省の工業化計画進捗・テガルの爪哇織物会社工事進捗・蘭印改正恩給法実施延期・蘭印曹達工業の設立計画・蘭印土人ゴム輸出税引上・タラカン港への空路連絡開始・ジヤバ・チヤイナ・ジヤパン線好況に向ふ・桑島公使蘭印視察・会員消息………一〇七

本会報告

　本部―関西支部―台湾支部―新嘉坡商品陳列所―スラバヤ商品陳列所―バタビア出張員事務所―会

員異動………一一三

口絵

　□和蘭王室御慶事奉祝　□暹羅三景

◆『南洋協会雑誌』第二十三巻第四号（［昭和十二年］四月一日発行）

　本会の趣旨………一

資料

　一九三五年度に於ける英領馬来半島の農業（一）………本会新嘉坡商品陳列所………二

　比律賓の米穀問題………本会編輯部………二五

　蘭印に於ける玩具輸入と日本品に就て………本会スラバヤ商品陳列所バタビア出張員事務所………
　　三五

　一九三六年英領馬来外国貿易概況………本会新嘉坡商品陳列所………四二

　現行国際護謨制限協定に就いて………エス・ホーワード・クロニンガー　佐藤惣三郎訳………四五

　蘭領印度沿岸航路法………本会スラバヤ商品陳列所………五〇

　一九三六年中英領馬来三大市場食料品物価………五二

　蘭領印度輸入商品評価表（一九三七年第一期）………五五

　暹羅国一九三八年度予算………七七

　一九三六年度月別英領馬来織物輸入統計………八三

雑録

　南洋奇聞（一六〇）………三吉香馬………九〇

　南洋各地商況………九六

　近事一束―蘭印繁栄基金と集団移民助成・蘭印錫鉱業の合同・蘭印東部諸島警備強化・蘭印関税法
　　の改正案作製に着手・蘭印会社法改正案目下立案中・本年度爪哇糖植付高・蘭印製冷蔵庫売出・
　　一九三六年世界錫産額・新嘉坡放送局愈々事業開始・新嘉坡に英国品貿易展覧会・馬来栽培協会
　　聯合会護謨園苦力賃金値上・馬来聯邦州政府苦力賃金引上・一九三七年第一・四半期錫生産割当
　　一〇〇％に決定す・英領馬来の印度人政治に参与を強調す・馬来―仏領印度支那間無線電信開
　　通・護謨生産制限本年第三・四半期八割五分と決す・海峡植民地小護謨園地租並に輸出税・南阿
　　聯邦の生果実英領馬来に進出・海峡植民地に於いて賭事に新に五分の課税・コタバト道路開通と
　　山村楳次郎氏・比島政府和蘭と航空條約を締結せん・比島への日本綿布輸入減少・タラカン―バ
　　タビア間初飛行・パホーン暹羅国首相の辞職希望・一九三六年比島外国貿易・東京外語速成科に
　　暹羅語新設・会員消息………一〇四

本会報告

　本部―関西支部―新嘉坡商品陳列所―スラバヤ商品陳列所―バタビア出張員事務所―会員異動―新
　　備付図書………一一二

口絵

　□蘭領印度政府東亜局長ローフインク氏歓迎午餐会　□スマトラの避暑地ブラスタギ　□南洋の名果ドリアン　□南亜植林地招魂碑と井上本会専務理事　□比島ザンボアンガ市始政記念式　□ザンボアンガ市長主催午餐会

『南洋』第23巻第5号（1937年5月）～第30巻第11号（1944年11月）［？］

◆『南洋』第二十三巻第五号（［昭和十二年］五月一日発行）

　本会の趣旨………一

論説

　本会機能の変革と機関雑誌の改題………二

資料

　一九三六年蘭領印度経済情勢概観………本会スラバヤ商品陳列所………四

　和蘭及蘭領印度の財政政策………本会調査部………一七

　一九三六年度蘭領印度歳入概況………本会スラバヤ商品陳列所………二四

　一九三六年比島経済概況………本会編輯部………二八

　ダマル、コパルとアメリカに於けるその用途………本会編輯部………三三

　一九三六年の爪哇糖界………本会調査部………四九

　一九三五年度に於ける英領馬来半島の農業（二）………本会新嘉坡商品陳列所………五四

　現行国際護謨制限協定に就いて（二）………エス・ホーワード・クロニンガー　佐藤惣三郎訳………七六

　新嘉坡に於ける生活費………本会新嘉坡商品陳列所………八四

　一九三六年十二月末現在英領馬来人口………八九

雑録

　サンボアンガからマニラ迄………渡辺　薫………九一

　南洋奇聞（一六一）………三吉香馬………一〇二

　南洋各地商況………一〇九

　近事一束―桑島公使スラバヤ訪問・馬来護謨割当輸出許可量次期繰越可能となる・新嘉坡に支那製品展示会開催計画・新嘉坡白人商業会議所百年祭挙行・英国植民大臣馬来来訪か・馬来対米航空便開始さる・英帝戴冠式新嘉坡奉祝・海峡殖民地協会彼南支部年次総会・英帝国産業博覧会へ馬来産物出品・世界的鉄不足から馬来産業脅威・海峡殖民地運賃値上げさる・蘭印に小工業助成の金融機関設立・蘭印向移民を新嘉坡で取締るか・蘭印次期茶輸出許可量決定・爪哇苦力の外領送出激増・蘭印国庫収入増加・蘭印国鉄の収入増加・蘭印一九三六年中の郵貯額・爪哇糖の英印市場は益々萎縮・爪哇にバータ製靴工場設立か・蘭印のグッドイヤー工場大拡張・蘭印でゴム靴工場設立・英領ニューギニアに於ける油田開発・バタビア、サイゴン間航空路近く実現か・近く爪哇、マニラ間航空路開設・神戸蘭印雑貨輸出組合移転・新刊紹介………一一九

本会報告

本部―マニラ支部―新嘉坡商品陳列所―スラバヤ商品陳列所―バタビア出張員事務所―会員異動………一二八

口絵

　□桑島駐蘭公使歓迎午餐会（於スラバヤ日本人会館）　□比律賓四景

◆『南洋』第二十三巻第六号（［昭和十二年］六月一日発行）

　　表紙題字………近衛会頭

　巻頭言………飯泉本会理事………一

　南太平洋を巡りて………貴族院議員　八田嘉明………二

　南洋の戦略上の地位………伊藤正徳………二三

　生長過程の南方諸族と新国策………杉森孝次郎………二九

　トレンガヌ王国事情………本会新嘉坡商品陳列所………三三

　一九三六年馬来聯邦諸国外国貿易………本会新嘉坡商品陳列所………五二

　蘭領印度工業化政策の方針………本会バタビア出張員事務所………六二

　一九三五年度に於ける英領馬来半島の農業（三）………本会新嘉坡商品陳列所………六五

　錫の将来………佐藤惣三郎………八七

　南洋奇聞（一六二）………三吉香馬………九一

　南洋各地商況………九七

　近事一束………一〇四

　　［略］

本会報告

　本部―新嘉坡商品陳列所―スラバヤ商品陳列所―バタビア出張員事務所―会員異動………一一一

編輯後記………巻末

口絵

　□名古屋汎太平洋平和博覧会　一、海外発展館　二、同館内本会出品物　三、蘭領印度特設館　四、同館の内部

◆『南洋』第二十三巻第七号（［昭和十二年］七月一日発行）

　　表紙題字………近衛会頭

　　表紙画及カット………水木伸一

　巻頭言………東郷本会理事………一

　船西半球に入つて波益々平なり（一）………本会専務理事　井上雅二………二

　仏領印度支那の近況………西貢日本人商業会議所副会頭　塩田啓人………五

　外国より見たる日本貿易………前公使　川島信太郎………一三

　日本と蘭領印度関係の内面観………南国産業株式会社常務取締役　有村貫一………三四

「ジヤワの月明」「マンデー（水浴）」画及文………水木伸一………四二

盤谷に於ける日支商品地盤の前途に就て………本会盤谷支部常任幹事　大山周三………四四

生護謨消費の増進と護謨株の好況………佐藤惣三郎………五〇

一九三六年英領馬来対日本並対諸外国貿易統計………五七

一九三六年蘭領印度貿易統計………七〇

南洋奇聞（一六三）………三吉香馬………八八

南洋各地商況………九三

近事一束………一〇〇

　［略］

本会報告

本部―東海支部―南洋群島支部―ダバオ支部―盤谷支部―会員異動………一一〇

口絵

　□本会盤谷支部発会式　□爪哇明治会　□新嘉坡の英帝戴冠式　□シアトル行平安丸上の井上本会専務理事

◆『南洋』第二十三巻第八号（［昭和十二年］八月一日発行）

　表紙題字………近衛会頭

　表紙画及カツト………水木伸一

　巻頭言………本会理事　藤山愛一郎………一

　蘭領印度視察団………和蘭国駐剳特命全権公使　桑島主計………二

　大紐育の都心より（二）………本会専務理事　井上雅二………一四

　一九三六年蘭領印度経済状勢………二〇

　一九三六年度蘭領印度鉱業………二七

　比島に於ける澱粉工場の新設と玉蜀黍の収穫………渡辺　薫………三二

　原料糖に関する諸問題………佐藤惣三郎訳………三五

　二人の面影………井手諦一郎………三九

　コーヒーの実を搗く土人―紅茶を売つてるジヤバ土人………画文　水木伸一………五四

　蘭領印度現行輸入制限品一覧………五六

　南洋奇聞（一六四）………三吉香馬………七五

　南洋各地商況………九五

　近事一束………一〇三

　　［略］

本会報告

　本部―台湾支部―盤谷支部―新嘉坡商品陳列所―バタビア出張員事務所―会員異動………一〇九

編輯後記

南洋協会第二十九回定時総会事業会計報告　昭和十一年度………一～一〇二

昭和十一年度南洋協会会計報告………一～三

口絵
　　□本会第二十九回定時総会晩餐会　□マカッサル三景

□付録　昭和十一年度本会事業及会計報告

◆『南洋』第二十三巻第九号（九月一日発行）

　　　表紙題字………近衛会頭

　　　表紙画及カット………水木伸一画伯

　　巻頭言………本会理事　井上治兵衛………一

　　台湾と南洋………木村鋭市………二

　　愛蘭に近づきつつ（三）………本会専務理事　井上雅二………一七

　　日本印象記………ペストンヂー………二一

　　金輸出禁止後の蘭領印度………四七

　　ジヤワ紀行………画文　水木伸一………五〇

　　比島内邦人小売業者の発展を阻むもの………本会マニラ支部常任幹事　原　繁治………五二

　　一蘭領印度評議院議員のニューギニア観………五九

　　護謨林の再植に対するシルバ氏の意見………六三

　　ケランタン王国事情………本会新嘉坡商品陳列所………六七

　　護謨栽培業に一生を捧ぐる人々の立場………ユリック・マクフアーデン………八一

　　南洋奇聞（一六五）………三吉香馬………八七

　　仏領印度支那仏蹟「アンコールワット」………本会盤谷支部常任幹事　大山周三………九五

　　南洋各地商況………九七

　　近事一束………一〇四

　　　［略］

本会報告

本部―盤谷支部―新嘉坡商品陳列所―バタビア出張員事務所―会員異動―新備付図書………一一二

編輯後記………巻末

口絵
　　□アンコールワットの石柱　□井上専務理事搭乗の北独逸ロイド船コロンバス号

◆『南洋』第二十三巻第十号（［昭和十二年］十月一日発行）

　　　表紙題字………近衛会頭

　　　表紙画及カット………水木伸一画伯

巻頭言………本会理事　鶴見左吉雄………一
世界の動き………法学博士　芦田　均………二
支那の南進（一）………松原晩香………二〇
砂糖と製糖業………明治製糖株式会社取締役調査部長　久保田富三………三八
ジヤワ所見（絵句）………水木伸一………六四
暹羅国教育制度の変遷………チヤオ、ピヤ、ダルマサクチー、モートリー………六六
千九百三十七年日本旅行報告………西貢商業会議所書記長　G・シヤヴリール………七七
コフイー綺談………文学博士　内藤智秀………八二
南洋華僑と其の経済的地位………八五
一九三六年サラワク王国貿易統計………九三
南洋奇聞（一六六）………三吉香馬………一〇一
日支事変と南洋………本会調査編纂部………一〇八
近事一束………一一九
　「略」

本会報告
　本部―台湾支部―会員異動―新備付図書………一二六
編輯後記………巻末
口絵
　□取入れ―爪哇　□和蘭に於ける井上専務理事の蘭国有力者招待会

◆『南洋』第二十三巻第十一号（［昭和十二年］十一月一日発行）
　　表紙題字………近衛会頭
　　表紙画及カット………水木伸一画伯
　巻頭言………本会理事　井上敬次郎………一
　比律賓の独立と其の経済問題………神戸商業大学助教授　金田近二………二
　支那の南進（二）………松原晩香………二〇
　和蘭の首都ヘーグより（第四信）………本会専務理事　井上雅二………三二
　比島独立を繞る米比共同準備委員会の展望………四〇
　水牛、マカツサの女（絵及文）………水木伸一………四八
　米比共同準備委員会へ提出の覚書………マニラ・日本商業会議所提出………五〇
　豪州人と新西蘭人………伊東　敬………五八
　米国青年探検家を語る………山村八重子………六三
　日暹修好五十年の回顧………六七
　ビルマ市場に於ける本邦製品の声価（一）………七二

南洋奇聞（一六七）………三吉香馬………八四
　　スランゴールのサルタン在位四十年記念………九四
　　日支事変と南洋（二）………本会調査編纂部………九七
　　近事一束………一二四
　　　［略］
本会報告
　　本部―マニラ支部―会員異動―新備付図書………一三三
口絵
　　□スランゴール・サルタン在位四十年記念祝典　□米国青年探検家とサンタクルヅ島
□付録　一九三六年度蘭領印度輸出統計

◆『南洋』第二十三巻第十二号（［昭和十二年］十二月一日発行）
　　　表紙題字………近衛会頭
　　　表紙画及カット………水木伸一画伯
　　巻頭言………本会専務理事　井上雅二………一
　　最近の南洋群島………本会南洋群島支部長南洋庁長官　北島謙次郎………二
　　海外の日本史料………文学博士　村上直次郎………二四
　　支那の南進（三）………松原晩香………三四
　　ベルリンより（第五信）　印度洋より（第六信）………井上雅二………四五
　　比島独立を繞る米比共同準備委員会………五九
　　比律賓幣制改革問題に関する一考察………六九
　　ジヤワの果物（絵及文）………水木伸一………七二
　　一九三七年上半期蘭領印度貿易統計………七四
　　南洋奇聞（一六八）………三吉香馬………九〇
　　日支事変と南洋（三）………本会調査編纂部………九九
　　近事一束………一一六
　　　［略］
本会報告
　　本部―会員異動―新備付図書………一二四
口絵
　　□駐日暹羅公使の更迭　□ロッテルダム帝国名誉総領事フアンフリート氏邸　□ジヤガタラ文書
　　　□榛名丸甲板の井上専務理事夫妻　□第四回国際人口会議開会式　□和蘭の防空演習
□付録　一九三六年蘭領印度輸入統計表
□第二十三巻総目次

◆『南洋』第二十四巻第一号（［昭和十三年］一月一日発行）

  表紙題字………近衛会頭

  表紙画及カツト………水木伸一画伯

 巻頭言………本会常務理事　飯泉良三………一

 第四回国際人口会議に列して………本会専務理事　井上雅二………二

 最近の南洋経済事情………神戸商業大学助教授　金田近二………三〇

 豪州政界の近情………伊東　敬………四〇

 暹羅に於ける華僑の現勢………四三

 一九三七年上半期英領馬来の貿易………本会調査編纂部………四七

 ビルマ市場に於ける本邦製品の声価（二）………五三

 蘭領印度の新聞界………斎藤正雄………五九

 蘭領ニユーギニアを巡りて………松江一瑯………七一

 ジヤワの婚礼貧富図（絵及文）………水木伸一………八〇

 一九三七年上半期英領馬来貿易統計………本会調査編纂部………八二

 バドイス族の生活………松原晩香………九四

 南洋奇聞（一六九）………三吉香馬………一〇五

 日支事変と南洋（四）………本会調査編纂部………一一五

  ［略］

 近事一束………一三二

  ［略］

本会報告

 本部―台湾支部―爪哇支部―会員異動―新備付図書………一四一

編輯後記………巻末

口絵

 □罠にかゝつた猛虎　□蘭領ニユーギニアを巡りて

◆『南洋』第二十四巻第二号（［昭和十三年］二月一日発行）

  表紙題字………近衛会頭

  表紙画及カツト………水木伸一画伯

 巻頭言………本会理事　松江春次………一

 最近の南洋経済事情（二）………神戸商業大学助教授　金田近二………二

 盤谷築港計画委員会調査報告書………国際連盟、運輸交通委員会、盤谷築港調査委員会報告　三井

  暹羅室訳………一七

 比律賓の国民性と移民の将来性………本会マニラ支部常任幹事　原　繁治………三二

英領馬来に於ける漁業………本会新嘉坡産業館………四一
最近英領北ボルネオ事情………本会新嘉坡産業館………四五
南海二景（絵及句）………水木伸一………四八
カポツクと其の用途………五〇
馬来種族の特異性………G・H・シーボールド………五七
蘭領印度現行輸入制限又は特許令適用品目一覧表………六六
在南洋本邦人国別及職業別人口一覧表………七九
南洋奇聞（一七〇）………三吉香馬………八一
日支事変と南洋（五）………本会調査編纂部………八九
　　［略］
近事一束………一一一
　　［略］

本会報告
　本部—爪哇支部—会員異動—新備付図書………一二〇
編輯後記………巻末
口絵
　□野良仕事を終へて（爪哇）　□新嘉坡三景

◆『南洋』第二十四巻第三号〔昭和十三年〕三月一日発行）
　　表紙題字………近衛会頭
　　表紙画及カツト………水木伸一画伯
巻頭言………本会常務理事　飯泉良三………一
南洋各地の最近に於ける政治経済の動向………本会常務理事　飯泉良三………二
比律賓第二次通常議会と外人関係法案の概説………本会マニラ支部常任幹事　原　繁治………九
豪州及新西蘭経済界の近情………伊東　敬………一六
盤谷築港計画委員会調査報告書（二）………国際連盟、運輸交通委員会、盤谷築港調査委員会報告
　　三井暹羅室訳………二一
ジヤワの茶摘み・馬鈴薯掘り　絵及文………水木伸一………四〇
英領馬来労働者需給状況………本会新嘉坡産業館………四二
比島新工業肉類貯蔵作業に就て………渡辺　薫………四六
英領馬来住宅概観………本会新嘉坡産業館………五三
和蘭盾(ルビア)平価切下げ以後の経過に就いて………五八
バリー民族の宗教文化（一）………松原晩香………六五
日蘭会商実を結び協定遂に成立………七二

マニラ日本人小学校創立二十周年祝賀式と大運動会………ＸＹＺ………七四
　　我等の先覚者堤林数衛氏を想ふ………佐藤　茂………七八
　　南洋奇聞（一七一）………三吉香馬………八〇
　　日支事変と南洋（六）………本会調査編纂部………一〇四
　　　［略］
　　近事一束………八七
　　　［略］
本会報告
　　本部―新嘉坡支部―会員異動―新備付図書………一二四
編輯後記………巻末
口絵
　　□馬来半島奥地のサカイ族　□マニラ日本人小学校創立二十周年記念式

◆『南洋』第二十四巻第四号（［昭和十三年］四月一日発行）
　　　表紙題字………近衛会頭
　　　表紙画及カット………水木伸一画伯
　　巻頭言………本会理事　渥美育郎………一
　　ジヤバに於ける灌漑事業視察記（一）………九州帝国大学教授兼農林技師　田町正誉………二
　　豪州島の土民問題………伊東　敬………三六
　　フイリツピン群島のスルー列島（殊にそのタイタイ地方）及びその住民モロ族に就て………昭和鉱
　　　業株式会社理事　貴志敏雄………四〇
　　バリー民族の宗教文化（二）………松原晩香………五三
　　極東に於ける英帝国防備線としての新嘉坡の吟味………Ｅ・Ｏ・ハウザー………六三
　　軍艦矢矧病没者第二十回慰霊祭………本会マニラ支部常任幹事　原　繁治………七一
　　ジヤワの奇鳥・ジヤワの処女林（絵及文）………水木伸一………七八
　　蘭領印度外国人勤労條令………八〇
　　蘭領印度入国令施行細則改正………八五
　　南洋奇聞（一七二）………三吉香馬………八八
　　蘭印に於ける漁業規定の概観………九五
　　日支事変と南洋（七）………本会調査編纂部………一〇二
　　　［略］
　　近事一束………一三四
　　　［略］
本会報告

本部―爪哇支部―会員異動―新備付図書………一四七

編輯後記………巻末

口絵

　　□新嘉坡船渠竣工式　□軍艦矢矧乗組員病没者慰霊祭

　　□付録　英領馬来に於ける邦人商社其他一覧表………南洋協会新嘉坡産業館調査………一～一六

◆『南洋』第二十四巻第五号（［昭和十三年］五月一日発行）

　　　表紙題字………近衛会頭

　　　表紙画及カット………水木伸一画伯

　　　巻頭言………本会常務理事　飯泉良三………一

　　　副会頭就任に臨みて………本会副会頭　伯爵　児玉秀雄………二

　　　理事長就任に際して………本会理事長　林久治郎………四

　　　専務理事より相談役へ………井上雅二………六

　　　世界通商障碍と其打開策………木村禧八郎………一五

　　　福建民族と南洋華僑………熱帯産業調査会　井出季和太………二五

　　　南東アジアに於ける英国の経済的地盤………E・O・ハウザー………三七

　　　南海二景（絵及句）………水木伸一………五〇

　　　特輯―ニュー・カレドニア………五二

　　　　ニューカレドニア素描………本会調査編纂部………五三

　　　　最近ニュー・カレドニア事情………筒井合資会社代表社員コネ日本人会長　筒井武平………六〇

　　　　仏領ニューカレドニアの農業………竹内　浩………六九

　　　　ニューカレドニアの邦人………佐藤磯雄………七五

　　　比島国民議会議員ミーゲル・クエンコ氏の日本観………中村今朝雄………八二

　　　植民地開発と伊太利の対エチオピア政策………岡本和夫………八九

　　　バリー民族の宗教文化（三）………松原晩香………九七

　　　ジヤバに於ける灌漑事業視察記（二）………九州帝国大学教授兼農林技師　田町正誉………一〇五

　　　南洋奇聞（一七三）………三吉香馬………一一五

　　　日支事変と南洋（八）………本会調査編纂部………一二二

　　　　［略］

　　　近事一束………一四四

　　　　［略］

本会報告

　　本部―爪哇支部―会員異動―新備付図書………一七六

編輯後記………巻末

口絵

　　□本会児玉新副会頭と林新理事長　□本会臨時総会晩餐会　□ニュー・カレドニア画報

◆『南洋』第二十四巻第六号（[昭和十三年]六月一日発行）

　　　表紙題字………近衛会頭

　　　表紙画及カット………水木伸一画伯

　　巻頭言………本会理事長　林久治郎………一

　　西班牙の近情………矢野　真………二

　　南海遺存の日本古陶磁と貿易………斎藤正雄………二六

　　豪州とニユーギニイ統治領………伊東　敬………三四

　　一九三六年に於ける英領馬来の鉱業現勢………本会新嘉坡産業館………三七

　　比律賓に於ける公立学校と社会的影響………中村今朝雄………四六

　　蘭領印度の薬用植物クミスクーチンとテウムラワに就て………本会爪哇支部………五五

　　ジヤワの俗謡（絵及文）………水木伸一………六二

　　暹羅の無電事業………本会新嘉坡産業館………六四

　　自一九三九年至一九四三年国際護謨限産協定案………照屋全昌………七一

　　バリー民族の宗教文化（四）………松原晩香………八一

　　一九三七年英領馬来対日本並外国貿易統計………本会新嘉坡産業館………九〇

　　蘭領印度外国人勤労條令第三條第六項及第八條施行ノ為ノ政府令………一〇四

　　一九三七年爪哇の貿易統計………本会爪哇支部………一〇六

　　蘭印民法労働契約中従業員休日規定に関する訂正及追補実施期………本会爪哇支部………一二九

　　一九三七年英領馬来経済情勢………本会新嘉坡産業館………一三〇

　　南洋奇聞（一七四）………三吉香馬………一三九

　　日支事変と南洋（九）………本会調査編纂部………一四七

　　　[略]

　　近事一束………一五八

　　　[略]

本会報告

　　本部―台湾支部―会員異動―新備付図書………一八〇

編輯後記………巻末

口絵

　　□バリー夢幻の表象―ジヤンゲル踊りの乙女　□本会新旧役員歓送迎披露宴

◆『南洋』第二十四巻第七号（[昭和十三年]七月一日発行）

　　　表紙題字………近衛会頭

266 　Ⅱ．南洋協会発行雑誌　総目録

　　　表紙画及カツト………水木伸一画伯
　巻頭言………本会理事　船田一雄………一
　南方文化国策………杉森孝次郎………二
　ジヤバに於ける灌漑事業視察記（三）………九州帝国大学教授兼農林技師　田町正誉………七
　一九三六年馬来半島の農業（一）………本会新嘉坡産業館………二八
　一九三七年に於ける蘭領印度貿易………本会爪哇支部………三九
　ジヤワスケッチに題して（絵及文）………水木伸一………五〇
　植民地並資源問題の帰趨………岡本和夫………五二
　蘭領印度現行輸入制限令摘用品目一覧表………五九
　油椰子の観察及選択………七一
　カカオに就て………八五
　一九三七年サラワツク貿易統計………九二
　シヤムの劇芸術（一）………砧　一朗………一〇〇
　南洋奇聞（一七五）………三吉香馬………一〇六
　在外指定ダバオ日本人小学校評判記………ＸＹＺ生………一一五
　日支事変と南洋（十）………本会調査編纂部………一二一
　　　［略］
　近事一束………一二九
　　　［略］
　ラヂオ海外放送
　　　南方の皆さんへ！！　予定番組のお報せとお願ひ　日本放送協会国際課　並河　亮………一四九
本会報告
　本部―新嘉坡産業館―爪哇支部―ダバオ支部―会員異動―新備付図書………一五四
　編輯後記………巻末
　口絵
　　　□暹羅の古典舞踊　□在外指定ダバオ日本人小学校
　□付録　一九三七年蘭領印度輸出統計表（本会爪哇支部編）

◆『南洋』第二十四巻第八号（［昭和十三年］八月一日発行）
　　　表紙題字………近衛会頭
　　　表紙画及カツト………水木伸一画伯
　巻頭言………本会理事　大谷　登………一
　久し振りに南洋を巡りて………原口竹次郎………二
　一九三六年馬来半島の農業（二）………本会新嘉坡産業館………一〇

現代までの豪州開拓史………伊東　敬………一八

　一九三七年に於ける蘭領印度貿易（二）………本会爪哇支部………二四

　植民地並資源問題の帰趨（二）………岡本和夫………三八

　蘭領印度の薬用植物クミスクーチンとテウムラワに就て（二）………本会爪哇支部………四五

　野性のワニ（絵及文）………水木伸一………五〇

　英領馬来ケダ王国事情………本会新嘉坡産業館………五二

　一九三七年度に於ける蘭領印度の工業………本会爪哇支部………五七

　シヤムの劇芸術（二）………砧　一朗………七一

　南洋奇聞（一七六）………三吉香馬………七七

　比律賓ところどころ………渡辺　薫………八五

　在外指定中央爪哇日本人小学校評判記………ＸＹＺ生………八八

　在ダヴアオ日本人健児団………九〇

　ニューカレドニアとタヒチ島から………本会仏領ニュー・カレドニア地方調査通信嘱託　筒井武平
　　………九二

　日文事変と南洋（十一）………本会調査編纂部………九四

　　［略］

　近事一束………一〇三

　　［略］

　ラヂオ海外放送　南洋向放送の大改正に就て　日本放送協会国際課　並河　亮………一二三

本会報告

　本部―盤谷支部―会員異動―新備付図書………一二七

編輯後記………巻末

口絵

　□比律賓大統領マニユエル・ケソン氏歓迎晩餐会　□在外指定中央爪哇日本人小学校

□付録　一九三七年蘭領印度輸入統計表（本会爪哇支部編）

◆『南洋』第二十四巻第九号（［昭和十三年］九月一日発行）

　　表紙題字………近衛会頭

　　表紙画及カツト………水木伸一画伯

　　巻頭言………本会理事長　林久治郎………一

　我国財政経済の現状と貿易振興の急務………大蔵次官　石渡荘太郎………二

　地中海の戦略線を観る………伊藤正徳………一四

　一九三六年馬来半島の農業（三）………本会新嘉坡産業館………二二

　蘭領印度プランター規則………三四

爪哇教育界の先覚女性………松原晩香………四〇
一九三七年度に於ける蘭領印度の経済状態………本会爪哇支部………四九
新西蘭に於ける国防と一般与論………本会調査部………五七
ジヤワ水汲女（絵）………水木伸一………六二
南洋放送と宣伝効果………砧　一朗………六四
南洋奇聞（一七七）………三吉香馬………六八
比島バギオ日本人小学校評判記………ＸＹＺ生………七六
日支事変と南洋（十二）………本会調査部………八一
　［略］
　　日支事変と海南島………九一
近事一束
　英領馬来………九四
　［略］
　蘭領印度………九四
　［略］
　比律賓………一〇一
　［略］
　英領北ボルネオ………一〇六
　［略］
　仏領印度支那………一〇六
　［略］
　ビルマ………一〇七
　［略］
　豪州………一〇八
　［略］
　新西蘭………一〇八
　［略］
　南太平洋………一〇八
　［略］
　国際経済………一〇九
　［略］
　其の他………一〇九
　［略］
　新刊紹介………一一二

人事消息………一一五

　ラヂオ海外放送　支那南洋向放送の拡充………日本放送協会………一一六

本会報告

　本部―新嘉坡産業館―新嘉坡支部　会員異動　新備付図書………一二一

編輯後記………巻末

口絵

　□本会第三十回定時総会晩餐会　□バリー島三題

□付録　南洋協会第参拾回定時総会事業会計報告書　昭和十二年度………一～四一

　　　　昭和十二年度南洋協会会計報告書………一～七

◆『南洋』第二十四巻第十号（[昭和十三年]十月一日発行）

　　表紙題字………近衛会頭

　　表紙画及カット………水木伸一画伯

　巻頭言………本会常任参与　平野英一郎………一

　日本と南洋………元特命全権大使貴族院議員　小幡酉吉………二

　暹羅の近状と華僑………本会前盤谷支部評議員三井物産株式会社前盤谷支店長　平野郡司………六

　東洋に於ける英帝国の実相………伊東　敬………二九

　蘭領印度会社税令………本会爪哇支部………三九

　ゼマル・ウヂン―パンイスラミズム―………井手諦一郎………五〇

　三十年前のシンガポール回顧………松岡正男………五七

　ボルネオの原住民族―ダヤク族の原始生活（一）………南喜多男………六〇

　メナード河畔（絵及文）………水木伸一………六八

　一九三七年度日本・仏領印度支那貿易　前二ヶ年と比較………七〇

　南洋奇聞（一七八）………三吉香馬………七三

　南方国策の一顕現………渡辺　薫………八〇

　二隊のニユーギニア探検………本会調査部………八六

　比島セブ日本人小学校評判記………ＸＹＺ生………九三

　日支事変と南洋（十三）………本会調査編纂部………九六

　　［略］

　　西沙島問題………一一〇

　近事一束

　　英領馬来………一一三

　　［略］

　　蘭領印度………一二三

［略］
　　英領北ボルネオ………一二七
　　　［略］
　　比律賓………一二八
　　　［略］
　　仏領印度支那………一二九
　　　［略］
　　暹羅………一三〇
　　　［略］
　　ビルマ………一三一
　　　［略］
　　セイロン………一三二
　　　［略］
　　豪州………一三二
　　　［略］
　　南太平洋………一三五
　　　［略］
　　内南洋………一三六
　　　［略］
　　国際経済………一三七
　　　［略］
　　其他………一三八
　　　［略］
　　新刊紹介………一四〇
　　人事消息………一四一
　ラヂオ海外放送　支那・南洋向海外放送………日本放送協会………一四二
本会報告
　本部―新嘉坡産業館―爪哇支部―台湾支部―スマトラ支部―盤谷支部―会員異動―新備付図書
　　　………一四九
編輯後記………巻末
口絵
　　□ダヤク族の住家　□ニユー・ヂーランド二風景

◆『南洋』第二十四巻第十一号（[昭和十三年]十一月一日発行）

　　表紙題字………近衛会頭

　　表紙画及カット………水木伸一画伯

　巻頭言………本会理事　藤山愛一郎………一

　我が経済的発展に就いて………元外務大臣　佐藤尚武………二

　最近の比律賓に就て………本会マニラ支部長マニラ駐在帝国総領事　内山　清………四

　比律賓のモロ族に就て………バシラン興業株式会社社長　山村一郎………三一

　日豪関係の回顧………伊東　敬………四一

　ボルネオの原住民族―ダヤク族の原始生活（二）………南喜多男………五九

　資料

　　英領馬来に於ける自動車需給状態………本会新嘉坡産業館………四七

　　仏歴二四八〇年暹羅国外国貿易概況………七八

　　英本国内で登録されしデザインを植民地にて保護する法令………三〇

　暹羅認識の表裏………前本会盤谷支部常任幹事商工省貿易通信員　大山周三………六六

　シヤム印象記………戸波親平………七三

　豪州見たま、感じたま、（紀行）………荒井睦男………八五

　南洋奇聞（一七九）………三吉香馬………九一

　日支事変と南洋（十四）………本会調査部………九八

　　[略]

　近事一束

　　英領馬来………一〇九

　　[略]

　　蘭領印度………一一三

　　[略]

　　比律賓………一一六

　　[略]

　　仏領印度支那………一二〇

　　[略]

　　暹羅………一二三

　　[略]

　　ビルマ………一二五

　　[略]

　　セイロン………一二六

　　[略]

豪州………一二七
　　　［略］
　　　国際経済………一二九
　　　［略］
　　　国内………一三〇
　　　［略］
　　　人事消息………一三三
　　ラヂオ海外放送
　　　支那・南洋向海外放送………日本放送協会………一三四
　本会報告
　　本部―東海支部―新嘉坡産業館―盤谷支部―会員異動―新備付図書………一三九
　編輯後記………巻末
　口絵
　　□南洋関係大公使招待午餐会　□豪州の風物より

◆『南洋』第二十四巻第十二号（［昭和十三年］十二月一日発行）
　　　表紙題字………近衛会頭
　　　表紙画及カット………水木伸一画伯
　　巻頭言………本会理事　井上敬次郎………一
　　日満支南大ブロックの形成………本会理事南洋興発株式会社々長　松江春次………二
　　貿易対策の根本問題………野村證券株式会社取締役　飯田清三………八
　　南方に旅して………本会理事大日本製糖株式会社々長　藤山愛一郎………一三
　　英領馬来ケダ王国事情（二）………本会新嘉坡産業館………三二
　　一九三八年上半期に於ける蘭印対日貿易………本会爪哇支部………四二
　　太平洋を繞る航空網………高木東谷………四八
　　資料
　　　爪哇市場に於ける皮革製品に就て………東　駿一………七〇
　　　印度支那米（一）………中野秀雄………七四
　　バリー島の女性………松原晩香………六一
　　印度洋を過る【紀行随筆】………清沢　洌………五五
　　映画と南洋………大村英之助………八〇
　　南洋奇聞（一八〇）………三吉香馬………八四
　　◎比島独立に関する米比共同委員会報告書発表さる………九〇
　　日支事変と南洋（十五）………本会調査部………九一

［略］
　近事一束
　　英領馬来………一〇〇
　　［略］
　　蘭領印度………一〇五
　　［略］
　　比律賓………一〇七
　　［略］
　　仏領印度支那………一一四
　　［略］
　　暹羅………一一六
　　［略］
　　ビルマ………一一八
　　［略］
　　豪州………一二二
　　［略］
　　国際経済………一二七
　　［略］
　　国内………一二八
　　［略］
　　人事消息………一三二
ラヂオ海外放送　支那・南洋向海外放送………日本放送協会………一三三
本会報告
　本部―台湾支部―新嘉坡産業館―爪哇支部―盤谷支部―会員異動―新備付図書………一三八
編輯後記………巻末
口絵
　□スマトラ西海岸タパヌリ州シボルガ市海岸　□バタビア・バスラ・シンガポールの各空港
□付録　第二十四巻総目次

◆『南洋』第二十五巻第一号（［昭和十四年］一月一日発行）
　　表紙題字………近衛会頭
　巻頭言………本会理事長　林久治郎………一
　日本と南洋諸国………東京商工会議所会頭　伍堂卓雄………二
　ケソン大統領の社会正義政策及び次期大統領問題………中村今朝男………四

274　Ⅱ．南洋協会発行雑誌　総目録

　　南洋華僑の婚姻関係に就て………井出季和太………九
　　豪州のニユーギニイ旧独領問題………伊東　敬………一六
　　資料
　　　　一九三八年上半期英領馬来経済概況………本会新嘉坡産業館………二一
　　　　一九三八年上半期に於ける蘭領印度工業状態………本会爪哇支部………五二
　　　　蘭領印度対人税令………本会爪哇支部………二七
　　仏領印度支那より帰りて………在西貢　松下光廣………四〇
　　極東貿易に於ける華僑の役割………本会調査部………四四
　　日蘭通商の落潮と邦人事業の新動向………松原晩香………五八
　　ダイア族との対話………本会調査部………六六
　　南洋奇聞（一八一）………三吉香馬………七〇
　　〔熱帯より故国へ寄す〕
　　　　ニユー・カレドニアより………本会ニユー・カレドニア地方調査通信嘱託　筒井武平………七六
　　　　マニラ便り………本会マニラ支部常任幹事　原　繁治………七八
　　　　サンクリラン便り………蘭領ボルネオ・サンクリランにて　ＫＩ生………八〇
　　印度支那米（二）〔研究〕………中野秀雄………八一
　　日支事変と南洋（十六）………本会調査部………八八
　　　　［略］
　　各地時報
　　　　英領馬来………九八
　　　　［略］
　　　　蘭領印度………一〇一
　　　　［略］
　　　　比律賓………一〇三
　　　　［略］
　　　　仏領印度支那………一〇六
　　　　［略］
　　　　暹羅………一〇六
　　　　［略］
　　　　ビルマ………一〇八
　　　　［略］
　　　　豪州………一一一
　　　　［略］
　　　　新西蘭………一一二

［略］

　　　国際………一一三

　　　［略］

　　　国内………一一四

　　　［略］

　　　近事一束………一一九

　　　［略］

ラヂオ海外放送　昭和十四年二月支那・南洋向放送………東京　日本放送協会………一二一

本会報告

　　本部―新嘉坡産業館―マニラ支部―盤谷支部―会員異動―新備付図書………一二六

編輯後記………巻末

口絵

　　□朝陽映島　□マラカニアン宮殿（比島マニラ）と比島を背負ふ人々　□古代文化を誇る仏領印度支那アンコール・ワツト　□英領馬来カメロン高原景観

◆『南洋』第二十五巻第二号（［昭和十四年］二月一日発行）

　　　表紙題字………近衛会頭

　　東亜と南方諸国………元特命全権大使貴族院議員　出淵勝次………二

　　比律賓の新国語―「タガログ」の重要性………中村今朝雄………八

　　福建華僑の送金と金融機関（上）………井出季和太………一四

　　ジヤワに於ける人種の異趣………砧　一朗………二二

　　英領馬来ケダ王国事情（完）【資料】………本会新嘉坡産業館………六八

　　旧独領ニウギニアセピーク流域の文化と地誌（一）………W・ベールマン博士原著　高屋為雄訳
　　　　………三四

　　故藤山雷太氏の事ども

　　　　肖像及略歴………巻頭

　　　故藤山雷太翁を偲ぶ………本会相談役　井上雅二………四六

　　　雷太翁追想………本会理事　井上敬次郎………五〇

　　　日糖事件当時の社長藤山雷太氏と私………南洋興発株式会社々長本会理事　松江春次………五三

　　　前副会頭藤山雷太氏を偲ぶ………本会常務理事　飯泉良三………五六

　　ある元旦の思出【随筆】………大和三九良………六四

　　日支事変と南洋の吾等………江川俊治………五九

　　｜近詠【俳句】｜………浅野南洋海運社長　浅野白山………六三

　　爪哇の民芸・蠟染更紗（一）………斎藤正雄………八二

276　Ⅱ. 南洋協会発行雑誌　総目録

　　○豪州は猶太人の天国か………一三
　　南洋奇聞（一八二）………三吉香馬………九五
　　仏領印度支那に於ける対日感情の推移………加藤俊雄………一〇一
　　蘭印の最近事情と我が輸出貿易の再検討………大信洋行千代田百貨店主　岡野繁蔵………一一二
　　｜トピツク解剖｜―緬甸の反英争議―グアム島防備………八〇
　　日支事変と南洋（十七）………本会調査部………一二五
　　　［略］
　　各地時報
　　　英領馬来………一四四
　　　　［略］
　　　蘭領印度………一四八
　　　　［略］
　　　比律賓………一五二
　　　　［略］
　　　豪州………一五五
　　　　［略］
　　　新西蘭………一五九
　　　　［略］
　　　ビルマ………一六〇
　　　　［略］
　　　国内………一六二
　　　　［略］
　　　近事一束………一六七
　　　　［略］
　支那・南洋向海外放送―三月号番組のお知らせ………日本放送協会………一七一
　本会報告
　　本部―新嘉坡産業館―関西支部―会員異動―新備付図書………一七六
　編輯後記………巻末

◆『南洋』第二十五巻第三号（［昭和十四年］三月一日発行）
　　題字………近衛会頭
　　【巻頭言】………飯泉常務理事　………一
　　太平洋に於ける豪州の必然性………伊東　敬………五二
　　仏領印度支那農民の経済的生活………加藤俊雄………六八

海南島
　　海南島占拠の意義………平野英一郎………三
　　国際関係より見たる海南島………東京日日新聞東亜課　渡瀬正人………一〇
　　海南島と其の民族………井出季和太………五
　　海南島の産業及び資源………謝国城………四五
印度支那米（完）………中野秀雄………五九
米国自動車工業並に護謨市況………松川省三………七四
爪哇の民芸・蠟染更紗（二）………斎藤正雄………八〇
爪哇風趣・スンダ人素描【随筆】………松原晩香………八七
貧困な我が国の対回教徒政策………岡本　嵩………九四
南洋奇聞（一八三）………三吉香馬………一〇〇
日支事変と南洋（十八）………本会調査部………一〇六
　　［略］
各地時報
　　英領馬来………一一九
　　［略］
　　蘭領印度………一一九
　　［略］
　　比律賓………一二二
　　［略］
　　豪州………一二三
　　［略］
　　新西蘭………一二五
　　［略］
　　英領北ボルネオ………一二九
　　［略］
　　暹羅………一三〇
　　［略］
　　ビルマ………一三二
　　［略］
　　国内………一三五
　　［略］
近時一束………一三五
　　［略］

支那・南洋向海外放送―四月号番組のお知らせ！………日本放送協会………一三八
本会報告
　本部―新嘉坡産業館―爪哇支部―台湾支部―盤谷支部―会員異動―新備付図書………一四二
編輯後記………巻末
口絵
　□海南島風景　□爪哇・スンダ情趣

◆『南洋』第二十五巻第四号（[昭和十四年] 四月一日発行）
　　題字………近衛会頭
　【巻頭言】………松江理事　………一
　南方暹羅に対する一考察………元特命全権公使　谷田部保吉………二
　福建華僑の送金と金融機関（下）………井出季和太………九
　東印度の回教渡来と民族的教化の考察………松原晩香………二七
　比島ルソン地方産業視察記………渡辺　薫………三四
　爪哇の民芸・蠟染更紗（完）………斎藤正雄………四八
　暹羅に於ける華僑の動向………三井暹羅室………五六
　南洋奇聞（完）………三吉香馬………七一
　ニューギニアの文化と地誌（二）………W・ベールマン博士原著　高屋為雄訳………七六
　グアム島見聞記………本会調査部………八五
　比律賓名士の対日感情………中村今朝雄………九〇
　日本と蘭印………H・C・セントグラフ………一〇二
　日豪関係の諸問題………C・ハトリー・グラターン………一〇五
　広東の猺族（一）………謝国城………一一八
　○蘭領印度所得税令（完）[資料]………本会爪哇支部仮訳………一一三
　日支事変と南洋（十九）………本会調査部………一二二
　　[略]
　各地時報
　　英領馬来………一三一
　　　[略]
　　蘭領印度………一三二
　　　[略]
　　比律賓………一三三
　　　[略]
　　豪州………一三七

［略］

　　新西蘭………一三八

　　［略］

　　仏領印度支那………一三九

　　［略］

　　暹羅………一四一

　　［略］

　　ビルマ………一四五

　　［略］

　　国内………一四六

　　［略］

　近事一束………一四七

　　［略］

　【新刊案内】【人事消息】………一四九

　支那・南洋向海外放送─五月分番組のお知らせ！………日本放送協会………一五〇

本会報告

　本部─新嘉坡産業館─爪哇支部─盤谷支部─会員異動─新備付図書

編輯後記………巻末

口絵

　比島ルソン地方素描

◆『南洋』第二十五巻第五号（［昭和十四年］五月一日発行）

　　題字………近衛会頭

　【巻頭言】………本会理事　大谷　登………一

　東亜新秩序の建設と南方の役割………本会理事長　林久治郎………二

　欧州の危機と南洋………元特命全権公使　木村鋭市………五

　北部暹羅の経済事情………三井暹羅室………一四

　支那貿易の入超と華僑送金………王文生………四一

　爪哇の宗教芸術「石造の史詩」………松原晩香………五一

　最近の緬甸事情に就て………前蘭貢領事　金子豊治………六二

　比律賓に於ける失業問題………マスター・オブ・ビジネス・アドミニストレーション　伊藤　武
　　………二八

　次の比律賓大統領を語る………江野沢恒………四七

　余は比律賓思想界に就き斯く感じたり………立教大学教授ドクトル・オブ・リトレチユアー　根岸

由太郎………八〇
｜南洋雑詠【漢詩】………井上梧堂………四〇
｜近詠【俳句】………浅野白山………九八
トピック解剖―新南群島………九六
印度支那の言語………中野秀雄………九九
広東の猺族（二）………謝国城………八九
対蘭印邦品輸出振興策………久我　操………一一〇
資料
　　一九三八年日蘭印貿易動態………岡本　嵩………八六
　　一九三八年末現在英領馬来人種別推定総人口………本会新嘉坡産業館………一〇三
　　英領馬来輸入織物割当制限変更………本会新嘉坡産業館………一〇六
　　一九三八年英領馬来対日本並外国貿易統計………本会新嘉坡産業館………一一四
暹羅雑話【随筆】………天田六郎………三三
日支事変と南洋（二〇）………本会調査部………一二七
　　［略］
各地時報
　　英領馬来………一三一
　　［略］
　　蘭領印度………一三四
　　［略］
　　比律賓………一三五
　　［略］
　　豪州………一四〇
　　［略］
　　英領北ボルネオ・サラワク………一四三
　　［略］
　　仏領印度支那………一四五
　　［略］
　　暹羅………一四六
　　［略］
　　ビルマ………一四八
　　［略］
　　国内………一四九
　　［略］

近事一束………一五二
　［略］
【新刊案内】【人事消息】………一五四
支那・南洋向海外放送―六月分番組のお知らせ！………日本放送協会………一五六
本会報告
　本部―爪哇支部―マニラ支部―会員異動―新備付図書………一六〇
編輯後記………巻末
口絵
　□蘭貢市街及蘭貢河・シヤン族の美人・マンダレー市のパゴダ入口・イラワジ渓谷　□本年度マニラ市カーニバルに於ける日本館

◆『南洋』第二十五巻第六号〔［昭和十四年］六月一日発行〕
　題字………近衛会頭
【巻頭言】………本会理事　加藤恭平………一
南洋の現勢と文化交流の重要性………本会常務理事　佐々木勝三郎………二
南方への再認識………川本邦雄………九
呂宋太守ドン・ロドリゴと日・比　日・墨関係………文学博士　村上直次郎………一五
南洋の資源と日本の地位………平野英一郎………二三
南洋華僑の経済力………蔣剣魂………二八
伸びる南方経済圏
　ビルマの鉄道概況………（三九）
　蘭印経済小観………（五〇）
　比島国営興業会社の活躍………（五六）
　ニュー・ジーランドの産業現勢………（六六）
　馬来鉄鉱の昨今………（七八）
　新興ビルマの機業………（八二）
日本とフイリツピン………原　繁治………三六
東印度通交初期の和蘭船………松原晩香………九四
印度と汽車旅行………久留島秀三郎………一〇二
トピツク解剖
　国名をタイ（Thai）と改称………七七
　蘭印における邦品輸入………一〇八
　関西日蘭協会の誕生………一〇六
仏領ニユー・カレドニア近況………筒井武平………一二二

資料
　　仏印貿易は依然出超………在サイゴン　小山房二………一一〇
　　一九三七年の馬来半島農業界（一）………照屋全昌………一二〇
　　一九三八年の蘭印物産展望（完）………本会調査部………九三
極楽鳥［歌壇］………清野重郎………一〇七
日支事変と南洋（二一）………本会調査部………一二三
　　［略］
各地時報
　　英領馬来………一三六
　　　［略］
　　蘭領印度………一三七
　　　［略］
　　仏領印度支那………一四一
　　　［略］
　　比律賓………一四三
　　　［略］
　　暹羅………一四六
　　　［略］
　　ビルマ………一四七
　　　［略］
　　新西蘭………一四九
　　　［略］
　　豪州………一四九
　　　［略］
近事一束………一五一
　　［略］
【新刊案内】【人事消息】………一五二
支那南洋向海外放送―七月のプログラムお知らせ！………日本放送協会………一三二
本会報告
　　本部―新嘉坡産業館―台湾支部―爪哇支部―盤谷支部―会員異動―新備付図書
編輯後記………巻末
口絵
　　◇南太平洋の旅情　◇ソロー王宮二〇〇年記念博覧会大会場の日本品出陳

◆『南洋』第二十五巻第七号（[昭和十四年]七月一日発行）

  題字………近衛会頭

【巻頭言】………本会理事　武智直道………一

情勢を現地に聴く

  最近の爪哇情勢………小倉一二………二

  海南島の経済的地位………海南島にて　秦　巌夫………一一

  比島における邦品の退勢………在マニラ　山本恒男………一六

  英領馬来の排日動向………楯朝二郎………二五

日支両国の使命………林久治郎………三一

タイ国の新態勢………天田六郎………三四

ロハス経済政策の全貌………マヌエル・ロハス………四三

仏印に於ける最近の動向………在サイゴン　小山房二………四九

我が輸出政策の新展開………岡本　嵩………五三

トピック解剖

  異彩を放つシヤムの日本語学校………六〇

  在外華僑の献金・実に一億弗！………六〇

  蘭印輸入組合設立さる………一〇八

資料

  一九三八年の比島事業概観………本会マニラ支部………六二

  蘭領印度財産税令（一）………本会爪哇支部………七〇

  一九三八年英領馬来経済概況………本会新嘉坡産業館………八〇

  蘭印海運業の沿革………本会調査部………八四

  一九三八年の比島貿易・意外の入超………本会マニラ支部………八六

  新嘉坡の亜鉛板市況………本会新嘉坡産業館………九一

  一九三七年の馬来半島農業界（二）………照屋全昌………九五

バンタムの懐古的風景………松原晩香………一〇一

仏領印度支那の華僑（上）………逸見重雄………一〇九

日支事変と南洋（二二）………本会調査部………一一八

  [略]

各地時報

  英領馬来………一三一

  [略]

  蘭領印度………一三五

  [略]

比律賓………一三七

　　　［略］

　　　タイ国………一三九

　　　［略］

　　　仏領印度支那………一四二

　　　［略］

　　　海南島………一四五

　　　［略］

　　　豪州………一四五

　　　［略］

　　　ビルマ………一四八

　　　［略］

　　　ニユー・ジーランド………一五一

　　　［略］

　　　南洋群島………一五二

　　　［略］

　　　国内………一五三

　　　［略］

　　近事一束………一五五

　　　［略］

　【井上雅二氏著、興亜一路を読む】………天江学人………一三〇

　【人事消息】………一五六

　支那・南洋向海外放送―放送陣拡充さる！………日本放送協会………一二七

本会報告

　　本部―大阪支部―神戸支部―爪哇支部―会員異動―新備付図書………一五七

編輯余録………巻末

口絵

　　◇沈む夕映の魅力（バリー島にて）　◇緑蔭ぞ清々し（爪哇ボイテンゾルフにて）

◆『南洋』第二十五巻第八号（［昭和十四年］八月一日発行）

　　題字………近衛会頭

　【巻頭言】………本会常務理事　佐々木勝三郎………一

　南洋を巡りて………拓務政務次官　寺田市正………二

　英領北ボルネオの近状………スラバヤ領事　桑折鉄次郎………六

北部セレベス事情………メナド領事　野々村雅二………一一

蘭領印度における華僑（上）………Ｊ・Ａ・Ｍブリュイネマン………一六

タイ国の糖業素描………本会新嘉坡産業館………二三

南洋の音楽………黒沢隆朝………二七

英領馬来の非常時法令………本会新嘉坡産業館………三一

ニューギニヤの文化と地誌（三）………Ｗ・ベールマン博士原著　高屋為雄訳………三九

トピック解剖

　日英会談と新嘉坡華僑………六九

　タイ国の簡易融資………四四

　日本製ガラス・自転車蘭印輸入禁止………四五

経済資料

　一九三八年の蘭印経済状態………本会調査部………四六

　ビルマの外国貿易（三八年四―十二月）概況………本会調査部………五三

　馬来経済情報………本会新嘉坡産業館………六〇

　タイ国の製塩業………本会新嘉坡産業館………六二

　ジヨホール州近況………本会新嘉坡産業館………六四

　一九三七年の馬来半島農業界（三）………照屋全昌………六六

日支事変と南洋（二三）………本会調査部………七〇

　［略］

各地時報

　英領馬来………（八二）

　［略］

　英領ボルネオ………（八五）

　［略］

　蘭領印度………（八六）

　［略］

　比律賓………（八九）

　［略］

　タイ国………（九三）

　［略］

　仏領印度支那………（九六）

　［略］

　ビルマ………（九八）

　［略］

ニユー・カレドニア………（一〇〇）

　　　［略］

　　　豪州………（一〇一）

　　　［略］

　　　ニユー・ジーランド………（一〇二）

　　　［略］

　　　南洋群島………（一〇二）

　　　［略］

　　近事一束………（一〇三）

　　　［略］

　【新刊紹介】ベンゲット移民………（一〇四）

　【人事消息】………（一〇四）

　支那・南洋向海外放送―九月分プログラムお知らせ！………日本放送協会………（七九）

本会報告

　本部―大阪支部―神戸支部―ダヴオ支部―会員異動―新備付図書………一〇五

編輯余録………巻末

口絵

　〇南洋の涼を趁ふて

　　〇ウイルヘルミナの雪嶺

　　〇漁をあさるパプア人

付録―昭和十三年度定時会員総会事業及会計報告書………一～四八

◆『南洋』第二十五巻第九号（［昭和十四年］九月一日発行）

　　　題字………近衛会頭

　　【巻頭言】………本会理事　井上治兵衛………一

　本会主催南洋経済懇談会の開催に就いて………本会常務理事　飯泉良三………二

　対南洋輸出振興策………山崎亀吉………五

　南米から見た蘭印農業………辻小太郎………九

　泰国在留邦人の今昔………天田一閑………一二

　喘ぐ織物輸入邦商社………本会新嘉坡産業館………一七

　蘭領印度に於ける華僑（下）………Ｊ・Ａ・Ｍブリュイネマン………二七

　北と南に見る原始民族の怪奇と芸術（一）………宮武辰夫………三四

　爪哇音楽概説（上）………松原晩香………四〇

　汪精衛と南支那の動向………香港にて　秦　巌夫………四六

ニユーギニヤの文化と地誌（四）………W・ベールマン博士原著　高屋為雄訳………五〇

経済特報

　　新嘉坡の生活費指数動向………本会新嘉坡産業館………五九

　　躍る東京の鉄鉱業………アンリ・ド・ラシユヴオル・チエール………六五

　　馬来経済界の動態………本会新嘉坡産業館………六七

　　タイ国北部地方の経済事情（上）………三井タイ室………七〇

　　一九三七年の馬来半島農業界（完）………照屋全昌………七四

［歌壇］土人の槍………清野重郎………八四

法規集

　　蘭領印度財産税令（完）………本会爪哇支部………八五

　　海峡植民地治安取締法………本会調査部………九五

　　比律賓居住税令………中目真隆………九七

　　蘭領印度印紙條令（一）………本会爪哇支部………一〇〇

日支事変と南洋（二四）………本会調査部………一一〇

　　［略］

各地時報

　　蘭領印度………（一二二）

　　［略］

　　英領馬来………（一三二）

　　［略］

　　比律賓………（一三五）

　　［略］

　　タイ国………（一四一）

　　［略］

　　ビルマ………（一四八）

　　［略］

　　仏領印度支那………（一五〇）

　　［略］

　　豪州………（一五一）

　　［略］

　　ニユー・ジーランド………（一五二）

　　［略］

　　国内………（一五二）

　　［略］

新刊紹介………（一五二）

支那・南洋向海外放送―十月分プログラムお知らせ！………日本放送協会………（一〇六）

本会報告

　本部―会員異動―新備付図書………一五四

編輯余録………巻末

口絵

　◇巌頭を砕く（豪州バーロン瀧）　◇山県、鍵富両選手の日・蘭テニス交驩（爪哇・バタビヤにて）

◆『南洋』第二十五巻第十号（[昭和十四年]十月一日発行）

　題字………近衛会頭

　【巻頭言】………本会理事　渥美育郎………一

　事変下の海運問題………伊勢谷次郎………二

　最近の比島情勢………古川義三………七

　本会主催南洋経済懇談会に発表された在南諸氏の要望………本会常務理事　飯泉良三………一三

　南游余談………小畑薫良………一五

　仏領印度支那の華僑（下）………逸見重雄………二二

　トピック解剖

　　英領馬来の為替及輸入管理………本会新嘉坡産業館………三六

　北と南に見る原始民族の怪奇と芸術（二）………宮武辰夫………三八

　爪哇音楽概説（下）………松原晩香………四五

　蘭人が綴る客家物語………岡本　嵩………五三

　ニユーギニヤの文化と地誌（五）………W・ベールマン博士原著　高屋為雄訳………五八

　経済資料

　　英領馬来の本年上半期織物製品市況………本会新嘉坡産業館………六八

　　タイ国北部地方の経済事情（下）………三井タイ室………八七

　　海南島の貿易状況………本会調査部………九二

　　一九三八年の英領馬来護謨栽培………本会新嘉坡産業館………九六

　　蘭領印度印紙條令（二）………本会爪哇支部………一〇一

　日支事変と南洋（二五）………本会調査部………一一四

　　[略]

　各地時報

　　英領馬来………（一二四）

　　[略]

　　蘭領東印度………（一二九）

［略］

　　比律賓………（一三八）

　　　［略］

　　タイ国………（一四〇）

　　　［略］

　　仏領印度支那………（一四三）

　　　［略］

　　ビルマ………（一四四）

　　　［略］

　　豪州………（一四四）

　　　［略］

　　ニユー・ジーランド………（一四五）

　　　［略］

　　国内………（一四五）

　　　［略］

　　新刊紹介………（一四五）

　支那・南洋向海外放送―十一月分プログラムお知らせ！………日本放送協会………（一一一）

本会報告

　　本部―役員異動―会員異動―新備付図書………一四六

編輯後記………巻末

口絵

　　◇新嘉坡のヂヤンク　◇ワット・サケー

◆『南洋』第二十五巻第十一号（［昭和十四年］十一月一日発行）

　　題字………近衛会頭

　　【巻頭言】………本会理事　船田一雄………一

　　南洋群島の地位………堂本貞一………二

　　ラフルス前後………大内　恒………九

　　列国の極東政策と日本の対南方針………飯沢章治………一九

　　蘭印に於ける小栽培業への期待………在バンドン　佐藤　茂………二五

　　明日の比島鉱産業………渡辺　薫………三三

　　タイの中華総商会………三井タイ室………四五

　　トピック解剖

　　　愈よ来月から比島に新国語………五〇

Ⅱ. 南洋協会発行雑誌　総目録

　　爪哇糖・支那進出有望か………五一
　一九三九年上半期蘭領印度経済概観………本会爪哇支部………五二
　昨今のタイ国………本会盤谷支部………六八
　経済資料
　　一九三九年上半期の日・蘭印貿易………本会爪哇支部………七二
　　比島市場に於ける本邦綿布………山本恒男………七八
　　蘭領印度印紙條令（三）………本会爪哇支部………八七
　　英領馬来経済情報………本会新嘉坡産業館………九五
　［歌壇］捕鯨船………清野重郎………一〇七
　タイ国の劇と舞踊………花柳徳兵衛………一〇八
　ニユーギニヤの文化と地誌（六）………W・ベールマン博士原著　高屋為雄訳………一一五
　日支事変と南洋（二六）………本会調査部………一二五
　　［略］
　各地時報
　　英領馬来………（一三四）
　　　［略］
　　蘭領東印度………（一三八）
　　　［略］
　　比律賓………（一四八）
　　　［略］
　　タイ国………（一五四）
　　　［略］
　　仏領印度支那………（一五六）
　　　［略］
　　サラワク王国………（一五八）
　　　［略］
　　ビルマ………（一五八）
　　　［略］
　　豪州………（一五九）
　　　［略］
　　ニユー・ジーランド………（一五九）
　　　［略］
　支那・南洋向海外放送―十二月分プログラムお知らせ！………日本放送協会………（一二二）
本会報告

本部―爪哇支部―会員異動―新備付図書………一六〇

編輯余録………巻末

口絵

　　◇馬来半島ペラ州タイピン公園の点描　◇爪哇バタビアのパツサル・ガンビルの壮観

◆『南洋』第二十五巻第十二号（［昭和十四年］十二月一日発行）

　　　題字………近衛会頭

　　【巻頭言】………常務理事　飯泉良三………一

　激動の欧州より帰りて………代議士　船田　中………二

　南洋雑感………沢田　謙………一四

　革新回教の横顔………井手諦一郎………二〇

　支那革命と南洋華僑………井出季和太………二九

　トピック解剖

　　　日泰定期航空開始………四四

　経済資料

　　　一九三七年馬来半島の農業（五）………照屋全昌………四七

　　　蘭領印度クーポン税令………南洋協会爪哇支部………五四

　　　蘭領印度印紙條令（四）………本会爪哇支部………六〇

　　　シンガポール輸入本邦織物及製品市況（九月中）………本会新嘉坡産業館………六五

　　　馬来農産物市況月報（昭和十四年七月分）………七五

　　　戰時下の馬来錫、護謨生産状況と株式市場………七九

　日支事変と南洋（二七）………本会調査部………八五

　　［略］

　各地時報………（八七）

　　英領馬来………（八七）

　　［略］

　　蘭領印度………（九三）

　　［略］

　　比律賓………（一〇二）

　　［略］

　　タイ国………（一〇五）

　　［略］

　　仏領印度支那………（一〇六）

　　［略］

292　Ⅱ．南洋協会発行雑誌　総目録

　　　ビルマ………（一〇九）
　　　［略］
　　　豪州………（一〇九）
　　　［略］
　　　新西蘭………（一一一）
　　　［略］
　　支那・南洋向海外放送………日本放送協会………一一二
本会報告
　　本部―爪哇支部―マニラ支部―会員異動―新備付図書………一一五
編輯余録………巻末
第二十五巻本誌目次
口絵
　　◇みのり（豪州）　◇パツサルマラムの盛況（爪哇スラバヤ）

◆『南洋』第二十六巻第一号（［昭和十五年］一月一日発行）
　　　題字………近衛会長
　【巻頭言】………本会理事長　林久治郎………一
　泰国特輯
　　　日泰定期航空路開設に就て………藤原保明………二
　　　泰国民の民族的構成………矢田部保吉………八
　　　日泰定期空路の開設を祝して………泰国名誉領事　倉田猛郎………一六
　　　最近のタイ国事情………宮原武雄………一九
　　　タイ国議会に関する二、三の説明………山口　武………二七
　　　タイ人のタイ国………ケネス・ペリー・ランドン………三〇
　［俳句の頁］新年雑詠………浅野白山………八〇
　蘭印経済夜話………池田幸平………八一
　南海の原始圏………砧　一朗………八五
　経済資料
　　　馬来経済事情………本会新嘉坡産業館………三六
　　　蘭領印度印紙條令（五）………本会爪哇支部………五八
　　　最近に於ける蘭印非常時法令………本会爪哇支部………六七
　　　一九三七年馬来半島の農業（完）………照屋全昌………七四
　日支事変と南洋（二八）………本会調査部………九三
　　　［略］

新刊紹介………一〇一
各地時報
  英領馬来………（一〇二）
  ［略］
  蘭領東印度………（一一〇）
  ［略］
  比律賓………（一二〇）
  ［略］
  タイ国………（一二三）
  ［略］
  ビルマ………（一二五）
  ［略］
  豪州………（一三四）
  ［略］
  新西蘭………（一三七）
  ［略］
支那・南洋向海外放送―二月分プログラムお知らせ！………日本放送協会………一三八
本会報告
  本部―爪哇支部―新嘉坡支部―会員異動―新備付図書………一四一
口絵
  □バリー島のゲテウー寺院　□豪州の冬の園

◆『南洋』第二十六巻第二号（［昭和十五年］二月一日発行）
    題字………近衛会長
【巻頭言】台湾と南洋の資源………本会理事　水津弥吉………一
日支事変と在南邦人の覚悟………林久治郎………二
我観南洋………桜井兵五郎………五
蘭印邦人の"欧州人待遇"獲得前後の回顧………入江寅次………一二
比律賓交通現勢………カザリン・ポーター………一八
グアム島の空から………渡辺　薫………二三
蘭印の庶民金融………本会調査部………二七
躍動する英領馬来………本会新嘉坡産業館………（三六）
  最近の華僑人口動態………三六
  原産地証明書法令………四三

一九三九年旅行規則………四四

　　　輸入の制限及禁止………四六

　　　本年度外国織物製品及半製品の輸入割当………四九

　　　工業建築材料ライセンス制度………五〇

　　　経済情報………五一

　現地に邦人の活躍を視る………原　繁治………五九

資料

　　一九三八年英領馬来海外貿易分析検討………本会新嘉坡産業館………六五

　　蘭領印度印紙條令（六）………本会爪哇支部………七八

トピックス

　　蘭印一九三九年従業員送還令………本会調査部………二一

日支事変と南洋（二九）………本会調査部………九一

　　［略］

各地時報

　　蘭領東印度………（九九）

　　［略］

　　英領馬来………（一〇六）

　　［略］

　　比律賓………（一一六）

　　［略］

　　タイ国………（一一九）

　　［略］

　　仏領印度支那………（一二二）

　　［略］

　　豪州………（一二二）

　　［略］

　　ビルマ………（一二五）

　　［略］

　　南洋群島………（一二六）

　　［略］

　　国内………（一二六）

　　［略］

　支那・南洋向海外放送―三月分プログラムお知らせ！………日本放送協会………一二七

本会報告

本部―爪哇支部―会員異動―新備付図書………一三〇

口絵

　◇スマトラ島トバ湖プラパット付近の風景　◇馬来半島カメロン高原と名産メロン

◆『南洋』第二十六巻第三号（[昭和十五年]三月一日発行）

　　題字……近衛会長

　【巻頭言】我が対南方針………本会理事　浅野平二………一

　泰国成文憲法の概念（一）………矢田部保吉………二

　蘭印貿易の対米依存性………天野寿雄………一一

　比島物産の外国市場………Ｓ・Ｒ・メンディヌエト………一八

　馬来華僑の経済的前途と籌賑(ちゅうしん)運動………本会新嘉坡産業館………三三

　新興ビルマの素描………本会調査部………四九

　海南島の近況………昌谷　忠………五八

　トピックス・馬来華僑のバーター取引………本会調査部………六三

　　九二九年馬来経済概観………本会新嘉坡産業館………六七

　比島麻栽培の助成事業………カザリン・ポーター………七四

　蘭領印度（一九三九年一―九月）経済概況………本会爪哇支部………七七

　ニューギニアの文化と地誌（七）………Ｗ・ベールマン博士原著　高屋為雄訳………八六

　【詩壇】………九〇

　資料

　　蘭印農産物市況（一九三九年第一―三四半期）………本会爪哇支部………九一

　　蘭領印度印紙條令（完）………本会爪哇支部………九九

　日支事変と南洋（三〇）………本会調査部………一〇五

　　［略］

　各地時報

　　蘭領印度………（一一〇）

　　［略］

　　英領馬来………（一一八）

　　［略］

　　比律賓………（一二五）

　　［略］

　　タイ国………（一三〇）

　　［略］

　　仏領印度支那………（一三四）

［略］

　　　ビルマ………（一三五）

　　　［略］

　　　豪州………（一三五）

　　　［略］

　　　ニユー・カレドニア………（一三六）

　　　［略］

　　　国内………（一三七）

　　　［略］

　　支那・南洋向海外放送―四月分プログラムお知らせ！………日本放送協会………（一三八）
本会報告
　　本部―台湾支部―南洋群島支部―爪哇支部―盤谷支部―会員異動―新備付図書………一四一
口絵
　　□ビルマのモウルメェイン石仏　□比律賓富士（Mt. Mayon）の遠望

◆『南洋』第二十六巻第四号〔昭和十五年〕四月一日発行）
　　　題字………近衛会長
　　【巻頭言】南洋人士に訪日視察を望む………本会常務理事　佐々木勝三郎………一
　　泰国成文憲法の概念（二）………矢田部保吉………二
　　和蘭の至宝・蘭領印度………アーサー・S・ケラー………一一
　　豪州市場管見………藤本輝夫………一八
　　南洋の鉱産国
　　　　比島における鉱産資源………渡辺　薫………三六
　　　　馬来錫の国際市場における地位………L・L・ホーマー………二六
　　　　ニユー・カレドニアの鉱産………柴崎菊雄………五一
　　　　トピツクス・蘭領印度の鉄鉱処理………本会調査部………四四
　　　　一九三九年の馬来鉱業………本会新嘉坡産業館………四六
　　　　流刑地からクローム産地へ（ニユー・カレドニア）………ジヤック・シエフアード………五六
　　フイジー島の産金状況………本会調査部………六〇
　　資料月報
　　　　蘭印の綿布市況（昭和十四年十二月）………六一
　　　　爪哇及マヅラの輸出入（同上）………六四
　　　　外領輸出入（昭和十四年十一月）………六七
　　　　泰米の収穫予想………六九

泰米の輸出………六九

　　英領馬来の輸出入貿易（昭和十四年十二月）………七〇

　　英領馬来の輸入本邦織物及製品市況（同上）………七三

　　英領馬来の農産物市況月報（昭和十四年十一月）

蘭印の一九三九年海外貿易………本会爪哇支部………七六

泰国の正月風景………黒沢隆朝………八三

ニューギニアの文化と地誌（八）………W・ベールマン博士原著　高屋為雄訳………八八

日支事変と南洋（三一）………本会調査部………九七

　　［略］

各地時報

　　蘭領印度………（一一五）

　　［略］

　　英領馬来………（一二一）

　　［略］

　　比律賓………（一三〇）

　　［略］

　　タイ国………（一三八）

　　［略］

　　仏領印度支那………（一四〇）

　　［略］

　　ビルマ………（一四一）

　　［略］

　　豪州………（一四二）

　　［略］

　　ニュー・カレドニア………（一四三）

　　［略］

　　国内………（一四三）

　　［略］

　支那・南洋向海外放送―五月分プログラムお知らせ！………日本放送協会………（一一二）

本会報告

　本部―爪哇支部―盤谷支部―会員異動―新備付図書………一四四

◆『南洋』第二十六巻第五号（［昭和十五年］五月一日発行）

　　題字………近衛会長

【巻頭言】我国と南洋資源………本会常務理事　飯泉良三………一

泰国成文憲法の概念（完）………矢田部保吉………二

蘭領印度と我国の経済関係………飯泉良三………一三

比律賓特輯

　　比律賓の移民制限法と邦人移民事蹟………江野沢恒………一八

　　独立後の日比関係予想………カザリン・ポーター………二三

　　日貨排斥と比島の利害………L・L・リンディオ………二九

　　欧州大戦と比律賓貿易………リサール・ガティカ………三九

　　比律賓華僑の商業投資………本会調査部………四五

一九三九年の日・蘭印貿易………本会爪哇支部………五〇

英領馬来経済情報………本会新嘉坡産業館………五八

仏領ニュー・カレドニアの点描………松島五郎………六七

資料月報

　　蘭印綿布市況（一月中）………一〇五

　　蘭印における会社設立の智識………一〇八

　　爪哇及マヅラの輸出入（一月中）………一一〇

　　爪哇莫大小市況（一月中）………一一四

　　英領馬来本邦織物及製品市況（一月中）………一一四

　　英領馬来の輸出入貿易（一月中）………一二〇

　　馬来農産物市況月報（昭和十四年十二月分）………一二七

　　一九三九年の泰米輸出………一三二

　　ダヴオ麻の生産と輸出………一三三

蘭領印度経済現勢概観………本会爪哇支部………八三

日支事変と南洋（三二）………本会調査部………一三四

　　［略］

各地時報

　　蘭領印度………（一五三）

　　［略］

　　英領馬来………（一五四）

　　［略］

　　比律賓………（一五七）

　　［略］

　　泰国………（一五七）

　　［略］

仏領印度支那………（一五九）

　　［略］

　　ビルマ………（一五九）

　　［略］

　　豪州………（一六〇）

　　［略］

　　新西蘭………（一六一）

　　［略］

　支那・南洋向海外放送―六月分プログラムお知らせ！………日本放送協会………（一六二）

本会報告

　本部―東海支部―ダヴオ支部―台湾支部―爪哇支部―会員異動―新備付図書………一六五

口絵

　　◇蘭領印度バリー島点描　◇市場へ急ぐ爪哇土人

◆『南洋』第二十六巻第六号（［昭和十五年］六月一日発行）

　　題字………近衛会長

　【巻頭言】南洋の重要性の再認識………本会常務理事　佐々木勝三郎………一

　英領北ボルネオの鉱産資源………Ｗ・Ｊ・ウオース………二

　蘭領印度特輯

　　蘭領印度は動く………本会調査部………一三

　　欧州戦乱と蘭印の経済的影響………本会爪哇支部………二八

　　蘭領印度の華僑史………Ｗ・Ｊ・カーター………四二

　　蘭印主要農産物の市況………本会調査部………五五

　　蘭印における外国人入国許可数の削減………岡本　嵩………六五

　　和蘭及び蘭領印度の対上海貿易………本会爪哇支部………六九

　　本年度（英領馬来）織物製品輸入割当と市況………本会新嘉坡産業館………七九

　　［歌壇］マニラ葉巻………清野重郎………八五

　資料

　　爪哇莫大小市況（二月中）………八六

　　蘭印綿布市況（二月中）………八六

　　爪哇及マヅラ輸出入（二月中）………八八

　　蘭印の外領輸出入（一月分）………八九

　　馬来農産物市況月報（一月中）………九一

　　新嘉坡織物及製品市況（二月中）………九四

　　　　馬来輸出入貿易（二月中）………九七

　　　　一九三九年末現在英領馬来人口統計（推定）………一〇二

　　　泰国の人口動態………本会調査部………一〇五

　　　英領馬来の金、証券、為替管理法令………本会新嘉坡産業館………一一一

　　　日支事変と南洋（三三）………本会調査部………一二三

　　　　［略］

　　各地時報

　　　　蘭領印度………（一二六）

　　　　［略］

　　　　英領馬来………（一二九）

　　　　［略］

　　　　英領ボルネオ………（一三五）

　　　　［略］

　　　　比律賓………（一三五）

　　　　［略］

　　　　タイ国………（一三七）

　　　　［略］

　　　　豪州………（一三九）

　　　　［略］

　　　　新西蘭………（一四一）

　　　　［略］

　　　　ビルマ………（一四一）

　　　　［略］

　　　　国内………（一四二）

　　　　［略］

　　　支那・南洋向海外放送………日本放送協会………一四三

　本会報告

　　　本部―マニラ支部―盤谷支部―会員異動―新備付図書………一四四

　口絵

　　　◇日泰定期航空機松風号の出発光景　◇比島バギオ道路に面する瀑瀧

◆『南洋』第二十六巻第七号（［昭和十五年］七月一日発行）

　　　題字………近衛会長

　　【巻頭言】国防国家の完成と南方問題………本会理事　松江春次………一

仏領ニユー・カレドニア事情に就て………ヌーベルカレドニー鉱業株式会社々長　瀬尾　昭………二
南洋各地を視察して………拓務事務官　小里　玲………一五
仏領印度支那の民族………松本信廣………二六
比律賓の将来………カザリン・ポーター………三四
南洋華僑回国慰労団の活動………本会調査部………四二
仏印における混血児の性格………河内山治………五〇
蘭印の主要鉱業現況………本会爪哇支部………五二
重慶政府の華僑対策………本会新嘉坡産業館………五八
ビルマ援蔣ルートの解剖………J・Lクリスチヤン………六六
飛躍する蘭印の工業（一）………本会爪哇支部………七一
仏印に於ける小米作農の助成事業………フェイエット・スミス………八一
資料月報
　爪哇莫大小市況（三月中）………八五
　蘭領印度莫大小襯衣輸入統計（二月中）………八五
　蘭印綿布市況（三月中）………八五
　爪哇及マヅラの輸出入（三月中）………八七
　蘭印外領輸出入（二月中）………九〇
　馬来農産物市況月報（二月中）………九二
　新嘉坡織物及製品市況（三月中）………九六
　馬来半島の漁業状態………九九
　日比綿布協定一ヶ年延長決定………一〇一
一九三八年の馬来半島農業（一）………照屋全昌………一〇二
比島ヴキサヤ及北ミンダナオ諸州近況（一）………渡辺　薫………一〇八
日支事変と南洋（三四）………本会調査部………一一六
　［略］
各地時報
　蘭領印度………（一二三）
　［略］
　英領馬来………（一三二）
　［略］
　泰国………（一三九）
　［略］
　比律賓………（一四一）
　［略］

仏領印度支那………（一四二）

　　［略］

　　ビルマ………（一四四）

　　［略］

　　ニユー・ヂ・ランド………（一四七）

　　［略］

　　豪州………（一四八）

　　［略］

　支那・南洋向海外放送………日本放送協会………（一二二）

本会報告

　　本部―盤谷支部―爪哇支部―会員異動―新備付図書………一五〇

◆『南洋』第二十六巻第八号（［昭和十五年］八月一日発行）

　　　題字……近衛会長

　　【巻頭言】南方問題と東亜共栄圏の確立………本会理事　渥美育郎………一

　　南遊所感………本会理事長　林久治郎………二

　　蘭印における米国の権益（上）………エレン・フアン・セル・デ・ヨング………一〇

　　比島華僑の自覚………薛芬士………一四

　　仏印と角屋七郎左エ門（上）………松尾樹明………一八

　　欧州戦乱と蘭印の栽培業（一）………本会爪哇支部………二四

　　西沙群島の沿革誌………薫奇来………三三

　　飛躍する蘭印の工業（完）………本会爪哇支部………四六

　　［蘭印における新営業制限令］………本会調査部………六一

　　日支事変と南洋（三五）………本会調査部………五八

　　　［略］

　　各地時報

　　　蘭領印度………（六三）

　　　［略］

　　　英領馬来………（六七）

　　　［略］

　　　比律賓………（七二）

　　　［略］

　　　仏領印度支那………（七三）

　　　［略］

豪州………（七三）

　　［略］

　　ビルマ………（七五）

　　［略］

　　支那・南洋向海外放送………日本放送協会………（六二）

本会報告

　　本部―会員異動―新備付図書………七六

付録　昭和十四年度財団法人南洋協会定時会員総会事業及会計報告書………一〜六六

　　　昭和十四年度財団法人南洋協会会計報告………一〜四

◆『南洋』第二十六巻第九号［昭和十五年］九月一日発行）

　　題字………近衛会長

　【巻頭言】台湾と南方問題………本会理事　水津弥吉………一

　英・蘭印間の経済的援助………斎藤正雄………二

　蘭印における米国の権益（下）………F・V・Z・デ・ヨング………九

　電波にのせて………本会専務理事　飯泉良三………一九

　欧州戦局と馬来貿易（一）………本会新嘉坡産業館………二五

　泰国印象………石尾市太郎………四二

　仏印と角屋七郎左エ門（下）………松尾樹明………四七

　欧州戦乱と蘭印の栽培業（完）………本会爪哇支部………五三

　資料月報

　　爪哇莫大小市況（五月中）………六一

　　蘭領印度莫大小襯衣輸入統計………六一

　　蘭印に於ける株式会社の智識………六一

　　蘭印綿布市況（五月中）………六四

　　爪哇綿布輸入統計（四月中）………六六

　　外領綿布輸入統計（四月中）………六七

　　外領輸出（三月中）………六八

　　農産物市況月報（五月）………七〇

　　一九三九年に於ける馬来茶………七四

　　一九三九年に於ける馬来米………七八

　　英領馬来パハン州の鉱業………八六

　トピックス解剖

　　我南方進展の連絡機関南洋団体聯合会の誕生………八七

II. 南洋協会発行雑誌　総目録

　　蘭領印度為替管理令………本会爪哇支部………九〇
　　一九三八年の馬来農業（二）………照屋全昌………九八
　　蘭印では斯うして借地する………本会爪哇支部………一〇五
　　日支事変と南洋（三六）………本会調査部………一一三
　　　［略］
　　各地時報
　　　蘭領印度………（一一七）
　　　［略］
　　　英領馬来………（一二三）
　　　［略］
　　　比律賓………（一二九）
　　　［略］
　　　豪州………（一三二）
　　　［略］
　　　国内………（一三二）
　　　［略］
　　支那・南洋向海外放送………日本放送協会………一一二
　本会報告
　　本部―大阪支部―神戸支部―爪哇支部―会員異動―新備付図書………一三三
　［付録］一九三九年蘭領印度輸出統計表

◆『南洋』第二十六巻第十号（［昭和十五年］十月一日発行）
　　　題字………近衛会長
　【巻頭言】東亜共栄圏と本会の使命………本会相談役　井上雅二………一
　比律賓の独立再検討論………台湾拓植株式会社馬尼剌事務所長　金子豊治………二
　仏印の将来………V・トムスン………一九
　英国品蘭印売込の好機………本会調査部訳………二五
　米国のゴム貯蔵問題………クルト・ブロック………二八
　本年上半期の蘭印経済（A）………本会爪哇支部………三二
　馬来経済点描………本会新嘉坡産業館………五一
　資料月報
　　爪哇莫大小市況（七月中）………六六
　　蘭領印度莫大小襯衣輸入統計………六六
　　蘭印綿布市況（六月中）………六六

蘭印綿布市況（七月中）………六八
　　　爪哇綿布輸入統計（五月中）………六九
　　　爪哇綿布輸入統計（六月中）………七〇
　　　外領綿布輸入統計（五月中）………七二
　　　外領綿布輸入統計（六月中）………七二
　　　蘭印織物類輸入制限令一ヶ年延長………七三
　　　一九四〇年六月の爪哇及マヅラの輸出………七九
　　　米プール令の発布………八一
　　　米小売商の常備手持高の制定………八三
　最近の英領馬来市況………本会新嘉坡産業館………八四
　ニューギニア最高峯カルステンツ（上）………Ａ・Ｈ・コライン著　安江安宣訳………一〇二
　一九三八年の馬来農業（三）………照屋全昌………一一一
　日支事変と南洋（三七）………本会調査部………一一九
　　　［略］
各地時報
　　　蘭領印度………（一二三）
　　　［略］
　　　英領ボルネオ………（一二五）
　　　［略］
　　　英領馬来………（一二七）
　　　［略］
　　　比律賓………（一三〇）
　　　［略］
　　　タイ国………（一三一）
　　　［略］
　　　緬甸………（一三二）
　　　［略］
　　　豪州………（一三二）
　　　［略］
　　　新西蘭………（一三四）
　　　［略］
　　　支那・南洋向海外放送………日本放送協会………（一三五）
本会報告
　　　本部―東海支部―会員異動―新備付図書………一三六

◆『南洋』第二十六巻第十一号（［昭和十五年］十一月一日発行）

　　題字………近衛会長
　【巻頭言】南洋発展の急務………本会理事　大谷　登………一
　新西蘭の経済事情と日新貿易………郡司喜一………二
　東亜共栄圏と南洋………本会相談役　井上雅二………一一
　最近の馬来鉱業………本会新嘉坡産業館………一七
　比島コプラの将来性………山村楳次郎………三一
　本年上半期の蘭印経済（B）………本会爪哇支部………三五
　仏印の農業と対外貿易………本会調査部訳………四四
　錫蘭島事情概観（上）………藤島貞樹………四八
　一九四〇年上半期の蘭印貿易動態………本会調査部………五六
特別情報
　　海峡植民地郵便物禁止令発布輸入禁止品も発表さる………本会新嘉坡産業館………三〇
資料月報
　　蘭領印度輸入概況（六月）………六二
　　馬来農産物市況（六、七月中）………六三
　　馬来輸出入貿易（七月中）………七三
　　英領馬来人口統計（本年六月末現在推定）………七七
　　一九四〇年糧米條令………七九
　　馬来鳳梨事業概観（三月―五月）………八三
　　新西蘭本年第一・四半期対外貿易………八五
トピックス
　　馬来華僑の支那向け送金に大制限を加へるか？………六〇
　ニューギニア最高峯カルステンツ（下）………A・H・コライン著　安江安宣訳………八八
　詩苑………井上梧堂………一六
　一九三八年の馬来農業（四）………照屋全昌………九五
　日支事変と南洋（三八）………本会調査部………一〇三
　　［略］
各地時報
　　蘭領印度………（一〇七）
　　［略］
　　英領馬来………（一〇九）
　　［略］
　　英領ボルネオ………（一一五）

［略］

　　比律賓………（一一六）

　　　［略］

　　豪州………（一一六）

　　　［略］

　　錫蘭………（一一八）

　　　［略］

　　仏領印度支那………（一一八）

　　　［略］

　　支那・南洋向海外放送………日本放送協会………（一〇二）

本会報告

　　本部―会員異動―新備付図書………一一九

◆『南洋』第二十六巻第十二号（［昭和十五年］十二月一日発行）

　　　題字………近衛会長

　　【巻頭言】世界経済新秩序と南方海運の重要性………本会理事　浅野平二………一

　　最近の日・泰関係………前泰国駐在公使　村井倉松………二

　　蘭印石油の現状………大村一蔵………一九

　　特輯　欧州戦乱と南方情勢

　　　比島独立問題の動向………吉田丹一郎………二三

　　　欧州戦乱と爪哇糖………本会爪哇支部………三四

　　　馬来における支那人漁業の進展………本会新嘉坡産業館………三九

　　　欧州戦乱と豪州の経済政策………本会調査部………四三

　　　蘭印の農産資源………本会調査部………四七

　　　一九四〇年上半期の比島輸入貿易………本会調査部………五一

　　　馬来農産物と戦乱の影響………本会調査部………五三

　　　一九三九年の蘭印漁業………本会爪哇支部………五七

　　　泰国の通貨と金融機関………本会調査部………六六

　　トピックス

　　　外務・拓務両省の拡充………本会調査部………七〇

　　　小林使節帰朝第一声………九〇

　　資料月報

　　　爪哇莫大小市況（八月中）………七一

　　　蘭領印度莫大小襯衣輸入統計………七一

蘭印綿布市況（八月中）………七二
　　　爪哇綿布輸入統計（七月中）………七三
　　　外領綿布輸入統計（七月中）………七四
　　　蘭領印度織物市況（九月）………七六
　　　蘭領印度輸出概況（八月）………七七
　　　馬来輸出入貿易（八月）………七九
　　　英領馬来貿易額（九月）………八四
　　　馬来農産物市況（八月）………八四
　　　豪州経済市況（十月）………八九
　　一九三八年の馬来農業（五）………照屋全昌………九二
　　錫蘭島事情概観（下）………藤島貞樹………九九
　　一九三九年の馬来農業貿易概観………本会新嘉坡産業館………一一五
　　日支事変と南洋（三九）………本会調査部………一二六
　　　［略］
　　各地時報
　　　蘭領印度………（一三二）
　　　［略］
　　　英領馬来………（一三六）
　　　［略］
　　　比律賓………（一五三）
　　　［略］
　　　タイ国………（一五五）
　　　［略］
　　　仏領印度支那………（一五五）
　　　［略］
　　　緬甸………（一五七）
　　　［略］
　　　豪州………（一五七）
　　　［略］
　　　錫蘭………（一五七）
　　　［略］
　　支那・南洋向海外放送………日本放送協会………（一五八）
　本会報告
　　本部―会員異動―新備付図書………一五九

【付録】"南洋"第二十六巻総目次

◆『南洋』第二十七巻第一号（［昭和十六年］一月一日発行）

　　題字………近衛会長
【巻頭言】………本会理事長　林久治郎………一
南方諸国の仏教（A）………中島関爾………二
南洋ゴム企業の現状と将来………小坂彰二………一二
比律賓の華僑と経済………吉田丹一郎………一五
世界石油と蘭印………理学博士　R・W・ファン・ベンメレン………二二
仏印華僑の経済的活動………山川恒久………二五
比島経済の再編成………オーウエン・ドーソン………三一
世界の茶栽培事業………千秋克巳………三四
タイ国の鉱産資源………サマンク・ブラベス………四六
比律賓の護謨生産計画………キヤザリン・ポーター………五四
資料月報
　　爪哇莫大小市況（九月中）………五八
　　蘭領印度莫大小襯衣輸入統計………五八
　　蘭印綿布市況（九月）………五八
　　爪哇綿布輸入統計（八月中）………五九
　　外領綿布輸入統計（八月中）………六一
　　蘭印自動車、自動自転車タイヤ輸入統計………六二
　　蘭領印度包装紙輸入統計………六三
　　蘭領印度ビール輸入統計………六三
　　蘭領印度セメント輸入統計………六三
　　蘭領印度輸入概況（八月）………六四
　　馬来輸出入貿易（九月）………六六
　　海峡植民地及英領馬来商況（十月）………七一
　　比律賓皮革製品輸入統計………七三
一九四〇年上半期の蘭印土人護謨栽培………本会爪哇支部………七八
仏印東京地方の牧畜………シヤール・エヴアノ………八五
日支事変と南洋（四〇）………本会調査部………九二
　　［略］
各地時報
　　蘭領印度………（九六）

310　Ⅱ．南洋協会発行雑誌　総目録

　　　［略］
　　　英領馬来………（九九）
　　　［略］
　　　仏領印度支那………（一〇〇）
　　　［略］
　　　タイ国………（一〇二）
　　　［略］
　　　比律賓………（一〇二）
　　　［略］
　　　緬甸………（一〇四）
　　　［略］
　　　豪州………（一〇四）
　　　［略］
　　支那・南洋向海外放送………日本放送協会………（九五）
本会報告
　　本部―台湾支部―爪哇支部―東海支部―会員異動―新備付図書………一〇五

◆『南洋』第二十七巻第二号［昭和十六年］二月一日発行）
　　　題字………近衛会長
　　【巻頭言】共存共栄の具現化………本会常務理事　佐々木勝三郎………一
　　蘭印鉱産資源の将来………石原産業海運株式会社取締役東京支店長　牧　悦三………二
　　新西蘭の主要物産と本邦（一）………郡司喜一………九
　　比律賓に於ける小売商権国民化運動………原　繁治………一五
　　戦争第一年の蘭印経済回顧………本会爪哇支部………二二
　　支那の南海諸島通交録（一）………松原晩香………二八
　　海賊譚………井手諦一郎………三四
　　南方諸国の仏教（B）………中島関爾………四〇
　　危機に瀕する比律賓椰子産業………M・M・カロー　山村楳次郎訳………四七
　　泰国経済の現況………ヴァージニア・トムソン………五一
　　豪州の棉花増産計画………本会調査部………六〇
　資料月報
　　　爪哇莫大小市況（十月中）………六四
　　　蘭領印度莫大小襯衣輸入統計………六四
　　　蘭印綿布市況（十月）………六五

爪哇綿布輸入統計（九月中）………六六

　　外領綿布輸入統計（九月中）………六七

　　蘭領の通商制限………六八

　　馬来輸出入貿易（十月）………七〇

　　英領馬来貿易額（十一月）………七五

　　海峡植民地及英領馬来商況（十一月）………七五

　　馬来化粧品市場の動態………七七

　　豪州経済市況（十一月）………一〇〇

　　新西蘭第五期輸入制限要綱………一〇二

泰国の貿易と日・英の地位………伊東信典………一〇六

一九三九年の馬来護謨栽培………本会新嘉坡産業館………一一〇

紀行　赤道は淀む（一）………井上雅二………一一八

日支事変と南洋（四一）………本会調査部………一二四

　　［略］

各地時報

　　蘭領印度………（一二八）（四六）（一〇九）

　　［略］

　　英領馬来………（一三二）（一四）（五九）（六三）

　　［略］

　　仏領印度支那………（一三六）（三三）

　　［略］

　　比律賓………（一三七）

　　［略］

　　豪州………（一三八）

　　［略］

　　錫蘭………（一四一）

　　［略］

　　内地………（一四二）

　　［略］

　　支那・南洋向海外放送　三月分プログラムお知らせ！………日本放送協会………一四三

本会報告

　　本部―爪哇支部―大阪支部―東海支部―会員異動―新備付図書………一四六

◆『南洋』第二十七巻第三号（[昭和十六年] 三月一日発行）

　　題字………近衛会長
【巻頭言】大東亜共栄圏確立の急務………本会理事　大谷　登………一
葡領チモールの経済資源と開発の現状（一）………斎藤太郎………二
豪太利亜細亜海の人種的基底とその地政学的統一性………江沢譲爾………一五
新西蘭の主要物産と本邦（二）………郡司喜一………二一
支那の南海諸島通交録（二）………松原晩香………二七
ニユーカレドニアの鉱産資源………ジヤック・シエッファード………三五
仏印の経済資源と貿易………四二
資料月報
　　爪哇莫大小市況（十一月中）………四六
　　蘭印莫大小襯衣輸入統計………四六
　　蘭印綿布市況（十一月）………四六
　　爪哇綿布輸入統計（十月中）………四七
　　外領綿布輸入統計（十月中）………四九
　　最近年間蘭印晒綿布輸入統計………五〇
　　最近年間蘭印未晒綿布輸入統計………五一
　　蘭印十商品輸入統計………五三
　　蘭印人造肥料輸入統計………五四
　　蘭印電球輸入統計………五五
　　馬来輸出入貿易（十一月中）………五五
　　馬来農産物市況（九月）………六一
　　一九四一年度統制織物及製品輸入割当量………六五
紀行　赤道は淀む（二）………井上雅二………七〇
蘭印年記代摘要………有元　剛………八三
日支事変と南洋（四二）………本会調査部………九九
　　[略]
各地時報
　　蘭領印度………（一〇四）（二〇）
　　[略]
　　英領馬来………（一〇七）（六九）
　　[略]
　　仏領印度支那………（一一三）
　　[略]

比律賓………（一一六）

　　［略］

　　タイ国………（一一八）

　　［略］

　　ビルマ………（一一八）

　　［略］

　　豪州………（一一九）

　　［略］

　　新西蘭………（一二一）

　　［略］

　　錫蘭………（一二一）

　　［略］

　支那・南洋向海外放送………日本放送協会………（一二二）

本会報告

　本部―大阪支部―台湾支部―マニラ支部 －会員異動―新備付図書………一二四

◆『南洋』第二十七巻第四号（［昭和十六年］四月一日発行）

　　題字………近衛会長

　【巻頭言】南洋新秩序の発足………本会理事　渥美育郎………一

　仏印の工業………逸見重雄………二

　新西蘭の主要物産と本邦（三）………郡司喜一………一七

　支那の南海諸島通交録（三）………松原晩香………二五

　比島経済界と本年の予想………原　繁治………三四

　葡領チモールの経済資源と開発の現状（二）………斎藤太郎………四〇

　蘭印に於ける灌漑事業………ファン・デル・メウレン………五一

　英領馬来織物製品市場展望………本会新嘉坡産業館………六〇

　資料月報

　　爪哇莫大小市況（十二月中）………六四

　　蘭領印度莫大小襯衣輸入統計………六四

　　蘭印綿布市況（十二月中）………六四

　　爪哇綿布輸入統計（十一月中）………六六

　　外領綿布輸入統計（十一月中）………六七

　　蘭印の貿易………六八

　　馬来農産物市況月報………七〇

Ⅱ. 南洋協会発行雑誌　総目録

　　　日本織物及び製品新期割当………七五
　　　仏印の鉱産資源図………八〇
　　　一九四〇年の比島貿易………八五
　紀行　赤道は淀む（三）………井上雅二………九一
　一九四〇年の馬来経済回顧………一〇五
　日支事変と南洋（四三）………本会調査部………一一〇
　　［略］
　各地時報
　　　蘭領印度………（一一五）
　　　［略］
　　　英領ボルネオ………（一二六）
　　　［略］
　　　英領馬来………（五九）（一二七）（一〇四）
　　　［略］
　　　比律賓………（一三二）（五〇）
　　　［略］
　　　仏領印度支那………（一三六）
　　　［略］
　　　豪州………（一三七）
　　　［略］
　　　ビルマ………（一三八）
　　　［略］
　　　内地………（一四〇）
　　　［略］
　　　国際………（二四）（三三）
　　　［略］
　支那・南洋向海外放送………日本放送協会国際部………（一四一）
本会報告………一四三
　本部―マニラ支部―会員異動―新備付図書

◆『南洋』第二十七巻第五号〔[昭和十六年] 五月一日発行〕
　　　題字………近衛会長
　【巻頭言】経済的南進に就て………本会理事　武智直道………一
　新たに仏印及泰国を観て………本会常務理事　飯泉良三………二

東亜への航空路………芦原友信………九
海南島開発の現況………馬場秀次………一四
葡領チモールの経済資源と開発の現状（完）………斎藤太郎………二一
一九四〇年の蘭印煙草と米………本会爪哇支部………二七
支那の南海諸島通交録（四）………松原晩香………三九
南方水産事情………渡辺東雄………四七
ビルマの鉱産資源………サー・ルイス・レー・ファマー………五二
トピックス解剖
　南洋貿易会の誕生………一三
　蘭印政府が工業企業に参加………五九
資料月報
　爪哇莫大小市況（一月中）………六〇
　蘭領印度莫大小襯衣輸入統計（一月）………六〇
　蘭印綿布市況（一月中）………六一
　蘭印綿布輸入統計（昭和十五年十二月中）………六二
　蘭印衛生陶器輸入統計………六四
　蘭印衛生綿毛布輸入統計………六五
　蘭印衛生綿タオル輸入統計………六五
　蘭印対日本間の為替取引決済………六六
　馬来農産物市況（昭和十五年十一月）………六七
　馬来農産物市況（昭和十五年十二月）………七二
　英領馬来農産物統計………七七
　馬来輸出入貿易（昭和十五年十二月）………七九
　緬甸の輸出入統計（昭和十五年十一月）………八五
　新西蘭の貿易（一九四〇年第三・四半期）………八七
紀行　赤道は淀む（四）………井上雅二………九〇
一九四〇年（第三・四半期）蘭印貿易………本会爪哇支部………九九
日支事変と南洋（四四）………本会調査部………一〇七
　［略］
各地時報
　蘭領印度………（一一一）（四六）（五八）
　［略］
　英領馬来………（一一五）（三八）（九八）（一〇六）
　［略］

316　Ⅱ．南洋協会発行雑誌　総目録

　　　比律賓………（一一九）（八九）

　　　［略］

　　　仏領印度支那………（一二〇）

　　　［略］

　　　タイ国………（一二一）

　　　［略］

　　　豪州………（一二一）

　　　［略］

　　　内地………（一二五）

　　　［略］

　　支那・南洋向海外放送………日本放送協会国際部………（一二七）

本会報告………一二九

　　本部―東海支部―会員異動―新備付図書………一二九

◆『南洋』第二十七巻第六号［昭和十六年］六月一日発行）

　　　題字………近衛会長

　【巻頭言】南洋と文化提携………本会常務理事　飯泉良三………一

　泰国市場の印象………相原恒久………二

　仏領印度支那の仏教………中島関爾………一〇

　南方大調査機関設置の緊急性………永丘智太郎………二四

　新嘉坡華僑の昨今………本会新嘉坡産業館………二九

　比島の鉱産資源と米国への依存性………本会調査部………三九

　支那の南海諸島通交録（五）………松原晩香………五〇

　トピックス

　　日仏印経済協定調印………本会調査部………四三

　資料月報

　　爪哇莫大小市況（二月中）………五八

　　蘭印莫大小襯衣輸入統計………五八

　　蘭印綿布市況（二月中）………五八

　　爪哇綿布輸入統計（一月中）………六〇

　　外領綿布輸入統計（一月中）………六一

　　一九四〇年の世界石油生産高………六二

　　蘭印の国庫収入………六二

　　爪哇のチーク材………六三

馬来鳳梨事業概観（一九四〇年九―十一月）………六五
　　　馬来農産物市況（一月）………六六
　　　新嘉坡輸入本邦織物市況（二月中）………七〇
　　　新嘉坡輸入織物製品市況（二月中）………七二
　　　馬来輸出入貿易（一月中）………七三
　蘭印と比島の貿易動向………二八
　仏印主要都邑の点描………角　清治………七九
　紀行　赤道は淀む（五）………井上雅二………九一
　日支事変と南洋（四五）………本会調査部………九九
　　［略］
　各地時報
　　蘭領印度………（一〇三）
　　　［略］
　　英領馬来………（一〇七）（二七）（四九）（九八）
　　　［略］
　　比律賓………（一一一）
　　　［略］
　　タイ国………（一一四）（二七）
　　　［略］
　　仏領印度支那………（一一四）（五七）（七八）（九〇）
　　　［略］
　　内地………（七八）
　　　［略］
　支那・南洋向海外放送………日本放送協会………（一一五）
本会報告………一一七
　本部―爪哇支部―東海支部―盤谷支部―会員異動―新備付図書

◆『南洋』第二十七巻第七号（［昭和十六年］七月一日発行）
　　題字………近衛総裁
　【巻頭言】東亜共栄圏と南洋………本会相談役　井上雅二………一
　蘭印工業の現状と将来………山田文雄………二
　比島銅鉱業と輸出統制………法貴三郎………一一
　最近の比島市況概観………原　繁治………一九
　特輯　南方新農業に対する一考察

タイ国の植物繊維………ナイ・アリヤント・マニクン………二四
　　　加里肥料原料としての古々椰子………Ｊ・Ｍ・Ａペンデルス………三〇
　　　比律賓のゴム栽培………本会調査部………三八
　　特別付録　仏印輸入組合員名簿………本会調査部………（巻末）一〜五二
　　資料月報
　　　爪哇莫大小市況（三月中）………四三
　　　蘭印莫大小襯衣輸入統計（二月）………四三
　　　蘭印綿布市況（三月中）………四三
　　　蘭印綿布輸入統計（二月中）………四五
　　　馬来織物市況（三月中）………四七
　　　馬来農産物市況（二月）………四九
　　　馬来輸出入貿易（二月）………五三
　　　比島の貿易（一月）………五七
　　　比律賓のクローム鉄鉱………五九
　　　仏印鉱物生産統計（二月）………六一
　　　仏印鉱物生産統計（三月）………六二
　　　西貢中央市場食料品小売値段………六二
　　　仏印の棉花栽培………六四
　　　タイ国四重要物産………六四
　　本会主催　日仏親善の集ひ………六八
　　日支事変と南洋（四六）………本会調査部………七〇
　　　［略］
　　各地時報
　　　蘭領印度………（七五）（四二）
　　　［略］
　　　英領馬来………（八三）（四二）
　　　［略］
　　　比律賓………（八九）
　　　［略］
　　　仏領印度支那………（九五）
　　　［略］
　　　タイ国………（九六）
　　　［略］
　　　ビルマ………（九六）

［略］
　　　新西蘭………（九六）
　　　［略］
　　　内地………（九七）
　　　［略］
　　支那・南洋向海外放送………日本放送協会国際部………（九八）
本会報告………一〇〇
　　本部―台湾支部―爪哇支部―神戸支部―会員異動―新備付図書

◆『南洋』第二十七巻第八号（［昭和十六年］八月一日発行）
　　　題字………近衛総裁
　【巻頭言】日本の進むべき道………本会理事　大谷　登………一
　最近のダバオ事情（上）………岩永　啓………二
　南方資源の開発問題（一）………影山哲夫………六
　馬来ゴム事業と華僑（A）………本会調査部訳………一三
　安南と茶屋四郎次郎（上）………松尾樹明………一九
　支那の南海諸島通交録（六）………松原晩香………二三
　英領馬来の鉱産資源（一）………サー・ルーイス・レー・ファーマー………二七
　比島の自転車及び部分品市況………本会マニラ支部………三一
　資料月報
　　爪哇莫大小市況（四月）………三五
　　蘭印莫大小襯衣輸入統計（三月）………三五
　　蘭印綿布市況（四月）………三五
　　爪哇綿布輸入統計（三月）………三八
　　外領綿布輸入統計（三月）………三九
　　馬来輸出入貿易（三月）………四〇
　　比島在留外国人資産概況………四四
　トピック
　　日・仏印銀行協定調印………本会調査部………三四
　日支事変と南洋（四七）………本会調査部………四六
　　［略］
　各地時報
　　蘭領印度………（一八）（四八）（五一）
　　［略］

320 Ⅱ．南洋協会発行雑誌　総目録

　　　英領馬来………（五二）
　　　［略］
　　　比律賓………（五三）（二六）
　　　［略］
　　　豪州………（五三）
　　　［略］
　　　ビルマ………（五四）
　　　［略］
　　　タイ国（五四）
　　　［略］
　　　ニユー・カレドニア………（五四）
　　　［略］
　　　内地………（五四）（四五）
　　　［略］
　　支那・南洋向海外放送………日本放送協会………（五五）
本会報告………五七
　　本部―会員異動―新備付図書
付録　昭和十五年度財団法人南洋協会定時会員総会事業及会計報告書………一〜七七
　　　　昭和十五年度財団法人南洋協会会計報告………一〜八

◆『南洋』第二十七巻第九号（［昭和十六年］九月一日発行）
　　　題字………近衞総裁
　　【巻頭言】大南洋共栄体制の整備………本会理事　渥美育郎………一
　　交通政策より観たる南洋経済（上）………経済学博士　楢崎敏雄………二
　　最近のダバオ事情（下）………岩永　啓………一〇
　　馬来ゴム事業と華僑（B）………本会調査部訳………一六
　　南方資源の開発問題（二）………影山哲夫………二三
　　安南と茶屋四郎次郎（下）………松尾樹明………二八
　　英領馬来の鉱産資源（二）………サー・ルーイス・レー・ファーマー………三二
　　比律賓の対外貿易と戦争の影響………本会調査部訳………三八
　　トピツク
　　　日泰間に借款成立………四四
　　資料月報
　　　爪哇莫大小市況（五月）………四五

蘭領印度莫大小襯衣輸入統計（四月中）………四五

　　蘭印綿布市況（五月中）………四五

　　蘭印綿布輸入統計（四月中）………四八

　　馬来輸出入貿易（四月）………五〇

　　新嘉坡輸入本邦織物市況（四月中）………五五

　　馬来農産物市況（三月）………五八

　　馬来農産物市況（四月）………六二

　　新西蘭貿易概況（一九四一年第一・四半期）………六七

　支那の南海諸島通交録（完）………松原晩香………七〇

　一九四〇年の馬来米産状況………本会新嘉坡産業館………七八

　世界情勢と南洋華僑（四八）………本会調査部………八八

　　［略］

　各地時報

　　蘭領印度………（九四）（二二）

　　［略］

　　英領馬来………（九七）

　　［略］

　　比律賓………（九九）

　　［略］

　　仏領印度支那………（一〇一）（二七）（三七、四三）

　　［略］

　　豪州………（一〇二）

　　［略］

　　新西蘭………（一〇三）

　　［略］

　　ビルマ………（一〇四）

　　［略］

　　錫蘭………（一五）

　　［略］

　　内地………（一〇四）

　　［略］

　　支那・南洋向海外放送………日本放送協会国際部………（一〇五）

本会報告………一〇七

　本部―会員異動―新備付図書

付録　一九四〇年蘭領印度輸出統計表

◆『南洋』第二十七巻第十号（[昭和十六年] 十月一日発行）

　　題字………近衛総裁

【巻頭言】大東亜共栄圏と貿易体制………本会理事　南郷三郎…………一

交通政策より観たる南洋経済（下）………経済学博士　楢崎敏雄………二

フィリピンの工業化運動………和田義隆………九

新嘉坡華僑系銀行発達史………本会新嘉坡産業館………一七

特別付録

　　一九四〇年の蘭印経済………H・コヘン稿　本会調査部訳編………（巻末）一〜六九

白象神秘物語（上）………田沢丈夫………二三

一九四〇年の馬来護謨栽培………本会新嘉坡産業館………二七

トピック

　　貿易統制の一元化　南洋貿易会と東亜輸聯の統合………三二

資料月報

　　爪哇莫大小市況（六月中）………三三

　　爪哇莫大小市況（七月中）………三三

　　蘭印莫大小襯衣輸入統計（五月中）………三三

　　蘭印綿布市況（六月中）………三四

　　爪哇綿布輸入統計（五月中）………三六

　　外領綿布輸入統計（五月中）………三八

　　蘭印の織物業………三九

　　新嘉坡織物製品市況（七月中）………四一

　　馬来輸出入貿易（六月）………四二

　　馬来農産物市況（六月）………四三

北部仏印の氏神………水谷乙吉………五〇

世界情勢と南洋華僑（四九）………本会調査部………五五

　［略］

各地時報

　　蘭領印度………（五九）

　　［略］

　　英領馬来………（六二）

　　［略］

　　比律賓………（六三）

［略］

　　仏領印度支那………（六五）

　　　［略］

　　タイ国………（六六）

　　　［略］

　　豪州………（六六）

　　　［略］

　　ビルマ………（六七）

　　　［略］

　　内地………（六七）

　　　［略］

　支那・南洋向海外放送………日本放送協会国際部………（六八）

本会報告………七〇

　　本部―会員異動―新備付図書

◆『南洋』第二十七巻第十一号（［昭和十六年］十一月一日発行）

　　　題字………近衛総裁

　【巻頭言】南洋の建設………本会理事　坂本正治………一

　戦時下の比島情勢………同盟通信社前マニラ支局長　中屋健一………二

　馬来漁業と華僑………陳章彬………一四

　比律賓華僑の経済的勢力………本会マニラ支部………二一

　蘭印総輸入部について………本会爪哇支部………四一

　現地通信　最近のタイ国点描………本会盤谷支部………四七

　白象神秘物語（下）………田沢丈夫………五五

　資料月報

　　　蘭印綿布市況………六五

　　　新嘉坡の輸入織物………六七

　　　英領馬来の食糧対策（蔬菜類）………七〇

　　　比島卑金属鉱輸出高………七七

　　　仏印鉱産統計（一九四一年上半期）………七九

　　　ビルマの対外貿易………七九

　一九四〇年の馬来茶生産………本会新嘉坡産業館………八三

　世界情勢と南洋華僑（五〇）………本会調査部………九〇

　　　［略］

各地時報

 蘭領印度………（九六）（六四）（八九）

 ［略］

 比律賓………（九八）（四六）（五四）（八二）（八九）

 ［略］

 仏領印度支那………（一〇一）

 ［略］

 タイ国………（一〇一）

 ［略］

 新西蘭………（一〇二）

 ［略］

 ビルマ………（一〇三）

 ［略］

 支那・南洋向海外放送………日本放送協会国際部………（一〇四）

本会報告………一〇六

 本部―会員異動―新備付図書

◆『南洋』第二十七巻第十二号（［昭和十六年］十二月一日発行）

 題字………近衛総裁

【巻頭言】南洋関係者の覚悟………本会常務理事　佐々木勝三郎………一

蘭印の交通現状………経済学博士　楢崎敏雄………二

比律賓華僑の経済的勢力（その二）………本会マニラ支部………二一

現地を視る　ニューカレドニヤ経済の動向………蓼沼哲哉………二九

最近の蘭印歳入財政………本会爪哇支部………三九

仏印の華僑………水谷乙吉………四四

蘭領印度の単寧工業………本会爪哇支部………五一

資料月報

 馬来輸出入貿易（八月）………六二

 馬来人口の動態………六五

 在馬来邦人数の増減………六六

 新嘉坡市場の公定価格………六六

 比島食料品の価格………六八

 本年上半期の比島卑金属鉱輸出………七〇

 西貢及近郊の邦人商社名一覧………本会西貢支部調査………六〇

チエンマイ（泰国）帝国領事館開設………八〇

各地時報

  英領馬来………（七二）

  ［略］

  仏領印度支那………（二〇）（七一）（七三）

  ［略］

  比律賓………（七四）（三八）（五〇）（五九）

  ［略］

  豪州………（七八）

  ［略］

  セイロン………（七九）

  ［略］

  支那・南洋向海外放送………日本放送協会国際部………（八一）

本会報告………八三

  本部―新嘉坡支部―南洋群島支部―盤谷支部―会員異動―新備付図書

◆『南洋』第二十八巻第一号（［昭和十七年］一月一日発行）

  題字………近衛総裁

  【巻頭言】………本会副会長兼理事長　林久治郎………一

  支那・仏印間の新旧植民史………経済学博士　井出季和太………二

  蘭印の財政々策（上）………B・ランドヘア稿　今　藤雄訳………一五

  泰国の仏教（A）………中島関爾………二八

  戦火燃ゆる馬来農業断想………濱田恒一………三四

  印度支那クメール王国（一）………ポール・ヅウメ稿　本会調査部訳………四〇

  比律賓華僑の経済的勢力（其の三）………本会マニラ支部………四六

  一九四一年上半期の蘭印経済（A）………本会爪哇支部………五五

  安南の伝説と物語………水谷乙吉………六七

  トピツク解剖………英領馬来と比律賓

    英領馬来の素描………佐々木勝三郎………七二

    比律賓の横顔………佐々木勝三郎………八三

  資料月報

    爪哇莫大小市況（八月中）………一〇三

    蘭領印度莫大小襯衣輸入統計（六月中）………一〇三

    蘭印綿布市況（八月中）………一〇三

爪哇綿布輸入統計（六月中）………一〇五

　　　外領綿布輸入統計（六月中）………一〇八

　　　馬来織物製品市況（七月中）………一〇九

　　　在仏印株式会社の公称資本と利益配当………一一〇

　　　盤谷港貿易趨勢………一一二

　　　泰国の予算（一九四二年度）………一一三

　　　泰国白米輸出高（七月中）………一一三

　　　泰国綜合銀行勘定（八月中）………一一三

　　　タイ国人絹市場………一一四

　　　タイ国自転車及タイヤ市況………一一五

　一九四〇年の馬来農業貿易………本会新嘉坡産業館………一一六

　各地時報

　　　蘭領印度………（一二八）

　　　［略］

　　　英領馬来………（二七）

　　　［略］

　　　仏領印度支那………（一二九）（四五）

　　　［略］

　　　比律賓………（一三〇）（五四）

　　　［略］

　　　タイ国………（一三四）

　　　［略］

　　　豪州………（一三四）

　　　［略］

　　　国際………（一三五）

　　　［略］

　　　内地………（一三七）

　　　［略］

本会報告………一三八

　　本部—会員異動—新備付図書

◆『南洋』第二十八巻第二号〔昭和十七年〕二月一日発行）

　　　題字………近衛総裁

　　【巻頭言】………本会常務理事　飯泉良三………一

南洋の農産資源………農業博士　渋谷常紀………三
大東亜共栄圏に於ける糖業問題………糖業聯合会常務理事　中瀬拙夫………一〇八
フイリッピン群島の農業事情………海南産業常務取締役　児島宇一………三一
邦品市場としての比島の将来………渡辺　薫………二二
蘭領ボルネオの産業………加藤栄太郎………一一六
英国の宝庫マレー………マイケル・グリンバーク　本会調査部訳………四五
蘭印の化学工業………本会調査部訳………五四
一九四一年上半期の蘭印経済（B）………本会爪哇支部………七四
印度支那に於ける貯蓄及び資本の成立（一）………本会調査部訳………六六
比律賓華僑の経済的勢力（其の四）………本会マニラ支部………九四
泰国の仏教（B）………中島関爾………九六
資料月報
　爪哇莫大小市況（九月中）………一三二
　蘭領印度莫大小襯衣輸入統計（七月中）………一三二
　蘭印綿布市況（九月中）………一三三
　爪哇綿布輸入統計（七月中）………一三五
　英領馬来の通貨、金融、為替事情………一三九
　ビルマの地質別地方別鉱床分布状況………一五一
　比律賓の通貨及発行制度………一四二
　比島産業再編成の急務………一四四
　比島ブスアンガ島の満俺鉱………一四七
　泰国通貨準備高………一四八
　タイ国の鉄道及道路建設計画………一四九
南洋協会神奈川県支部新設………一五五
大東亜戦争比島ダバオ同胞殉難者氏名………二一
各地時報
　内地………三〇、五三、一〇七、一三一、一五八
　［略］
　ビルマ………四四
　［略］
本会報告………五九
　本部―神奈川県支部―会員異動―新備付図書

◆『南洋』第二十八巻第三号（[昭和十七年] 三月一日発行）

わが対南施策………本会々長伯爵　児玉秀雄………（一）
共栄圏内のゴム産業統合対策………有村貫一………（七）
南方海運対策に就て………戸張正胤………（一二）
共栄圏内の食糧対策………鈴木公志………（一六）
共栄圏の棉作問題………立見尚俊………（五九）
南方資源をめぐるアメリカの戦略的立場………本会調査部………（二七）
フイリツピンの糖業………本会調査部………（六七）
ビルマの石油資源………エル・ダドリイ・スタンプ　本会調査部訳………四一
南洋華僑経済の危機（一）………葛青丸………（一〇八）
印度支那クメール王国（二）………ポール・ヅウメ　本会調査部訳………（七五）
蘭印に於けるオランダ語の普及………Ｉ・Ｊブルグマンス　本会調査部訳………（七九）
一九四〇年の蘭印工業………本会爪哇支部………（八九）
蘭印と豪州及新西蘭との経済的相互関係………ドナルド・コウウイ　本会調査部訳………（一〇二）
印度支那に於ける貯蓄及び資本の成立（二）………本会調査部訳………一一五

資料月報
　爪哇の蜜糖………（一二六）
　南部仏印糖蜜事情………（一三二）
　爪哇糖業関係機関………（一三二）
　比律賓の糖業関係機関………（一三五）
　蘭印バタビヤの生活費指数………（一三七）
　蘭印貿易の動向………（一三八）
　豪州の対東亜貿易………（一四一）
　最近の新西蘭統計………（一四五）

南方対策
　南方開発企業担当者指定………（二六）
　南方共栄圏管理通貨制採用………（六六）
　紡聯の共栄圏内原棉自給策………（五八）
　世界各地の比島人蹶起………（七四）
　共栄圏内物資自給策………（一二五）
　人的資源の確保上南方移民不採用………（一五二）

本会報告………（一五三）　会員異動………（一五三）　新備付図書………（一五六）

◆『南洋』第二十八巻第四号（[昭和十七年]四月一日発行）

　　題字………近衛総裁

【巻頭言】思想交流の途………本会常務理事　佐々木勝三郎………（一）

広域東亜建設の構想………野間海造………（二）

南洋の世界市場への貢献………浅香末起………（一一）

比律賓の自給策検討………渡辺　薫………（二四）

ビルマに於ける石油事情………川橋一郎………（三三）

ボルネオの林業労働者に就て………牟田敏崇………（四六）

東インド労働政策史（一）………ド・カツト・アンヘリノ　本会調査部編訳………（五五）

蘭印海路の地政学的戦略的重要性………エフ・ジエー・キスト　本会調査部訳………（六六）

蘭印華僑の人口及び富………姚寄鴻………（七二）

一九四〇年の蘭印工業（下）………本会爪哇支部………（七八）

ビルマ観たまゝ………本間幸次郎………（一一四）

東印度の水力電気事業………本会調査部訳………（九八）

南洋華僑経済の危機（二）………葛青丸………（一〇三）

仏印初期の仏人………水谷乙吉………（九二）

資料月報

　　戦前に於ける独逸の対南洋貿易………（一一六）

　　本邦対南方五ヶ国間輸出入品調（一九三八年）………（一二〇）

　　仏印の貿易………（一二三）

　　仏印に於ける米、玉蜀黍市場の統制………（一二四）

　　在仏印日仏関係総委員会の設立………（一二五）

　　交趾支那に於ける砂糖栽培及製糖業………（一二六）

　　仏印の発電力量及需用電力量………（一二八）

　　泰国緊急通貨法ニ基ク大蔵省令並ニ外国為替管理法………（一三六）

　　泰国予算（一九四二年度）………（一三八）

　　泰国農民の現状と協同組合の効果………（一三九）

　　ニユーギニア各種統計………（一四〇）

　南洋協会広島県支部新設………（一四四）

　南方対策

　　南方策を統合樹立、拓務省に臨時拓殖研究所………（二三）

　　南方医療へ先陣………（五四）

　　日・泰為替換算率不変………（六五）

　　輸出入調整機関を新指定………（七一）

本会報告………（一五二）　会員異動………（一五三）　新備付図書………（一五四）

◆『南洋』第二十八巻第五号（［昭和十七年］五月一日発行）

　　　題字………近衛本会総裁
　【巻頭言】パホン特使を迎へて………本会副会長兼理事長　酒匂秀一………（一）
　南方占領地経営を訊く………座談会………（一八）
　　内容
　　マニラ邦人の監禁・マニラへの皇軍入城・フイリツピンを如何するか………マニラ総領事　新納克巳氏
　　リンガエンからマニラまでの景観・フイリツピンの農業事情・フイリツピン棉作の将来性・ダバオ邦人の監禁状態・ダバオの麻産業は？………拓務省殖産局農林課事務官　金次　博氏
　　南方の軍状・南方土着民の協力状況・軍政の実施状況………大本営陸軍報道部陸軍少佐　富永亀太郎氏
　　「タイ」へ行つて感じた事………元公使日泰協会専務理事　矢田部保吉氏
　　武力戦期の通貨問題・建設戦期の通貨問題………三菱銀行調査部長　吉田政治氏
　「タイ」国対外政策の史的考察………永丘智太郎………（二）
　南方の航空問題………長谷川昌夫………（四二）
　爪哇糖の販売統制と計画生産（一）………江木盛雄………（四六）
　イギリス北ボルネオ会社史（一）………法貴三郎………（八八）
　東インド労働政策史（二）………ド・カット・アンヘリノ　本会調査部編訳………（七八）
　ビルマのタングステン鉱………H・L・チツバア述　本会調査部訳………（六二）
　比島に於ける米作研究の進歩………ホセ・B・フリアノ　本会調査部訳………（一四一）
　マレー人の食物………R・O・ウインステツド　本会調査部訳………（一五二）
　特輯資料
　　南方開発金庫関係資料………（九四）
　南方棉花の栽培―指定業者近く現地へ………（四一）
　読者：「マツクス・ハーフェラール」と「スマトラの苦力」………（六一）
　南方に発券機関整備………（一五一）

本会報告………（一六一）　会員異動………（一六一）　新備付図書………（一六四）

◆『南洋』第二十八巻第六号（［昭和十七年］六月一日発行）

　　　題字………近衛本会総裁
　【巻頭言】南方民族研究の興隆を望む………本会理事　渥美育郎………（一）
　昭南港を中心とする海運………松隈国健………（二）
　南方産業の再編成………経済学博士　楢崎敏雄………（一〇）

日蘭会商前後………川本邦雄………（七八）

タイ国経済の動向………川田冨久雄………（二一）

東インド労働政策史（三）………ド・カット・アンジェリノ　本会調査部編訳………（五一）

戦時に於ける印度の工業化………アンドリユウ・ロオス　本会調査部訳………（二九）

ビルマの鉱物資源—鉛・銀・亜鉛—………H・L・チツバア博士述　本会調査部訳………（四〇）

爪哇糖の販売統制と計画生産（二）………江木盛雄………（六三）

比島の華僑事情………渡辺　薫………（七四）

特輯資料

　一九四〇年度マレー農業統計（一）………マレー農務省編………（八二）

　　一九三六年度末現在マレーの譲渡土地面積………（八三）　国籍別地方別マレー農業人口………（八四）　国籍別地方別マレー総人口と農業人口………（八五）　一九四〇年度マレー作物栽培面積………（八六）　マレー農産物累年純輸入額及び純輸出額………（八七）　一九四〇年度末現在マレー護謨園面積………（八九）　所有者国籍別エステートに於ける護謨統計（一九四〇年）………（九〇）　一九四〇年度エステート護謨樹芽接面積………（九一）　芽接年次別エステート護謨樹芽接面積………（九二）　一〇〇エーカーのエステート及び一〇〇エーカー以下のエステートに於ける月別護謨生産額………（九三）　マレー護謨総輸入額………（九四）　マレー護謨総輸出額………（九六）　マレー護謨純輸出額………（九七）　主要仕向国別マレー護謨総輸出額………（九八）　マレー護謨樹種子純輸出額………（九八）　マレー護謨製箱純輸入額………（九九）　一九四〇年度マレーココ椰子栽培面積………（一〇〇）　マレーココ椰子製品総輸入額………（一〇一）　マレーココ椰子製品総輸出額………（一〇二）　マレーココ椰子製品純輸出額………（一〇三）　主要仕向国別マレーコプラ総輸出額………（一〇四）　主要仕向国別マレーココ椰子油総輸出額………（一〇五）　マレー聯邦州コプラ輸出額………（一〇六）

馬来の錫鉱業と華僑………新嘉坡華僑銀行経済調査室述　本会調査部訳………（一〇七）

民信送金と祖国経済………葉　淵………（一二五）

資料月報

　仏印の工業概観………（一三四）

　仏印の綿業………（一三七）

　仏印輸出農産物検査………（一四〇）

　比島の国営会社活動開始………（三九）

　新刊紹介………（一三三）

本会報告………（一四二）　会員異動………（一四三）　新備付図書………（一四五）

◆『南洋』第二十八巻第七号（［昭和十七年］七月一日発行）

　　題字………近衛本会総裁

【巻頭言】南洋学院の設立に当りて………本会副会長兼理事長　酒匂秀一………（一）

南洋・支那物資興隆問題の将来………藤岡　啓………（二）

マレー及スマトラ再建の構想………砂田重政………（一七）

明治南進論事始………入江寅次………（二九）

比律賓農業の組織変更検討………渡辺　薫………（三六）

白豪主義の発展小史………矢代不美夫………（四八）

ビルマの鉄鉱………H・L・チツバア述　本会調査部訳………（五八）

イギリス北ボルネオ会社史（二）………法貴三郎………（七六）

東インド労働政策史（四）………ド・カツト・アンジェリノ　本会調査部編訳………（八八）

スマトラの民族（一）………エドウイン・M・ロエブ　本会調査部訳………（九八）

旧独領サモアに於ける労働問題………エリカ・ズーハン・ガロウ　本会調査部訳………（一一一）

特輯資料

　一九四〇年度マレー農業統計（二）………マレー農務省編………（一一八）

　　椰子果皮繊維縄索及び椰子果皮繊維純輸入額………（一一九）　藁及び筵純輸入額………（一一九）　特定縄索・麻糸及び繊維純輸入額………（一二〇）　一九三九―四〇年稲作付面積及び籾収穫高………（一二一）　稲作付面積累年比較………（一二二）　米生産額累年比較………（一二三）　米純輸入額（一九二三―四〇年）………（一二四）　籾純輸入額（一九二三―四〇年）………（一二六）　米生産額、輸入額及び消費額（一九一八―四〇年）………（一二六）　油椰子栽培面積（一九一七―四〇年）………（一二七）　一九四〇年度油椰子栽培面積………（一二八）　椰子油及び油椰子実累年生産額………（一二九）　一九四〇年度月別椰子油生産額………（一三〇）　一九四〇年度月別油椰子実生産額………（一三一）　油椰子製品純輸出額………（一三一）　主要仕向国別椰子油総輸出額………（一三二）　缶詰パイナツプル総輸出額………（一三二）　主要仕向国別パイナツプル総輸出額………（一三四）　檳榔子実貿易額（一九二三―四〇年）………（一三四）　珈琲純輸入額（一九二三―四〇年）………（一三五）　植付年度別茶栽培面積………（一三六）　茶生産額及び輸出額………（一三六）　倫敦に於けるマレー茶月別平均価格………（一三七）　茶純輸入額（一九二三―四〇年）………（一三八）　茶消費額（一九三〇―四〇年）………（一三九）　一九四〇年度珈琲及び茶栽培面積………（一三九）　一九四〇年度食用作物作付面積………（一四〇）　一九四〇年度果樹栽培面積………（一四二）　一九四〇年度香料原料栽培面積………（一四三）

マレー・スマトラへ和文電報開始………（二八）

棉花開発戦士比島へ………（三五）

マレーゴム生産本格化………（四七）

マレー各種工場委託経営へ………（七五）

ジヤバよりの一般送金許可………（一一七）

新刊紹介………（一四四）

本会報告………（一四五）　会員異動………（一四七）　新備付図書………（一五〇）

◆『南洋』第二十八巻第八号（［昭和十七年］八月一日発行）

　　題字………近衞本会総裁

【巻頭言】熱帯の征服………（一）

大東亜共栄圏と海運………戸張正胤………（二）

南方圏の人口問題………小田橋貞寿………（一〇）

南方進出の医学的問題………佐藤　正………（一八）

ビルマの鉱産資源―雑鉱物（一）―………H・L・チツバア博士述　本会調査部訳………（二三）

イギリス北ボルネオ会社史（四）………法貴三郎………（三七）

ホセ・リサールと「東亜のヒリツピン」………井上雅二………（四三）

特輯資料

　一九四〇年度マレー農業統計（三）………マレー農務省編………（四八）

　　一九四〇年度パハン州カメロン高地の雑作物作付面積………（四八）　カポック純輸入額………（四九）　パチユリ純輸出額………（五一）　黒胡椒・白胡椒貿易額………（五一）　胡椒純輸出額………（五三）　生薑(しょうが)輸入額………（五四）　落花生・カチヤン油純輸入額………（五四）　サゴ椰子総輸入額………（五五）　サゴ椰子総輸出額………（五七）　サゴ椰子純輸出額………（五八）　タピオカ総輸入額………（五九）　タピオカ総輸出額………（六〇）　タピオカ生産物純輸出額………（六一）　タピオカ屑純輸入額………（六三）　デリス根輸出入額………（六三）　砂糖純輸入額………（六四）　煙草純輸入額………（六五）　蔬菜純輸入額………（六八）　肉用家畜純輸入額………（七〇）　肉類純輸入額………（七一）　皮革類純輸出額………（七二）　爬虫類皮純輸出額………（七四）　鞣皮、鞣皮製品純輸入額………（七四）

　大東亜共栄圏人口状態………（一七）

　新刊紹介………（四七）

本会報告………（七六）　会員異動………（七七）　新備付図書………（七八）

付録

　南洋協会定時会員総会員総会議事速記録（昭和十七年六月三十日）………（巻末）一～四三

　昭和十六年度財団法人南洋協会事業及会計報告………（巻末）一～八

◆『南洋』第二十八巻第九号（［昭和十七年］九月一日発行）

　　題字………近衞本会総裁

【巻頭言】「生か死か」の関頭に立つ印度………（一）

南方に於ける日本人の衣食住に就て………陸軍主計大佐農学博士　川島四郎………（二）

旧蘭印の官営質屋の近況………井関孝雄………（四八）

334　Ⅱ．南洋協会発行雑誌　総目録

　　東印度官営質屋概観………（六一）

　　マレー半島史話………本会調査部訳………（三一）

　　タイ国事情（五月―七月）………（九五）

　　ビルマの鉱山労働事情………Ｆ・Ｗ・ビンゲ　本会調査部訳………（六四）

　　ビルマの鉱産資源―雑鉱物（二）―………Ｈ・Ｌ・チツバア博士述　本会調査部訳………（七〇）

　　スマトラの民族（二）………エドウイン・Ｍ・ロエブ　本会調査部訳………（八八）

　　イギリス北ボルネオ会社史（五）………法貫三郎………（八一）

　　ニューギニア関係邦文文献目録………安江安宣………（一一一）

　特輯資料

　　　一九四〇年度マレー農業統計（四）………マレー農務省編………（一二四）

　　　　牛乳純輸入額………（一二五）　バタ、人造バタ、牛酪油純輸入額………（一二七）　家禽、卵純輸入額………（一二八）　家畜飼料純輸入額………（一二九）　アタプ純輸入額………（一三〇）　薪炭材純輸入額………（一三一）　酸類純輸入額………（一三二）　木炭純輸入額………（一三三）　肥料純輸入額………（一三四）　クリスマス島燐酸石灰総輸出額………（一三五）　農機具純輸入額………（一三五）　明礬純輸入額………（一三七）　丁字貿易額………（一三七）　蓖麻子油純輸入額………（一三八）　石鹸純輸入額………（一三八）　胡麻純輸入額………（一三九）　果実、果汁純輸入額………（一四〇）　ガンビール純輸出額………（一四一）　花卉純輸入額………（一四二）　シトロネラ油純輸入額………（一四三）　一九四〇年度家畜一斉調査結果表………（一四三）　一九四〇年度香料類月別平均価格………（一四三）　一九四〇年度農産物月別平均価格………（一四五及一四六）　一九二三―四〇年農産物平均価格………（一四七及一四八）

　　貿易統制会南洋局の機構………（一〇八）

　　ジヤバ地方行政機構改正………（六〇）

　　ジヤワ軍政の近況………（六九）

　　スマトラにも棉作………（八七）

本会報告………（一五〇）　会員異動………（一五一）　新備付図書………（一五一）

◆『南洋』第二十八巻第十号（［昭和十七年］十月一日発行）

　　　題字………近衛本会総裁

　【巻頭言】南方生活科学研究会の開設………本会常務理事　飯泉良三………（一）

　　南方建設を現地に視る………海軍省顧問本会副会長　藤山愛一郎………（二）

　　共栄圏より観たる印緬交易の将来………飯村天浪………（二三）

　　ジヤワの「村落共同体」―その一断面―………井手謌一郎………（三二）

　　比律賓衛生事情………海軍々医大佐　宮尾　績………（四〇）

監禁前後から救出まで………前バタビヤ総領事　石澤　豊………（四七）

ダバオ麻の将来………渡辺　薫………（六七）

印度の国境問題………永丘智太郎………（七一）

南方圏の飼料資源………細川善磨………（八二）

スマトラの民族（三）………エドウイン・M・ロエブ　本会調査部訳………（九四）

大東亜統計要覧―生産の部（一）………本会調査部訳編………（一二〇）

　　米………（一二〇）　小麦………（一二二）　大麦………（一二三）　燕麦………（一二三）　らい麦………（一二四）　大豆………（一二四）　玉蜀黍………（一二五）　馬鈴薯………（一二六）　落花生………（一二七）　甘蔗糖………（一二八）　甜菜糖………（一二八）　茶………（一二九）　コーヒー………（一二九）　ココア(生)………（一三〇）　ホップ………（一三一）　コプラ………（一三一）　椰子油………（一三二）　椰子核………（一三二）　棉実………（一三三）　亜麻仁………（一三三）　麻実………（一三四）　胡麻………（一三四）　生糸………（一三五）　棉花………（一三六）　黄麻………（一三六）　麻………（一三七）　マニラ麻………（一三七）　亜麻………（一三七）　煙草………（一三八）　護謨………（一三九）

東印度農業統計（一九四〇年）（一）………旧蘭印中央統計局編………（一〇三）

　　ジヤワ及びマヅラに於ける土地配分………（一〇四）　ジヤワ及マヅラに於ける灌漑事業………（一〇六）　政府による私有地の買戻………（一〇六）　ジヤワ私有会社による私有地買入………（一〇八）　ジヤワ及マヅラに於ける水田所有権の種類………（一〇八）　ジヤワ及マヅラに於ける乾田及び海魚池所有権の種類………（一一〇）　土着民農耕地面積………（一一一）　ジヤワ及マヅラに於る地租賦課地面積並に該土地所有権の譲渡………（一一四）　外領に於ける地租賦課地面積並に該土地所有権の譲受………（一一五）　土着民によるジヤワ及マヅラに於ける官有地の開墾………（一一八）

南方生活科学研究会………（二二）

南洋学院の新入生………（一五〇）

南洋協会山口県支部新設………（一四〇）

ジヤワに農民道場………（三一）　マレー・スマトラ通貨新交換制………（三九）　比島問題研究所設置………（四六）　比島軍政財政自給体制へ………（七〇）　近刊印度関係邦文図書………（八一）　仏印の対満関支貿易バーター制採用………（九三）

本会報告………（一五一）　会員異動………（一五三）　新備付図書………（一五五）

◆『南洋』第二十八巻第十一号（[昭和十七年]十一月一日発行）

　　題字………近衛本会総裁

【巻頭言】南方生活の心構………南洋協会々長陸軍最高顧問伯爵　児玉秀雄………（一）

現地視察報告　南方医学の諸問題………陸軍省医務局長軍医中将　三木良英………（四）

気候学より観たる南方生活………海軍軍医大佐医学博士　小田島祥吉………（四七）
本邦防疫医学と熱帯病の関係に就て………厚生省防疫課長医学博士　南崎雄七………（五五）
比律賓衛生事情………海軍々医大佐医学博士　宮尾　績………（七〇）
大東亜戦後の「タイ」国経済事情………Ｄ・Ｎ・Ｂ通信東京支局員　Ｆ・Ｈ・ハンデゲ………（二七）
　仏印経済事情………仏印経済省編　本会調査部訳………（三七）
東西両共栄圏交流の将来………国際文化振興会調査部長　稲垣守克………（二一）
南方交易史話（一）―末次平蔵の巻―………梅本貞雄………（七九）
インドネシアの風習―婚約、結婚、出産―………アミール・ハツサン述　本会調査部訳………（九二）
仏印の茶栽培事業………本会西貢支部………（九八）
和蘭東印度会社々則………本会調査部訳………（一〇五）
東印度農業統計（一九四〇年）（二）………旧蘭印中央統計局編………（一一六）
　ジヤワ及マヅラに於けるエステート農業土地権………（一一七）　外領に於けるエステート農業土地権………（一一九）　ジヤワ及マヅラに於ける土地権によるエステート農業の類別（Ａ）………（一二一）　ジヤワ及マヅラに於ける土地権によるエステート農業の類別（Ｂ）………（一二二）　外領に於ける土地権によるエステート農業の類別（Ａ）………（一二四）　外領に於ける土地権によるエステート農業の類別（Ｂ）………（一二六）　エステート農業の永租借地面積並に植付済及び植付未済農業租借地面積………（一二八）　登記年度及び一バウ（bouw）当り年貢租金額によるジヤワ及マヅラに於けるエステート農業登記租借地区画面積………（一二九）　官有地バウ当り及自治領ヘクタール当り年貢租金額による外領官有地及自治領に於けるエステート農業………（一三一）　登記年度によるジヤワ及マヅラに於ける小農業登記租借地区画面積及一バウ当り貢租金額………（一三三）　バウ当り貢租金額による外領に於ける官有地小農業に対する登記租借地区割面積………（一三四）　外領に於けるヘクタール当り貢租金額による政府認可租借地面積………（一三五）　外領に於けるヘクタール当り貢租金額による自治州認可租借地面積………（一三五）　ジヤワ及マヅラに於けるエステート農業永代租借地割当譲受………（一三六）　外領に於けるエステート農業永代租借地割当譲受………（一三九）　外領の於けるエステート農業に対する認可農業租借地譲受………（一四一）　永代借地権所有者の国籍………（一四二）　農業租借地所有者の国籍………（一四五）
マレー語の整備へ………（三六）　マレー建設進展………（五四）　マレー、スマトラに内地の農業技術導入………（六九）　ビルマ棉増産計画………（九一）　新刊紹介………（一一五）
本会報告………（一四七）　会員異動………（一五二）　新備付図書………（一五四）

◆『南洋』第二十八巻第十二号（［昭和十七年］十二月一日発行）

題字………近衛本会総裁
【巻頭言】大東亜戦争一周年を迎ふ………本会副会長兼理事長　酒匂秀一………（一）

南方生活科学
　　昭南島に於ける衛生復旧工作の現状………昭南市民政部長　安藤公三………（二）
　　熱帯生活と疾病予防………海軍軍医大佐医学博士　宮尾　繽………（一二）
　　南方に於ける性病とその予防対策………医学博士　志村芳雄………（二〇）
　　仏印生活を語る………貿易統制会南洋局　加藤俊雄………（三三）
印度支那に於ける物価騰貴………本会調査編纂部訳………（四〇）
安南と外国文化………村松嘉津………（五〇）
マレーの住居………R・O・ウインステッド　本会調査編纂部訳………（五六）
スマトラの民族（四）………エドウイン・M・ロエブ　本会調査編纂部訳………（六九）
南方交易史話（二）―末次平蔵の巻―………梅本貞雄………（八一）
仏印の茶栽培事業（二）………本会西貢支部………（八九）
大東亜統計要覧―生産の部（二）―………（九七）
　　畜産物
　　　　獣肉………（九七）　バター………（九八）　チーズ………（九九）　乳………（九九）　マーガリン（人工バター）………（一〇〇）　羊毛………（一〇〇）
　　水産物
　　　　魚類（海）………（一〇一）
　　工業産物
　　　　人絹………（一〇二）　ステイプル・フアイバー………（一〇二）　アルコール………（一〇二）　セメント………（一〇三）
　　鉱産物
　　　　原油………（一〇三）　シーエル油………（一〇四）　石油製品………（一〇四）　天然ガス………（一〇六）　褐炭………（一〇六）　石炭………（一〇六）　黄鉄鉱………（一〇七）　硫黄………（一〇八）　硫酸………（一〇八）　満俺鉱………（一〇九）　鉄鉱………（一〇九）　銑鉄及び鉄合金………（一一〇）　鋼………（一一一）　銅鉱………（一一一）　銅………（一一二）　鉛鉱………（一一二）　鉛………（一一三）　亜鉛鉱………（一一三）　亜鉛………（一一四）　錫鉱………（一一四）　ボーキサイト………（一一五）　錫………（一一五）　アルミニユーム………（一一六）　クローム鉱………（一一六）　ニツケル鉱………（一一六）　タングステン鉱………（一一七）　カドミウム………（一一七）　アンチモニー鉱………（一一八）　水銀………（一一八）　モリブデン鉱………（一一八）　銀………（一一九）　金………（一一九）
本会に［南方生活研究所］を設置………（一四〇）
財団法人南洋協会岡山県支部創立総会概況………（一二一）
マレーのデリス根増産計画………（一一）　昭南マレーの保健体制………（三九）　比島の煙草増産計画………（四九）　ジヤワの棉作十ヶ年計画………（六八）　ビルマ庶民銀行の開業………（九

338　Ⅱ．南洋協会発行雑誌　総目録

　　　六）　ネグロス島の棉作と林業………（一三〇）
本会報告………［本部―支部―会員異動―新備付図書］………（一三一）
付録　「南洋」第二十八巻総目次………（別冊）

◆『南洋』第二十九巻第一号（［昭和十八年］一月一日発行）
　　　題字………近衛本会総裁
　【巻頭言】必勝の紀元二千六百三年を迎ふ………本会会長伯爵　児玉秀雄………（一）
　　南方に於ける衛生工作の重要性………大東亜省参事官本会南方生活研究会副委員長医学博士　松
　　　村　盡………（二）
　　比律賓の民族と社会………木村　惇………（一二）
　　新しき比律賓より帰りて………陸軍嘱託日本フイリッピン社主幹　江野沢恒………（二五）
　　抑留生活報告
　　　マライから印度へ………本会昭南島産業館館長　本会昭南島支部長　松川省三………（四八）
　　　爪哇から豪州へ………本会調査編纂部長　同会爪哇支部長　堀口昌雄………（六一）
　　豪州の経済的抗戦力（一）………伊藤孝一………（三八）
　　比律賓文化の跡………渡辺　薫………（七八）
　　ビルマの宗教………鈴木貫一………（八九）
　　印度支那に於ける物価騰貴対策………本会調査編纂部訳………（九九）
　　南方交易史話（三）―伊藤小左衛門の巻―………梅本貞雄………（一〇六）
　　東印度農業統計（一九四〇年）（三）………旧蘭印中央統計局編………（一一三）
　　　主要年産土着農産物収穫面積（A）………（一一四）　主要年産土着農産物収穫面積（B）………
　　　（一一五）　主要年産土着農産物生産概況………（一一七）　月別水稲移植面積………（一一九）
　　　月別水稲収穫地及非総不作地面積………（一二一）　水稲収穫地及不作地面積並に陸稲収穫量
　　　………（一二二）　各種農産物植付面積及生産量………（一二四）　官営エステートの植付面積及
　　　生産量………（一三一）　蘭印に於ける甘蔗栽培園数及面積………（一三四）　蘭印に於ける甘蔗
　　　生産高………（一三五）　蘭印砂糖制限………（一三六）　蘭印茶制限………（一三七）　蘭印護
　　　謨制限………（一三八）　蘭印に於ける規那制限………（一三九）　ジヤワ及マヅラ農産物輸出
　　　………（一四〇）　外領地農産物輸出………（一四四）　蘭印農産物輸出………（一四七）　旧蘭
　　　印主要農産物の生産並に輸出と世界数字との比較………（一五一）
　　本会南洋学院第二回生徒募集………（一五三）
　　南方建設資料
　　　昭南行政八外局整備………（一一）
　　　昭南市昭和十八年度予算案………（四七）
　　　日仏印基本条約更改討議開始………（六〇）

本会報告………［本部―支部―会員異動―新備付図書］………（一五六）

◆『南洋』第二十九巻第二号（［昭和十八年］二月一日発行）
　　題字………近衛本会総裁
　【巻頭言】皇国意識の昂揚………本会理事　佐々木謙一郎………（一）
　南方熱帯地の自然的環境と人類の生活………本会常務理事　飯泉良三………二
　南方軍政を現地に視る………近衛師団司令部報道部員陸軍中尉　黒田明彦………一三
　比島文化工作論―従軍手帳から―………扇谷正造………三〇
　大東亜戦勃発前後に於けるニューカレドニア経済事情………本会仏領ニューカレドニア地方調査通
　　信嘱託　筒井武平………三八
　スマトラとその住民………パウル・シュネーウインド　本会調査編纂部訳………六八
　南方医談　規那の話（一）………医学博士　志村芳雄………七四
　統計より観たる旧蘭印の工業………本会調査編纂部………四六
　東印度林産統計（一九四〇年）………旧蘭印中央統計局編　本会調査編纂部訳編………八三
　　［内容］ジヤワ及マヅラ山林面積表………（八四）　ジヤワ及マヅラ官営木材及木炭生産高………
　　　（八五）　ジヤワ及マヅラ林産物生産高及山林局による販売高………（八六）　外領地山林面積及
　　木材生産高一覧表………（八七）　パンロン伐採法による伐採高………（八八）
　特輯　南方建設一周年誌（一）………本会調査編纂部編………九一
　一、南方一般
　（一）建設政策………（九一）　（二）統治………（九四）　（三）軍政・人事………（九五）　（四）
　　地名改称………（一〇〇）　（五）産業一般………（一〇一）　（六）鉱業………（一〇二）　（七）
　　農業………（一〇二）　（八）金融………（一〇四）　（九）交通・通信………（一〇八）　（一〇）
　　教育………（一〇九）　（一一）報道・宣伝………（一一〇）
　二、仏領印度支那
　（一）政治・外交………（一一一）　（二）産業一般………（一一一）　（三）鉱業………（一一一）
　　（四）農業………（一一二）　（五）財政・金融………（一一二）　（六）貿易・商業………（一一
　　二）　（七）交通………（一一四）　（八）教育………（一一四）　（九）宗教………（一一四）　（一
　　〇）報道・宣伝………（一一四）
　三、タイ国
　（一）政治・外交………（一一五）　（二）産業一般………（一一六）　（三）農業………（一一六）
　　（四）財政・金融………（一一六）　（五）交通・通信………（一一八）　（六）文化………（一一
　　八）
　四、フィリッピン
　（一）統治・行政………（一一八）　（二）産業一般………（一二二）　（三）農業………（一二三）

340　Ⅱ．南洋協会発行雑誌　総目録

　　（四）財政・税政………（一二六）　（五）貨幣・金融………（一二八）　（六）商業・貿易………（一三一）　（七）物価・賃銀………（一三三）　（八）交通・通信………（一三四）　（九）文教・言語………（一三五）

本会報告
　本部………（一三六）　支部………（一四一）　会員異動………（一四四）　新備付図書………（一四六）

◆『南洋』第二十九巻第三号（［昭和十八年］三月一日発行）
　　題字………近衛本会総裁
【巻頭言】大東亜戦争と南方原住民族………本会理事　坂本正治………（一）
アダット研究の必要と困難に就て………前スラバヤ領事　水田信利………（二）
旧蘭領印度の司法制度………村松俊夫………（七）
ゴム専売案の提唱………小田　脩………（二二）
牙牙荘パスツール研究所の業績………牙荘パスツール研究所々長　ヂヤコトット博士………（二六）
　（ニヤツチヤン）
東印度の金属加工業………クレツメル・ド・ウイルデ　本会調査編纂部訳………（四〇）
一九四〇年の旧蘭印鉱業………本会調査編纂部訳………（四九）
南方医談　規那の話（二）………医学博士　志村芳雄………（五五）
豪州織物市場回顧………松永外雄………（六五）
北部仏印の米………本会調査編纂部訳………（七二）
東印度畜産統計（一九四〇年）………旧蘭印中央統計局編………（七七）
　　地方別大家畜数一覧表………（七八）　地方別小家畜数一覧表………（八一）　酪農場所在種別乳牛頭数表………（八三）　屠殺家畜数一覧表………（八三）　蘭印家畜の市場出荷頭数………（八六）　特種家畜輸出入数及価額………（八九）　諸外国向皮革輸出数量及価額………（九二）　家畜伝染病一覧表………（九二）
一九四一年度仏印有価証券の発行高………本会調査編纂部訳………（九四）
大東亜統計要覧―人口動態の部―………本会調査編纂部編………（九八）
　　面積及人口表………（九八）　年齢別性別人口表………（一〇一）　出生統計………（一〇四）　死亡統計………（一〇五）　出生率表………（一〇六）　死亡率表………（一〇七）　乳児死亡率………（一〇八）　母齢別出生表………（一〇九）　年齢別出生率及再出産率表………（一一〇）　年齢別性別死亡表………（一一二）　年齢別性別死亡率明細表………（一一四）　男女各生命表………（一一六）　平均余命率表………（一一七）　失業者統計表………（一一八）　工業従業者指数………（一二〇）　賃銀指数表………（一二一）
特輯　南方建設一周年誌（二）………本会調査編纂部編………（一二三）
　　五、マライ、スマトラ

（一）統治・行政………（一二三）　（二）司法………（一二五）　（三）華僑・印度人………（一二五）　（四）地名改称………（一二五）　（五）産業一般………（一二六）　（六）鉱業………（一二六）　（七）農業………（一二九）　（八）労働………（一三二）　（九）財政・金融………（一三二）　（一〇）商業・交易………（一三五）　（一一）交通・通信………（一三六）　（一二）教育・報道………（一三九）　（一三）宗教・祭祀………（一四〇）

　六、ジヤワ

　　（一）統治・行政………（一四〇）　（二）司法………（一四三）　（三）原住民対策………（一四四）　（四）地名改称………（一四四）　（五）産業一般………（一四五）　（六）農業………（一四六）　（七）財政・金融………（一四七）　（八）物価・賃銀………（一四九）　（九）商業・貿易………（一四九）　（一〇）交通・通信………（一五〇）　（一一）言語・教育………（一五一）　（一二）報道………（一五一）　（一三）宗教・祭祀………（一五二）

　七、ボルネオ

　　（一）統治・行政………（一五二）　（二）産業………（一五二）　（三）財政・金融………（一五三）

　八、ビルマ

　　（一）統治・行政………（一五三）　（二）財政・金融………（一五四）　（三）商業・物価………（一五五）　（四）産業………（一五六）　（五）交通・通信………（一五六）　（六）報道………（一五六）

本会報告

　本部………（一五七）　支部………（一五九）　会員異動………（一六二）　新備付図書………（一六二）

◆『南洋』第二十九巻第四号（［昭和十八年］四月一日発行）

　　題字………近衛本会総裁

【巻頭言】バーモ行政府長官を迎ふ………本会理事　水野伊太郎………（一）

南方共栄圏建設の構想………石原廣一郎………（二）

国語とインドネシア語の語音………斎藤正雄………（五）

豪州の経済的抗戦力（二）………伊藤孝一………（一五）

ジヤワ工業製品販路並に工業企業地としての外領………F・J・H・ダフィス　本会調査編纂部訳………（二六）

南方医談　マラリアの話（一）………医学博士　志村芳雄………（七六）

スマトラの民族（五）………エドウイン・M・ロエブ　本会調査編纂部訳………（五〇）

ソロモン群島の住民と文化………杉浦健一………（三七）

南方随想

　南方再建設の事ども………本会昭南島産業館長　本会昭南島支部長　松川省三………（六四）

西貢見本市博覧会所感………貿易統制会外国課長　別所直諒………（六〇）

日本最初の内南洋探検（一）………清野謙次………（八五）

プラナキラ会誕生………（六三）

東印度鉱産統計（一九四〇年）………旧蘭印中央統計局編………（九三）

　　　蘭印主要錫会社従業員数及採掘高………（九四）　制限年度に於ける蘭印錫………（九四）　官営炭坑従業員数及採炭高（a）………（九六）　官営炭坑従業員数及採炭高（b）………（九六）　官営炭坑別坑夫一名当り平均採炭高………（九七）　民営炭坑採炭高及蘭領印度採炭高総計………（九八）　官営及民営炭坑従業員数………（九九）　採炭会社別金銀生産高………（九九）　石油会社別原油生産高………（一〇三）　各種石油物産生産高………（一〇五）　液化天然瓦斯生産高………（一〇六）　液化天然瓦斯よりのベンヂン生産高………（一〇九）　政府納入向以外の民営塩田産塩高………（一〇九）　産塩高及政府の買上高………（一一〇）　住民の煉瓦塩（政府専売）消費高………（一一一）　工産業及乾塩漁業による政府専売塩消費高………（一一三）　塩消費高総計………（一一五）　年度別塩市価及売上高一覧表………（一一五）

南方建設資料………本会調査編纂部………（一一八）

一、南方一般―（一）軍政・人事………一一八　（二）産業………一二一　（三）金融………一二一　（四）交通・通信………一二一　（五）教育………一二二

二、マライ―（一）軍政………一二三　（二）産業………一二四　（三）金融………一二五　（四）商業………一二五　（五）交通・通信………一二六　（六）言語・教育………一二六　（七）祭祀………一二六

三、ジヤワ―（一）軍政………一二七　（二）財政・税制………一二八　（三）産業………一二九　（四）交通・通信………一三〇　（五）文化………一三〇　（六）教育………一三〇

四、ボルネオ―（一）軍政………一三一　（二）地名改称………一三一　（三）産業………一三二　（四）金融………一三二　（五）交通・通信………一三二　（六）教育………一三三　（七）宗教………一三三

五、比島―（一）軍政………一三三　（二）財政・物価………一三四　（三）産業………一三五　（四）金融・商業………一三六　（五）交通・通信………一三八　（六）文化・教育………一三八　（七）祭祀………一三九

六、ビルマ―（一）軍政………一三九　（二）財政・金融………一四〇　（三）交通・通信………一四〇　（四）文化・教育………一四〇

七、タイ―（一）行政・司法………一四〇　（二）財政・金融………一四一　（三）産業………一四一　（四）文化・教育………一四一

八、仏領印度支那―（一）政治………一四二　（二）産業………一四二　（三）金融・商業………一四三　（四）交通………一四三

本会報告

本部………（一四四）　支部………（一五五）　会員異動………（一五八）　新備付図書………（一五九）

◆『南洋』第二十九巻第五号〔［昭和十八年］五月一日発行）
　題字………近衛本会総裁
【巻頭言】日本と大南洋………本会理事　堀　公一………（一）
南方映画工作の旅………社団法人映画配給社社長　植村泰二………（二）
南海染料考………斎藤正雄………（一二）
ジヤワ工場視察記（一）………パラダ・ハラツプ　本会調査編纂部訳………（三一）
南方医談
　マラリアの話（二）………医学博士　志村芳雄………（二一）
北ボルネオ統治史論（上）………木村　澄………（四三）
スマトラの民族（六）―ミナンカバウ族―………エドウイン・M・ロエブ　本会調査編纂部訳………（五九）
アンコール以前に於ける古代カンボジアの文化（一）………水谷乙吉………（六九）
日本最初の内南洋探検（二）………清野謙次………（七三）
日・仏印経済協定解説………本会調査編纂部………（八〇）
豪州鉱産統計（一）………豪州聯邦統計局編本会調査編纂部訳編………（八六）
　鉱物生産高（一九三八年）………（八七）　鉱物生産額（一九三八年）………（八八）　最近五ヶ年間に於ける鉱物生産額………（九一）　一九三八年末現在鉱物生産額累計………（九二）　金生産額………（九四）　対世界金生産比率………（九五）　銀及鉛産出額………（九六）　ニユー・サウス・ウエルス州に於ける銀及鉛産出高………（九六）　銀生産高………（九七）　州別鉛生産高………（九七）　全豪州鉛生産高総計………（九八）　銅生産高………（九八）　錫生産額………（九九）
南方建設資料………本会調査編纂部………（一〇〇）
【南方一般】―（一）政治及南方対策………一〇〇　（二）財政・金融………一〇一　（三）産業………一〇一　（四）交通………一〇一　（五）通信………一〇一　（六）教育………一〇二　（七）報道………一〇二　（八）文化………一〇三
【ジヤワ】―（一）軍政………一〇三　（二）産業………一〇四　（三）為替………一〇四　（四）教育………一〇五　（五）報道………一〇五　（六）祭祀………一〇五　（七）其他………一〇五
【ボルネオ】―（一）為替………一〇六　（二）通信………一〇六　（三）教育………一〇六　（四）祭祀………一〇六　（五）其他………一〇六
【セレベス】―（一）軍政………一〇七　（二）教育………一〇七　（三）衛生………一〇八　（四）其他………一〇八

【マライ・スマトラ】―（一）産業………一〇八 （二）金融………一〇九 （三）商業………一〇九 （四）交通………一〇九 （五）教育………一一〇

【ビルマ】―（一）政治………一一〇 （二）為替………一一〇 （三）教育………一一〇 （四）宣伝………一一〇

【比島】―（一）軍政………一一一 （二）産業………一一二 （三）交通………一一四 （四）通信………一一五 （五）文化・宣伝………一一五 （六）報道………一一五 （七）教育………一一五 （八）宗教………一一六 （九）其他………一一七

【タイ】―（一）政治………一一七 （二）経済………一一七 （三）金融………一一八 （四）文化………一一八 （五）祭祀………一一八

【仏印】―（一）政治………一一八 （二）経済………一一九 （三）金融………一一九 （四）貿易………一一九 （五）産業………一一九 （六）商業………一一九 （七）通信………一二〇 （八）教育………一二〇

本会報告

本部………（一二一） 支部………（一二六） 会員異動………（一二七） 新備付図書………（一三〇）

◆『南洋』第二十九巻第六号〔[昭和十八年]六月一日発行〕

題字………近衛本会総裁

【巻頭言】南方建設と農産資源開発の意義………本会理事　中瀬拙夫………（一）

日本南方交渉史的考察（上）………笹原　助………（二）

戦時下の豪州（一）………菊地四郎………（一三）

東印度の石鹸工業………R・G・マックモーラン　本会調査編纂部訳………（二〇）

現地報告

比島　島内原料による石鹸製造………渡辺　薫………（二七）

南方医談

マラリアの話（三）………医学博士　志村芳雄………（四一）

北ボルネオ統治史論（下）………木村　澄………（四七）

スマトラの民族（七）―ミナンカバウ族―………エドウイン・M・レエブ　本会調査編纂部訳………（六二）

視察

南方視察の印象………陸軍省経理局衣糧課陸軍主計中佐　有田　実………（七〇）

ジヤワ視察記………パラダ・ハラップ　本会調査編纂部訳………（三一）

随想

ビルマ人の横顔………本間幸次郎………（七五）

南洋主要農産資源の対世界比率………本会調査編纂部………（一一六）

豪州鉱産統計（二）………豪州聯邦統計局編本会調査編纂部訳編………（八〇）

　　亜鉛生産高………（八〇）　世界亜鉛板生産に於ける豪州の地位………（八一）　銑鉄及鋼生産高………（八二）　世界銑鉄及鋼生産に於ける豪州の地位………（八三）　ウオルフラム及重石生産高………（八四）　コバルト及カドミユーム生産高………（八五）

東印度鉱業統計（一九四〇年）（一）………旧蘭印中央統計局編………（八六）

　　工場法の適用を受ける工場及作業場数（a）………（八七）　工場法の適用を受ける工場及作業場数（b）………（九〇）　工場及作業場に於ける事故件数………（九三）　使用中の蒸気汽缶数………（九八）　汽缶以外の蒸気装置………（一〇八）　仕出国別新規購入蒸気装置………（一一三）

一九三九年度南洋主要農産資源の対世界比率………（一一六）

南方建設資料………本会調査編纂部………（一一七）

　　【南方一般】―南方対策・軍政………一一七　金融………一二〇　産業………一二〇　通信………一二二　教育………一二二　文化………一二三　宗教………一二五

　　【ジヤワ】―軍政………一二五　財政………一二六　産業………一二六　交通・通信………一二七　文教………一二八　宗教………一二九　其他………一二九

　　【ボルネオ】―通信………一二九　報道………一二九　造船………一三〇　文化………一三〇

　　【セレベス】―軍政………一三〇　金融………一三〇　産業………一三〇　通信………一三一　衛生工作………一三一　教育………一三二　其他………一三二

　　【マライ・スマトラ】―軍政………一三二　財政・金融………一三二　産業………一三三　交通・通信………一三三　教育………一三四　其他………一三四

　　【ビルマ】―政治………一三五　金融………一三六　衛生工作………一三六　報道………一三六　教育………一三六　祭祀………一三六　其他………一三六

　　【比島】―軍政………一三六　税政・物価………一三七　金融………一三九　産業………一三九　交通・通信………一四二　教育・文化………一四二　宗教………一四三

　　【タイ国】―司法・行政………一四三　外交………一四四　産業………一四四　交通………一四四　教育………一四四

　　【仏領印度支那】―産業………一四五　文化………一四五

本会報告

　　本部………（一四六）　支部………（一四九）　会員異動………（一四九）　新備付図書………（一五二）

◆『南洋』第二十九巻第七号（[昭和十八年]七月一日発行）

　　題字………近衛本会総裁

　　【巻頭言】『南方の土』たる人を養へ………本会相談役　井上雅二………（一）

日本南方交渉史的考察（中）………笹原　助………（二）

南方農業再編成論………大東亜省嘱託　照屋全昌………（一三）

回教政策の一考察………文学博士　内藤智秀………（二五）

南方随想

　更生比島点描………木村　惇………（五〇）

ボルネオに於ける資源開発の将来………野村合名海外事業部長　細田秀造………（三三）

印度と南方圏との貿易関係………交易営団企画部　飯村天浪………（四一）

新比島建設の諸課題………大谷喜光………（五七）

仏印の展望………ジヤン・ドクー述　本会調査部編纂部訳………（七一）

仏印統制経済の解剖………本会調査編纂部訳………（八〇）

プラナキラ会報告………（一五二）

新刊紹介………（二四）

東印度工業統計（二）（一九四〇年）………旧蘭印中央統計局編　本会調査編纂部訳編………（九三）

　蘭印に於ける発電力総計………（九四）　官営水力発電所………（九五）　私有地に於ける水力発電装置………（九六）　短期間水力利用許可件数………（九七）　長期間（通常四十ヶ年）水力利用許可件数………（九九）　送電及配電網の建設に関する許可件数………一〇二　電気供給区域内に於ける人口表………（一〇三）　電気供給事業者別供給区域、需用家数及需用量………（一〇五）　主要電気事業会社の事業成績………（一一三）

南方建設資料………本会調査編纂部………（一一四）

　【南方一般】―政治………一一四　産業………一一六　交易………一一八　通信………一一九　教育………一一九　文化………一二〇

　【ジヤワ】―軍政………一二一　産業………一二二　造船………一二三　交通・通信………一二三　報道………一二四　其他………一二四

　【マライ・スマトラ】―軍政………一二四　産業………一二五　交易………一二六　金融………一二六　交通・通信………一二七　教育………一二七

　【ボルネオ】―軍政………一二八　産業………一二八　物価・賃金………一二九　通信………一三〇　文教………一三〇

　【セレベス】―軍政………一三〇　産業………一三一　税政………一三一　交通………一三二　衛生施設………一三二　教育・文化………一三二　報道………一三四

　【比島】―政治………一三四　税政・物価・配給………一四〇　産業………一四二　金融・保険………一四三　交易………一四三　交通・通信・運輸………一四三　教育・文化………一四四

　【ビルマ】―軍政………一四五　産業・金融………一四六　文教………一四六　宗教・祭祀・其他………一四七

　【タイ国】―政治………一四七　金融………一四八　交易………一四八　報道………一四九

【仏領印度支那】―政治………一四九　産業………一五〇　財政・物価・配給………一五一　教育・文化………一五一

本会報告

　本部………（一五三）　支部………（一五六）　会員異動………（一五七）　新備付図書………（一五九）

◆『南洋』第二十九巻第八号（〔昭和十八年〕八月一日発行）

　題字………近衛本会総裁

　【巻頭言】比島の独立に就いて………本会理事　佐々木駒之助………（一）

　南方圏の糖業と日本糖業………日本糖業聯合会理事長　中瀬拙夫………（二）

　日本南方交渉史的考察（下）………笹原　助………（七）

　共栄圏建設と仏印の寄与………内山岩太郎………（一五）

　南方随想

　　開拓者の観たる新生南方の片貌………本会相談役　井上雅二………（二四）

　戦時下の豪州（二）………菊地四郎………（三六）

　南方建設資料………本会調査編纂部………（四三）

　　【南方一般】一、政治………四三　二、産業………四六　三、金融………四九　四、通信………五〇　五、教育・文化………五〇　六、宗教………五四　七、其他………五四

　　【ジヤワ】一、政治………五四　二、産業………五六　三、金融・物価………五八　四、造船………五八　五、報道………五八　六、教育………五九　七、宗教・其他………五九

　　【マライ・スマトラ】一、政治………六〇　二、財政・交易………六一　三、交通・通信………六二　四、報道………六二　五、教育………六三　六、宗教・祭祀………六三　七、其他………六三

　　【ボルネオ】一、産業………六四　二、教育………六四　三、報道………六四

　　【セレベス】一、政治………六五　二、産業………六五　三、教育………六六

　　【比島】一、政治………六六　二、産業………七四　三、金融・物価………七五　四、交通・通信………七七　五、造船………七八　六、衛生………七八　七、教育・文化………七九　八、其他………八〇

　　【ビルマ】一、政治………八〇　二、産業………八三　三、物価………八四　四、交通・通信………八五　五、教育・文化………八五

　　【タイ国】一、政治・外交………八五　二、産業・交易………八六　三、金融・通信………八六　四、宗教・其他………八七

　　【仏領印度支那】一、政治・金融………八七　二、産業・造船………八八　三、教育………八九

本会報告

本部………（九〇）　支部………（九九）　会員異動………（九九）　新備付図書………（一〇一）

付録　昭和十七年度財団法人南洋協会事業及会計報告書………巻末一～五八、一～八

◆『南洋』第二十九巻第九号（〔昭和十八年〕九月一日発行）

　　題字………近衛本会総裁

【巻頭言】南方物資を速かに戦力に転化せよ………本会理事　松江春次………（一）

インドネシア民族文化考………町田敬二………（二）

ビルマ抗英闘争史―その一断片―………金子豊治………（八）

仏印手工業の検討

　　印度支那に於ける手工業者………逸見重雄………（一五）

　　仏印家内工業の特質と現況………今　藤雄訳編………（二五）

南方随想

　　熱帯生活と日本人………小岩井靖………（三五）

　　エステートの産業組合化に就て………永田　稠………（四五）

ジヤワ工場視察記（三）………パラダ・ハラハツプ　本会調査編纂部訳………（七七）

北ボルネオ初期の行政………木村　澄………（四九）

條約並協定の変遷に観る日・泰関係の進展………本会調査編纂部………（八六）

フイリツピン自動車事情………清野謙六郎………（六〇）

南方交通史話（四）

　　泰と天竺徳兵衛………梅本貞雄………（六七）

東印度貿易統計（一）（一九四〇年）………旧蘭印中央統計局編　本会調査編纂部訳編………（九五）　輸出入貿易額………（九六）　仕向国別各種輸出物産輸出税額………（九九）　輸出地方別各種物産輸出税額………（一〇二）　輸出港別各種物産輸出税額………（一〇四）　仕出国別輸入貿易金額………（一〇六）　仕向国別輸出貿易金額………（一〇九）　仕出国別輸入貿易数量………（一一三）　仕向国別輸出貿易数量………（一一六）

南方建設資料………本会調査編纂部………（一二〇）

　　【南方一般】政治………一二〇　産業・交易・物価………一二八　通信………一三一　教育・文化………一三二　宗教・其他………一三五　【ジヤワ】政治………一三七　財政・金融・物価………一三八　産業………一四三　教育・其他………一四四　【マライ・スマトラ】政治………一四四　産業………一四七　金融・物価………一四九　教育………一五〇　其他………一五〇　【ボルネオ】政治………一五〇　産業・物価………一五一　教育・文化………一五一　報道………一五二　其他………一五二　【セレベス】政治………一五二　産業………一五三　通信………一五五　教育・文化………一五五　祭祀………一五六　【比島】政治………一五六　産業………一五九　金融………一六〇　通信………一六一　教育・文化………一六二　衛生工作・其

他………一六二　【ビルマ】政治………一六三　産業………一六三　教育………一六六　【タイ国】政治………一六六　交易・金融………一六九　産業………一六九　宗教・其他………一七〇　【仏領印度支那】政治………一七〇　交易・金融………一七二　物価・統制………一七二　産業………一七三　文化………七四

本会報告

本部………（一七五）　支部………（一七七）　会員異動………（一八七）　新備付図書………（一八八）

◆『南洋』第二十九巻第十号〔［昭和十八年］十月一日発行〕

題字………近衛本会総裁

【巻頭言】大東亜道義共栄圏建設進む………本会副会長兼理事長　酒匂秀一………（一）

台湾に於ける規那樹栽培の重要性………上田弘一郎………（二）

仏印に於ける対マラリヤ施設の発達………M・F・フアリノウ述　農学博士　三浦岱栄訳………（六）

旧蘭印の教育制度………B・J・O・シユリーケ博士　本会調査編纂部訳………（二〇）

仏印手工業の検討

　印度支那に於ける手工業者（二）………逸見重雄………（二九）

　仏印家内工業の特質と現況（二）………今　藤雄………（三九）

ジヤワ工場視察記（四）………パラダ・ハラハツプ　本会調査編纂部訳………（四七）

南方随想

　新生国家誕生に活躍した比島要人の横顔………中村今朝雄………（八〇）

北ボルネオのヅスン族（上）………木村　澄………（六二）

スマトラの民族（八）………エドウイン・M・レエブ　本会調査編纂部訳………（七二）

南方建設資料………本会調査編纂部………（八六）

【南方一般】政治・外交………（八六）　金融………（九二）　産業・通信………（九二）　教育・文化………（九三）　其の他………（九四）　【ジヤワ】政治………（九五）　産業………（九八）　税政・金融・物価………（九九）　教育・文化………（一〇〇）　衛生………（一〇二）　【マライ・スマトラ】政治………（一〇二）　金融………（一〇五）　産業・経済………（一〇六）　教育・其の他………（一〇八）　【ボルネオ】政治………（一〇八）　物価………（一〇八）　教育………（一〇八）　【セレベス】政治………（一〇九）　産業………（一〇九）　教育・文化………（一一〇）　運輸・通信………（一一〇）　其の他………（一一一）　【比島】政治………（一一一）　交易・海運………（一一三）　財政・金融・物価………（一一三）　産業………（一一四）　通信………（一一四）　教育・文化………（一一四）　其の他………（一一六）　【ビルマ】政治………（一一六）　財政・金融・保険………（一二三）　其他………（一二五）　【タイ国】政治………（一二五）

財政・物価………（一二六）　産業………（一二六）　通信………（一二七）【仏領印度支那】政治………（一二七）　金融・物価………（一二七）　産業………（一二八）　交通・通信………（一二九）　文化・宗教………（一二九）

本会報告

　　　本部………（一三〇）　支部………（一三三）　会員異動………（一三五）　新備付図書………（一三八）

◆『南洋』第二十九巻第十一号（［昭和十八年］十一月一日発行）

　　　題字………近衛本会総裁

　　【巻頭言】鍛錬を経たる在南邦人のよさ………本会常務理事　飯泉良三………（一）

　　南方圏と羊毛資源………松丸志摩三………（二）

　　豪州の経済的抗戦力（完）―財政より観たる抗戦力の限界―………伊藤孝一………（一三）

　　南方医談

　　　マラリヤの話（四）………医学博士　志村芳雄………（二七）

　　スマトラの陸上交通………清野謙六郎………（三八）

　　マライ人の舞踊………Ｒ・Ｊ・ウイルキンスン　本会調査編纂部訳………（四七）

　　仏印の浮稲………三井物産株式会社穀物油脂部総務課………（六〇）

　　南方建設資料………本会調査編纂部………（六七）

　　　【南方一般】政治・外交………（六七）　産業………（七〇）　金融………（七二）　通信………（七二）　教育・文化………（七三）

　　　【ジヤワ】政治………（七三）　金融・物価………（七七）　産業………（七八）　通信・運輸………（七九）　教育………（八〇）　宗教………（八〇）

　　　【マライ・スマトラ】政治………（八一）　金融・物価………（八二）　産業・交通………（八三）　教育・文化………（八四）

　　　【ボルネオ】政治………（八四）　産業………（八五）

　　　【セレベス】政治………（八五）　産業・物価………（八六）　文教………（八六）

　　　【比島】政治………（八六）　金融・物価・統制………（八八）　産業………（九〇）　通信………（九〇）　教育………（九一）　其他………（九一）

　　　【ビルマ】政治………（九一）　財政・金融・統制………（九三）　教育・文化・其ノ他………（九四）

　　　【タイ国】政治………（九五）　財政・金融………（九七）

　　　【仏領印度支那】産業・交易………（九七）　文化・其他………（九九）

本会報告

　　　本部………（一〇一）　会員異動………（一〇二）　新備付図書………（一〇六）

◆『南洋』第二十九巻第十二号（［昭和十八年］十二月一日発行）

　　題字………近衛本会総裁

　【巻頭言】大東亜戦争二周年を迎ふ………本会副会長兼理事長　酒匂秀一………（一）

　仏印の医事衛生事情………医学博士　三浦岱栄………（二）

　仏印工業化の進展………今　藤雄訳補………（一〇）

　バタビア美術学芸協会の業績………Ｆ・Ｄ・Ｋ・ボッシユ　本会調査編纂部訳………（二三）

　北ボルネオのヅスン族（二）………木村　澄………（二九）

　南方交易史話（五）

　　安南と角倉一族………梅本貞雄………（三五）

　南方健康相談及診療所開所に就て………（一一六）

　興南地元会便り………（一〇三）

　東印度貿易統計（二）（一九四〇年）………旧蘭印中央統計局編　本会調査部編纂部訳編………（四五）

　　主要品別輸入貿易額………（四六）　主要品別輸出貿易額………（五二）　地方別輸出入貿易額………（五八）　主要港別輸出入貿易額………（六〇）　什向国別主要物産輸出貿易数量（ａ）………（六二）　仕向国別主要物産輸出貿易数量（ｂ）………（六四）　領内貿易（ａ）………（六七）　領内貿易（ｂ）………（七〇）

　南方建設資料………本会調査編纂部………（七四）

　　【南方一般】政治・外交………（七四）　通信………（七七）　文教………（七七）

　　【ジヤワ】政治………（七八）　産業………（八二）

　　【ボルネオ・セレベス】政治………（八二）　産業………（八三）　通信・放送………（八三）

　　【マライ・スマトラ】政治………（八四）　産業………（八五）　教育・其他………（八五）

　　【比島】政治………（八五）　財政・金融・物価………（九四）　通信………（九五）　教育………（九六）　其他………（九六）

　　【ビルマ】政治・外交………（九七）　財政・金融………（九八）　教育・文化………（九九）

　　【タイ国】政治………（九九）　交易………（一〇〇）　造船………（一〇一）　文化………（一〇一）

　　【仏領印度支那】産業………（一〇一）　文化・其の他………（一〇二）

本会報告

　本部………（一〇五）　支部………（一一一）　会員異動………（一一一）　新備付図書………（一一三）

◆『南洋』第三十巻第一号（［昭和十九年］一月一日発行）

　　題字………近衛本会総裁

　【巻頭言】決勝の新春を迎へて………本会会長伯爵　児玉秀雄………一

　南方農林業の帰趨（一）………台北帝大教授農学博士　田中長三郎………二

南洋華僑の政治的性格………経済学博士　井出季和太………一三
　　　タイ国農業の特質―特に土地問題を中心として―………杉山　清………二二
　　　仏印工業化の進展（二）………今　藤雄訳補………三〇
　　　北ボルネオのヅスン族（二）………木村　澄………四〇
　　　南方交易史話
　　　　安南と角倉一族（二）………梅本貞雄………四六
　　　ナタルパークの速成造林に就て………農学博士　玉利長助………五三
　　　南方建設資料………本会調査編纂部………五八
　　　　南方一般………（五八）　ジヤワ………（六四）　マライ・スマトラ………（六六）　ボルネオ・セレベス………（六八）　比島………（七〇）　ビルマ………（七五）　タイ国………（七七）　仏領印度支那………（七八）
本会報告………八〇　新刊紹介………五二

◆『南洋』第三十巻第二号（［昭和十九年］二月一日発行）
　　　題字………近衛本会総裁
　　　【巻頭言】南方人口配置の綜合的計画樹立の急務………本会理事　渥美育郎………一
　　　南方農林業の帰趨（二）………台北帝大教授農学博士　田中長三郎………二
　　　ジヤワ棉花栽培の現況（一）………農学博士　石川武彦………一一
　　　南方医談　黒水熱の話………医学博士　志村芳雄………一七
　　　仏印工業化の進展（三）………今　藤雄訳補………二三
　　　仏印農村金融事情（一）………本会調査編纂部訳………三一
　　　北ボルネオのムルト族（一）………木村　澄………三九
　　　豪州・ニユージランド自動車事情………清野謙六郎………四七
　　　ナタルパークの速成造林に就て（二）………農学博士　玉利長助………五七
　　　南方建設資料………本会調査編纂部………六〇
　　　　南方一般………（六〇）　ジヤワ………（六一）　マライ・スマトラ………（六四）　ボルネオ・セレベス………（六七）　比島………（七〇）　ビルマ………（七六）　タイ国………（七八）　仏領印度支那………（八〇）
本会報告………八二

◆『南洋』第三十巻第三号（［昭和十九年］三月一日発行）
　　　題字………近衛本会総裁
　　　【巻頭言】ジヤワ興亜文化会館の設営………堀口昌雄………一
　　　ジヤワ棉花栽培の現況（二）………農学博士　石川武彦………二
　　　東印度石油戦史（一）………木村国喜………八

戦前旧蘭印に於ける主要調査研究機関（上）………本会調査編纂部………四〇

南方医談　蚊の話（一）………医学博士　志村芳雄………一五

仏印農村金融事情（二）………L・ロツツエ　本会調査編纂部訳………二三

北ボルネオのムルト族（下）………木村　澄………三〇

スマトラの民族（九）………エドウイン・M・レエブ　本会調査編纂部訳………（三六）

ナタルパークの速成造林に就て（三）………玉利長助………四六

南方建設資料………本会調査編纂部………五〇

　　南方一般………（五〇）　ジヤワ………（五二）　マライ・スマトラ………（五五）　ボルネオ………（五九）　セレベス………（六〇）　比島………（六二）　ビルマ………（六六）　タイ国………（六八）　仏領印度支那………（六九）

本会報告………七〇

◆『南洋』第三十巻第四号〔昭和十九年〕四月一日発行）

　　題字………近衛本会総裁

【巻頭言】日印軍印度進駐と南方民族………本会常務理事　飯泉良三

タイ国の新建設運動………平等通昭………一

東印度石油戦史（二）………木村国喜………九

戦前旧蘭印に於ける主要調査研究機関（下）………本会調査編纂部………一六

仏印農村金融事情（三）………L・ロツツエ述　本会調査編纂部訳………二四

北ボルネオの中央行政機構（上）………木村　澄………二九

南洋学院便り　図南の雄志に燃ゆる　南洋学院の若人たち………三五

南方建設資料………本会調査編纂部………四〇

　　南方一般………（四〇）　ジヤワ………（四一）　マライ・スマトラ………（四四）　ボルネオ………（四九）　セレベス………（五二）　比島………（五五）　ビルマ………（六二）　タイ国………（六四）　仏領印度支那………（六六）

本会報告………六九

◆『南洋』第三十巻第五号〔昭和十九年〕五月一日発行）

　　題字………近衛本会総裁

【巻頭言】現地自活と産業調整………本会常務理事　飯泉良三………一

現地に視る仏印の動向………三浦岱栄………二

戦前和蘭本国に於ける対蘭印調査研究機関………本会調査編纂部………一〇

南方医談　蚊の話（二）………医学博士　志村芳雄………一六

仏印農村金融事情（四）………L・ロツツエ　本会調査編纂部訳………二五

北ボルネオの中央行政機構（下）………木村　澄………三三

354　Ⅱ．南洋協会発行雑誌　総目録

　　南方建設資料………本会調査編纂部………四〇
　　　　南方一般………（四〇）　ジヤワ………（四四）　マライ・スマトラ………（五一）　ボルネオ………（五五）　セレベス………（五七）　比島………（六〇）　ビルマ………（六四）　タイ国………（六七）　仏領印度支那………（六八）

本会報告………七二

◆『南洋』第三十巻第六号（［昭和十九年］六月一日発行）

　　題字………近衛本会総裁
　【巻頭言】南方建設と道義の昂揚………本会副会長兼理事長　酒匂秀一………一
　　南方建設の実況（一）………南洋協会常務理事　飯泉良三………二
　　重慶政府の南洋華僑指導対策………福田省三………一一
　　マライの米作改良及拡張政策（一）………旧マライ聯邦政庁編　本会調査編纂部訳………一八
　　マライに於ける調査研究機関………本会調査編纂部………二六
　　印緬国境踏査記―各種公路の素描―………W・J・カーラー述　本会調査編纂部訳………三四
　　在西貢堤岸(チヨロン)邦人商社並団体名簿………本会西貢支部調………四四
　　南洋協会経営ジヤワ西貢日本語学校近況………石塚吉祐………五〇
　　南方建設資料………本会調査編纂部………五二
　　　　南方一般………（五二）　ジヤワ………（五四）　マライ・スマトラ………（五七）　ボルネオ………（五九）　セレベス………（六〇）　比島………（六一）　ビルマ………（六四）　タイ国………（六六）　仏領印度支那………（六六）

本会報告………六八

◆『南洋』第三十巻第七号（［昭和十九年］七月一日発行）

　　題字………近衛本会総裁
　【巻頭言】帰来感………本会理事　林久治郎………一
　　ボルネオ・セレベス建設の現況………前海軍司令長官　岡田文秀………二
　　華僑経済への一試論………杉山　清………八
　　マライの米作改良及拡張政策（二）………旧マライ聯邦政庁編　本会調査編纂部訳………一一
　　南十字星の話………野尻抱影………一七
　　南方建設資料………本会調査編纂部………二二
　　　　南方一般………（二二）　ジヤワ………（二三）　マライ・スマトラ………（二五）　ボルネオ………（二七）　セレベス………（三〇）　比島………（三一）　ビルマ………（三三）　タイ国………（三四）　仏領印度支那………（三六）

本会報告………四〇
付録　昭和十八年度財団法人南洋協会事業及会計報告………一〜二二

◆『南洋』第三十巻第八号（［昭和十九年］八月一日発行）

　　題字………近衛本会総裁

　【巻頭言】東印度の独立………本会常務理事　飯泉良三………一

　建設途上のビルマ………前陸軍司政長官　大迫元繁………二

　東印度に於ける慣習法………竹井十郎………六

　戦前ジヤワに於ける衛生事情………本会調査編纂部………一二

　南方医談　蛇蠍（だかつ）の話（一）………医学博士　志村芳雄………三二

　仏印に於ける棉花増産対策………農事監督局織物部長　A・アングラデット述　本会調査編纂部訳………四〇

　南海周航記（一）………ブラスコ・イバニエス述　本多信寿訳………四八

　南方建設資料………本会調査編纂部………五一

　　南方一般………（五一）　ジヤワ………（五一）　マライ・スマトラ………（五三）　ボルネオ………（五三）　セレベス………（五四）　比島………（五五）　ビルマ………（五七）　タイ国………（五七）　仏領印度支那………（五八）

本会報告………六〇

◆『南洋』第三十巻第九号（［昭和十九年］九月一日発行）

　　題字………近衛本会総裁

　【巻頭言】戦局の発展と南方民族………本会常務理事　佐々木勝三郎………一

　食糧増産と熱帯樹の活用………玉利長助………二

　フイリッピン土地制度概説（上）………木村　澄………六

　比島衛生施策の歴史的回顧（一）………本会調査編纂部………一二

　南方医談　蛇蠍（だかつ）の話（二）………医学博士　志村芳雄………一九

　南方交易史話　末吉孫左衛門考………梅本貞雄………二三

　南方建設資料………本会調査編纂部………二七

　　ジヤワ………（二七）　マライ・スマトラ………（二九）　ボルネオ・セレベス………（三一）　比島………（三二）　ビルマ………（三四）　タイ国………（三五）　仏領印度支那………（三七）

本会報告………四〇

◆『南洋』第三十巻第十号（［昭和十九年］十月一日発行）

　　題字………近衛本会総裁

　【巻頭言】皇国農民指導層の南方布置………本会理事　渥美育郎………一

　フイリッピン土地制度概説（中）………木村　澄………二

　戦前ジヤワに於ける衛生事情（二）………本会調査編纂部………八

　比島衛生施策の歴史的回顧（二）………本会調査編纂部………一七

印度文化東漸に関する最近の諸資料………金　永鍵………二三
　　南方交易史話　末吉孫左衛門考………梅本貞雄………二七
　　南方建設資料………本会調査編纂部………三二
　　　　南方一般………（三二）　ジヤワ………（三二）　マライ・スマトラ………（三四）　ボルネオ………（三七）　セレベス………（三八）　比島………（四一）　ビルマ………（四三）　タイ国………（四五）　仏領印度支那………（四六）
　本会報告………四八
◆『南洋』第三十巻第十一号（［昭和十九年］十一月一日発行）
　　　題字………近衛本会総裁
　　【巻頭言】正に奮起の秋………本会常務理事　郡山　智………一
　　南方に於ける宗教文化の交替と層位………文学博士　宇野円空………二
　　フィリピン土地制度概説（下）………木村　澄………（一〇）
　　南方諸民族結集の一方策―玩具による教育に就いて………長谷川文人………一九
　　南方建設資料………本会調査編纂部………二四
　　　　ジヤワ………（二四）　マライ・スマトラ………（二九）　ボルネオ………（三一）　セレベス………（三三）　比島………（三五）　ビルマ………（三八）　タイ国………（四〇）　仏領印度支那………（四一）
　本会報告………四七

編者紹介

早瀬　晋三（はやせ　しんぞう）
1955年生まれ
早稲田大学大学院アジア太平洋研究科教授
〔主要著作〕
『「ベンゲット移民」の虚像と実像』（同文舘、1989年）、『復刻版　比律賓情報　解説・総目録・索引』（龍溪書舎、2003年）、『「領事報告」掲載フィリピン関係記事目録　1881-1943年』（龍溪書舎、2003年）、『海域イスラーム社会の歴史』（岩波書店、2003年、大平正芳記念賞、英語版：*Mindanao Ethnohistory beyond Nations*. Quezon City: Ateneo de Manila University Press, 2007）、『歴史研究と地域研究のはざまで』（法政大学出版局、2004年）、『戦争の記憶を歩く　東南アジアのいま』（岩波書店、2007年、英語版：*A Walk Through War Memories in Southeast Asia*. Quezon City: New Day Publishers, 2010）、『歴史空間としての海域世界を歩く』（法政大学出版局、2008年）、『未来と対話する歴史』（法政大学出版局、2008年）、『未完のフィリピン革命と植民地化』（山川出版社、2009年）、『フィリピン関係文献目録（戦前・戦中、「戦記もの」）』（龍溪書舎、2009年）、『マンダラ国家から国民国家へ：東南アジア史のなかの第一次世界大戦』（人文書院、2012年）、『フィリピン近現代史のなかの日本人』（東京大学出版会、2012年）、*Japanese in Modern Philippine History*（Waseda University Institute of Asia-Pacific Studies, 2014）、『南方開発金庫調査資料　解説、総目次、索引篇』（龍溪書舎、2012-15年）

解説者紹介

河原林直人（かわらばやし　なおと）
1970年生まれ
名古屋学院大学経済学部教授
〔主要著作〕
『近代アジアと台湾』*（世界思想社、2003年）、『南洋群島と帝国・国際秩序』（慈学社、2007年）、『昭和・アジア主義の実像』（ミネルヴァ書房、2007年）、『東アジア資本主義史論Ⅱ』（ミネルヴァ書房、2008年）、『日本の朝鮮・台湾支配と植民地官僚』（思文閣出版、2009年）、『日本統治時代台湾の経済と社会』（晃洋書房、2012年）、「一九三九年・「帝国」の辺境から」*（『日本史研究』第600号、2012年）、『内海忠司日記1940-1945』（京都大学学術出版会、2014年）（*は単著）

南方軍政関係史料㊺
南洋協会発行雑誌 [『会報』・『南洋協会々報』・『南洋協会雑誌』・『南洋』 1915〜44年]
解説・総目録・索引 [執筆者 人名 地名 事項]　第1巻［解説・総目録篇］

2018年1月31日第1刷

編　者　早　瀬　晋　三
解説者　河　原　林　直　人
発行者　北　村　正　光
発行所　株式会社 龍　溪　書　舎

〒179-0085　東京都練馬区早宮2—2—17
電話 03(5920)5222・振替00130-1-76123
FAX 03(5920)5227

ISBN978-4-8447-0320-4
全2巻分売不可

印刷・製本　勝美印刷㈱